法医禁忌档案

延北老九◎著

中国友谊出版公司

图书在版编目（ＣＩＰ）数据

法医禁忌档案 / 延北老九著. — 北京：中国友谊
出版公司，2016.2（2016.7重印）
ISBN 978-7-5057-3682-5

Ⅰ. ①法⋯ Ⅱ. ①延⋯ Ⅲ. ①长篇小说－中国－当代
Ⅳ. ①I247.5

中国版本图书馆CIP数据核字（2016）第018251号

书名	**法医禁忌档案**
作者	延北老九
出版	中国友谊出版公司
发行	中国友谊出版公司
经销	新华书店
印刷	北京盛通印刷股份有限公司
规格	700×980毫米　16开
	17印张　305千字
版次	2016年4月第1版
印次	2016年7月第3次印刷
书号	ISBN 978-7-5057-3682-5
定价	32.80元
地址	北京市朝阳区西坝河南里17号楼
邮编	100028
电话	（010）64668676

如发现图书质量问题，可联系调换。质量投诉电话：010-82069336

目录
C o n t e n t s

解剖现场

　　我24岁大学毕业，做了一名法医，满打满算从业两年。或许在外人看来，每一次解剖都该是惊心动魄的，但跟尸体接触久了，让我觉得法医这职业，天天也就是伤情鉴定与解剖验尸，反倒有些"平淡无奇"。

　　我一度认为，自己这辈子就这样了，挂个警衔混到退休，但我错了，前几天出现一个怪案，让我纠结、压抑，甚至绝望……

　　一切都得从那个破晓前说起，当大家都沉浸在美梦之中时，我却衣着整齐，急三火四地赶到了殡仪馆。

　　我走的是殡仪馆后门。门口站着一男一女，男的是张队长，女的是我们刑警队唯一的女警——卫寅寅。

　　他俩都吸着烟，正低声交流呢。张队看到我以后，立刻把烟丢了，拉着我往殡仪馆里走。我很好奇，因为警局算我在内，总共两个法医和一个法医助理。下班后我们是轮流待命的，今天该是法医刘哥的班，怎么张队把我叫来了呢？

　　张队解释道，夜里接到报案，当地一个小有名气的歌手死在家里，尸体现象很怪异。刘哥把尸体带到殡仪馆解剖，没多久便疯疯癫癫地从解剖室冲了出来，遇到人就拿解剖刀胡乱挥舞。殡仪馆两名值班人员冒着被划伤的危险扑上去，才勉强把他控制住。

我听得直皱眉，第一感觉是刘哥突然犯病了。但他是啥样人我能不知道？别说精神上没啥疾病，身体更是出了名的棒，前阵子参加市里马拉松，都进入前三了。

看我这态度，女警卫寅寅插了句话，说现场调查发现歌手家里有个坛子，貌似养了小鬼。

这事我略有耳闻，很多明星艺人为了能让自己的运势一直好下去，都偷偷玩这种邪术，但问题是，刘哥的怪异能跟它有什么关系？

张队让我别多想，当务之急，赶紧把尸检做完，以便为案件侦破提供更多证据。

我强压下心思，点点头。随即跟张队在楼梯口分开，我嗖嗖往楼上跑，没想到卫寅寅紧跟在我身后。

我知道她要干吗。对这个卫寅寅，我真有些无语。她大高个儿，长得很漂亮，要我说都能去当平面模特了，又或者找个好爷们儿嫁了，生活绝对不愁。但她非得选择当一名刑侦女警，凡事都冲到第一线。

我也没拦着她，一起来到解剖室门前。法医助理小凡正等着我呢。他也是刚来，什么都不知道。我跟他私下称兄道弟的，随便寒暄了几句，换好解剖服一同进去。

很明显，法医刘哥的解剖工作已经开始了，女尸的屁股里插着一支直肠温度计，这是用来测试尸温的。另外，隔远看着这具尸体，我也一下明白张队的话了——为啥说她很怪。

女尸的两只小臂血淋淋一片，很多肉都没了，有的地方甚至露出白骨来。小凡有点小动作，隔着手套用手背揉了揉鼻子。

我用胳膊肘撞了小凡一下，提醒他开始工作。尸检都是从外向里的，最先是尸表检查。我把直肠温度计拔出来，结合尸僵、尸斑、眼膜混浊程度等特征，得出一个结论：尸体死亡时间在八小时之前。

小凡快速地记着，女警卫寅寅本来只是旁观，这时忍不住插了句话，说死亡时间不会是八小时以前，因为推算起来，八小时以前就是昨晚九点半，歌手还跟同伴通着电话呢。

我跟小凡互相看了看，又一起打量女尸。倒不是说我学艺不精，推理错了，死亡时间上有冲突的案例不少，这样反倒说明案件大有蹊跷。

我让小凡把这里特意做了标记，又继续往下进行。

我们的注意力都集中在女尸的胳膊上，不得不说，这里的伤口太乱了，东一块西一块的，创口边缘还都是轻微锯齿状的。我用尺子辅助测量，得出一个结论："这是被人咬出来的。"

第一章 · 解剖现场

其实卫寅寅早就猜出个大概了，但我这么一强调，她还是忍不住念叨一句："怎么会这样！"

事实不仅如此，我又把几处伤口做了比对，得出了更为爆炸性的结论："锯齿状的弧度不一样，有大有小。说明当时不仅是一个人在撕咬。"

卫寅寅沉着脸不说话，不知道心里在琢磨什么。我带着小凡给尸体其他部位做检查。当我把女尸嘴巴捏开后，问题来了。

她牙缝里有碎肉渣，口腔黏膜上也有很多血迹。我用镊子夹出几片肉渣看了看，有个猜测，对小凡说："准备解剖。"

小凡明白我的意思，他望着女尸不可思议地摇摇头。

一般解剖胸腹腔，有一字形、Y字形和T字形手法，对女尸而言，都用Y字形，就是在胸下划开两道，把胸翻到头部，再一刀割开小腹。

我对此早就轻车熟路了，拿着解剖刀，对准她左胸下方刺进去。不过刚入刀的一刹那，整个解剖室的灯哧哧闪了两下，随后灭了。

现在天没亮，这么一下子，解剖室顿时陷入了昏暗之中。卫寅寅再怎么胆大也是个女生，她的呼吸变得有些粗，还哪壶不开提哪壶地说了句："养小鬼！"

小凡被卫寅寅这话弄敏感了，忍不住骂了句脏话，说："不至于吧？"

我让他俩别瞎说了，让小凡赶紧去问问，怎么临时停电了，实在不行借个手电筒回来，不能耽误解剖。

小凡应声往外跑。我一时间也干不了别的，只好把解剖刀收回来，放在解剖台上。

我这是临时加班，身子还有些倦，想趁机吸烟提提神，于是叫上卫寅寅一起出了解剖室。

赶巧的是，烟刚点上，卫寅寅接了个电话，急匆匆地走了。这么一来就剩我自己了，我只好找个墙角蹲下来，继续吸闷烟。

这期间我想到了刘哥，难道他是被尸体小臂的怪异吓疯了？但刘哥是老同志，更是经历过大风大浪的主儿，不应该啊！

我胡思乱想了好一会儿，正准备把烟头丢地上要踩灭的时候，解剖室里突然传出嘎巴、嘎巴两声，很怪异，像是有人在磨牙。

我整个心有点往上提，因为解剖室没人了，只有一具女尸，磨牙声是怎么回事？

我带着说不出来的那种感觉，把门推开个缝，往里瞧了瞧。女尸还静静地躺在解剖台上。

我纠结一番，不想等小凡了，又自行走进去。当靠近解剖台时，我踩到一个东西。这里昏暗归昏暗，但还是能模模糊糊瞧个大概，脚下是解剖刀，就是我要给女尸划肚子的那把。

我纳闷了，心想它怎么掉地上了？难道被风吹下来的？虽然解剖室的窗户是开着的，但什么风能这么大的动静，把刀吹落地上呢？另外今晚也没风啊！

这种情况我从没遇见过，也忍不住有点胡思乱想了。我又看着那个窗户，起身走过去。

我想把窗户关上，没想到这么随意一看，发现窗户左框靠下的地方有一块血迹，像是被擦出来的一样。

我还特意把手机拿出来，借着屏幕光仔细瞧瞧，血迹很新，是刚留下来的。

这下我忍不住联系起小鬼了，如果刚才全是它捣乱，这一切都能解释清楚了。我试图把这种歪理抹消掉，但脑袋里出现另一个念头，跟我对着干，非要支持这种歪理。

我一时间心里乱成一团。就在这种"痛苦"之下，突然有一束光射了过来，照得我一激灵。

我顺着一看，是小凡。他在门口举着手电筒呢。

他先问我："咋了，为啥在窗户那儿贼兮兮地站着？"又指着手电筒解释说，"殡仪馆变压器坏了，整个大楼全停电了。"

我不想把小鬼的想法说给小凡听，又有了一个主意，让小凡照亮，我找一个棉签，把窗框的血迹收集起来，事后做DNA比对。

随后我俩配合着，把女尸的胸腹腔划开了。我针对性很强，直接把她的胃拿出来摸了摸，我能感觉到，里面有一块块的东西。

我看看小凡，又验证般地一刀把它切开，这下更明显了。这里面全是一块块肉，或者说是一个个小的尸块。

小凡忍不住说道："我的天！"

这真的太震撼了，女尸死前竟然把自己的胳膊吃了，还把肉块囫囵吞了下去。我不知道她是怎么忍受那种剧痛的，但心里冒出一个很古怪的名词："活尸人！"

做法医的最忌讳主观判断，不能有任何先入为主的念头，对这具古怪的尸体，我知道不能盲目地下任何结论。我让小凡把这些检验结果记录下来，又把解剖的地方缝合起来。

虽说这么一来，整个尸检就结束了，我能暗自松口气，不过也能肯定这个案子才刚刚开始，这具尸体给我们留下的证据大有猫腻！

死
——
因

　　我跟小凡一起下楼出了殡仪馆，这才发现张队已经走了，卫寅寅留了下来，正坐在警车里。

　　不得已，我只好给张队打了电话，说了我的想法。女尸是解剖完了，但我们这个小城市的技术水平有限，我希望张队能把女尸送到省里，让省厅法医再检查一遍，尤其针对死亡时间这一块，看能不能有新的发现。

　　张队赞同，还说立刻联系，随后就把电话挂了。

　　我看了看表，离上班还有两个多小时，我一合计，现在回家补觉也来不及了，不如问问卫寅寅去哪儿，看能不能把我俩捎带送回警局。

　　没想到她是故意等着我俩呢，但不是去警局，而想让我们去趟案发现场。

　　寅寅的意思是，刘哥犯病了，好长一段时间都不能工作，这案子肯定归我，不如这就去案发现场了解下情况。

　　我知道刘哥肯定做了案发现场的笔记，其实我照着看一遍就行，但寅寅上来犟劲儿了，我也懂，她这工作狂的性子根本改变不了。

　　我和小凡都好说话，也就顺着她的意思。

　　别看寅寅是女警，有两项技术却是警局里的"一哥"：开车，还有破解密码。

　　我跟小凡坐在车上都不敢往前看，不然这么快的车速，我心脏受不了，外加我俩也累了，都靠在车座上小憩一会儿。

正当我迷迷糊糊快睡着的时候，卫寅寅突然来了一个急刹车。我和小凡一点儿准备都没有，俩人的脑袋都猛地往前撞去。

也亏得有车座挡着，这才没受伤，不过我磕得脑袋嗡嗡响。小凡还说："寅姐，能不能不这么猛啊？"

卫寅寅没理会我俩，她稍微有点紧张，还拿出电棍，开门下车。

我一瞧这架势，难道有啥突发情况？我跟小凡也急忙跟下去。现在天还灰蒙蒙的，我们还在市里，路上也没人，寅寅绕着车走了一圈，最后停在后车玻璃前，死死盯着。

小凡一边揉着脑袋，一边忍不住问了句："啥情况？"

卫寅寅回答说，刚才她从倒车镜里往后看，貌似有个黑咕隆咚的小孩趴在后车玻璃上了。

小凡先一愣，又哈哈笑了，特意敲着后车玻璃接话："老姐，我说我的老姐啊，这哪有什么东西？你眼花了吧？"

寅寅摇摇头，说她肯定没眼花。我偏向小凡的想法，刚才那车速，少说有一百公里，啥孩子能躲外面不被甩下去？

寅寅的目光转向车顶，但那上面什么都没有。

我也想给她打针镇静剂，索性跟小凡一样，特意拍了拍车顶。不过这么随意一拍，我手上被什么东西黏住了。我还用两个指头捏了捏，品了品。

没想到这玩意儿跟大鼻涕似的，我放在鼻子前闻了闻，没怪味儿。我抬头看看天，因为车顶上有东西，肯定是天上落下来的。但夜空晴朗，别说怪异的"大鼻涕"了，连雨滴都没有。

我们也不能这么干站着，卫寅寅又招呼我俩上车，继续往前开。

我是真担心她又来个急刹车，不敢睡觉了，跟小凡随意聊起天。这样过了半个多钟头，我们来到郊区一栋两层别墅前。

卫寅寅说："到了。"我们下车。小凡望着别墅感叹道："现在小歌手都这么土豪了？连别墅都能买得起？"

寅寅回答："怎么可能？"她事先了解过死者的资料，又解释说，"这歌手给一个集团老总当小三儿，这别墅十有八九是那老总买的。"

小凡故意啧啧几声，说："原来是花瓶。"

我没他那么敏感，也不对歌手做什么评价，反正每个人有每个人的活法。

第二章 · 死因

我们一起进去。现在警队都收工了，这里没别人，不过勘查踏板还没撤，铺了一地。

寅寅带着我们来到客厅，这里有一把藤椅，把手上全是血迹。

寅寅指着说："歌手死前就坐在藤椅上，脸上还敷着面膜。"她又故意做了一个动作，模仿死者死前姿势。

我觉得奇怪，因为敷着面膜，说明死者当时心情不错，可好端端为啥咬自己胳膊呢？别说就因为太高兴了。我还没听说哪个人一高兴就吭哧一下对自己来一口的呢。

小凡也没发表啥看法。寅寅又指着血迹问我俩。

做法医现场这一块，一般对血迹也有研究，血滴长短、大小、滴落痕迹等，都能还原当时的一切。

小凡懂这方面的东西，就一边分析，一边跟寅寅讲解起来。我在旁边听了一会儿，觉得没什么特别注意的，趁机四下走走，来到一间卧室。我发现角落里放着一个坛子，这该就是寅寅提过的那个养小鬼的坛子了。

我上来好奇心，走过去蹲着瞧了瞧。坛子不太高，有点像古装片里的那种酒坛子，我戴好手套，把它捧起来看看。

里面是空的，不过我留意到，在坛壁不起眼的地方粘着一块湿乎乎的东西。

我一下把它跟寅寅车顶上的那块"鼻涕"联系起来了，心里咯噔一下，那股念头又上来了，心说不会真有个小鬼吧？它跟着女尸一起去了殡仪馆，还偷偷爬到寅寅车顶上了？

但一切得用事实说话，我找到法医勘察箱，用棉签把这块"鼻涕"和寅寅车顶上那块"鼻涕"都收集起来，准备以后做进一步的研究。

卫寅寅又给我们介绍了一些情况，说这个别墅没有被撬锁和技术开锁的痕迹，窗户上也没攀爬的迹象，说明案发时这里是个封闭环境。

我明白，这都在告诉我们，歌手自杀的可能性很大，但女尸胳膊上出现了别人的牙印，也把这些误导彻彻底底否定了。

我们又转了一会儿，没啥新发现，就一同退出来。我故意晚一步，对着房间鞠了一躬。

这也算法医行内一个不成文的规矩吧，每次解剖后，我们的手套都要留在现场，这是对死者的一种尊敬，而对那些横死的人，我们也要抽空很恭敬地拜一拜。

这倒不是说我们迷信，有时候一个没处理好，接下来走背运或者摊上头疼脑热啥的，都很正常。而且资深老同志，也多多少少都摊上过这种说不出原因的怪事。

寅寅看到我这么鞠躬了，她喂了一声，一方面是催促，另一方面算是反驳我吧。可我不在乎。

接着坐车回警局。

我趁空把尸检报告整理好，送到张队那里去了，回来途中看到寅寅和一个同事正聊着呢。

这同事是刑警队的痕检员，就是他负责对那栋别墅检查的，我本来没想凑热闹，谁知道经过他们时，我听痕检员连连说怪事。

我又不得不停下来听一耳朵。痕检员的意思是，现场除了歌手的鞋印外，还有一组狗的脚印。说明她还养狗，只是在别墅里根本没找到狗，而且回来仔细一检查，从脚印的承重点、大小、形状来分析，竟全是狗后爪的脚印。

我听痕检员分析到这里，整个人都有些迷茫了，相信他一定也被这结论弄蒙了。我看他那样儿，特别想笑，不过仔细想想，也有些替他头疼。

难不成歌手养的狗比较特别，能直立行走吗？那她到底是歌手还是神婆，咋又养小鬼又养怪狗的？

我只是记住这个事了，接着就回到法医门诊干活。少了刘哥，我跟小凡任务量太大了，就这么脚不着地地把上午"混"过去了。

等中午吃完饭，我想靠在椅子上歇一会儿，缓缓体力，寅寅却找我来了，还说要带我去个地方。

我猜她一定对歌手这个案子有啥想法了，我真不想陪她，再说警局那么多同事呢，她咋又选我了呢？

寅寅性子烈，看我磨磨蹭蹭不想去，要掐人，我实在没招儿，心说这小娘们儿是嫁不出去了，就妥协了，跟她上了警车。

我以为又要去别墅呢，她却把车开到市医院，还去超市买了一兜水果让我拎着。

我明白了，原来她要带我去看刘哥。她也事先问好了病房，我们直奔而去。

经过一上午的治疗，刘哥好了很多，至少看我俩进来，他能很正常地跟我们打招呼了。我看他床头柜上的茶缸里放好了茶叶，估计正准备沏茶呢。

这让我多多少少放心了，不然面对一个疯了的同事，我可不知道该怎么办。

寅寅能说会道，没多久就把刘哥逗得哈哈直笑。我是天生不爱说话的那类人，只好坐在一旁当个陪衬。

寅寅心里打着另外一个算盘，或许是认为气氛差不多了，她突然盯着刘哥问了句："你不觉得歌手死亡案跟几年前一个案子很像吗？"

刘哥愣了，我也愣了。因为我印象里，这案子很怪、很特别，跟别的案子好像没啥联系。

刘哥有点木讷了，让寅寅继续解释。

寅寅说的是三年前的跳楼自杀案，当时刘哥主刀，张队结的案子。

我听到这儿释然了，因为三年前我还没来呢。但此时刘哥越来越古怪，嘴里瞎嘀咕，声太小，也不知道说的啥。

寅寅是上来劲头儿了，不管什么探病不探病了，也不管刘哥啥状态，追着问："你告诉我，今天早晨，你是不是见到啥东西了，不然怎么会突然抽风呢？"

第三章

专案组

　　我盯着刘哥，寅寅这么问也吊起了我的胃口。我还特想知道，刘哥在解剖时是不是也听到了那古怪的磨牙声。

　　刘哥的脸变得特别阴，都不看我俩了，低个头老半天没吱声。

　　寅寅不放弃，特意蹲在刘哥面前推推他，有种催促的意思。

　　我留意到，刘哥笑了两下，只是在这种严肃的气氛下突然一笑，让人觉得有些毛骨悚然。

　　刘哥把目光转移，看着茶缸，嘀咕着："沏茶，沏茶。"

　　他把暖壶拿起来，对着茶缸倒水，只是手抖得厉害，导致水线扭来扭去的。我本想上去帮忙，又一合计就没动身，觉得他这么大个人了，倒水应该没问题。

　　但怪事来了，刘哥把茶缸倒满后根本没停的意思，开水冒着白气往外流。我真忍不住了，快走几步，几乎用抢的方式把暖壶夺过来。我心里还想呢，一会儿得找个抹布，把床头柜好好擦一擦，不然看着邋邋遢遢的，成啥样了？

　　刘哥也不谢我，又把茶缸捧了起来，这把我吓住了。我知道茶缸有多热，尤其还有开水从边缘溢出来，流到刘哥的手上，他竟不嫌烫？！

　　寅寅一直等话呢，她忍不住又追问："老刘，你倒是说啊！是不是看到小鬼了？"

　　刘哥身体一抖，慢慢抬起头，盯着卫寅寅。我虽然只是做法医的，但也多多少少能看出一个人的心思来。

现在的刘哥，目光太冷了。我见过山狼，刘哥的眼睛里，露出只有饿狼才有的凶光。

他几乎扯着嗓子吼了起来，说："别过来，你他妈的别过来！"

我不知道他不让谁过去，我只有一种直觉，寅寅有危险。我顾不上别的了，伸手一拽，把寅寅拉开。

寅寅还蹲着呢，扑通一声歪着坐到了地上。但这么一来，她也真躲过一劫。

刘哥半茶缸的开水全泼过去了，如果寅寅还是刚才的姿势，保准就此毁容。

寅寅性格爷们儿归爷们儿，毕竟还是女人，吓得脸发白。我是顺势一使劲儿，又把她拖起来。

刘哥根本不把我俩当同事了，又把剩下的半茶缸开水泼了过来。

我跟寅寅全挤在床头柜前，一时间没躲的地方。我是纯属一发狠，也有点男人保护女人的念头，抱着寅寅挡在她面前。

这下可好，开水全淋在我后背上了。我上身穿了夹克，里面还套着衬衫，一边庆幸自己没被开水烫到，一边也想泪奔，因为这夹克七百多块钱买的，这下可毁了。

刘哥没脱鞋，就那么坐回床上，又要抓暖壶，看样子还想继续泼开水。寅寅忍不住出手了。

她学过擒拿，这时派上用场了，上床耍了几个技巧，把刘哥摁在下面，用膝盖顶着。刘哥一时间挣脱不开。

看我还傻愣着，寅寅喊了句："等什么呢，叫医生！"

我反应过来，转身跑到走廊，扯开嗓子大吼，很快把一堆医生、护士叫来了，也有一些病患不知道咋回事，纷纷从病房里探个脑袋往外看。

医护人员全围在刘哥旁边，刘哥的疯劲更大，这时都要咬人了。不过有专业人员在，寅寅也不出头了，跟我站在一边旁观。

寅寅还有心问问刘哥的病情，我把夹克脱下来，捧着看来看去，不知道说啥好了。

最后没我俩什么事了，寅寅带着我离开。这次探病，我们一点儿收获都没有，要是较真说，我还倒搭一件衣服。

下午上班时，张队把我俩叫去了，他知道我们看望刘哥的事，想必是医院那边有人打来电话。

只有我们仨在一个小会议室，张队是真不给面子，把我俩劈头盖脸一顿批评。

他说，女尸在上午已经运到省厅了，省里好几个法医一起参与了解剖，按省厅的回复，这案子确实怪，上面要派专员过来，成立专案组调查。

张队的意思，既然省里出面了，等这两天专员到了，我们再按照他的意思继续展开调查，这期间我们就消停一下。另外老刘还有病，我们作为同事，不要去折磨他，也不要在没经过领导同意之下乱展开调查。

寅寅不服气，总想插话说两句，张队不给她机会，我看出张队挺气愤，就顺着递软话。

最后张队摆摆手，让我俩好好反思，就转身离开了。

寅寅靠在会议桌上，沉着脸吸烟。我也是好心，心说既然批评完了，我们还赖在会议室干吗？于是叫着寅寅一起走。

谁知道寅寅不仅不走，还拉着我说："你看张队什么德行？屁蛋一个！谁不知道他呀，年纪大了，往副局上使不上劲儿，索性奔着退休去了，守着刑警队长的职位，这几年一直求稳，多少案子被他办得稀里糊涂！这次的案子，你看看，他又是不想管！"

我知道寅寅在吐槽，我能说什么？总不能一起埋汰张队吧，我就嘻嘻哈哈地走过场。

我这么做没毛病，寅寅却迁怒于我，对着我的小腹拍了一下，其实她绝对想拍裤裆来着，只是男女有别，没下去那个手。

她先走了，丢下一句话："冷诗杰，你这玩意儿真白长了。"

我望着她的背影，心说这小娘们儿，我这叫懂得为人处世，哪像她，跟点着了的炮仗似的。再说，什么叫白长了，她想要还没有呢！

我也没理会寅寅的话，跑回法医门诊继续工作。

下午赶得不好，连续有三个伤情鉴定的活儿，我是连续去了好几个派出所拿材料，等忙完回到警局时，都晚上七点了。

我是累得都不觉得饿了，一屁股坐在椅子上不想动弹，我合计先这么歇一会儿，等缓过来了就直接回家睡觉去。

没多久，丁零声响起，是法医门诊的电话。

说实话，下班后我挺害怕听到这种声音的，一个电话，代表的很可能是我上半夜又得工作。

我又不能不接，只好硬着头皮拿起话筒，有气无力地喂了一声。对方咯咯笑了。这笑声很有特点，也让我一下知道了，是我师父。

我师父是一名老法医了，对我很好，在带我那时候，几乎是倾囊相授，只是他混得比较好，前阵子调去省厅了。

我对他的感情特别深，也一下兴奋了，喊了声"师父好"。

他嗯嗯两声算应了，又说："听说你那儿摊上个怪案，小刘也疯了，我估计这时候你还没下班，就打个电话过来。"

我是顺着这话又问起那怪案，反正跟他不外道，就想知道他得到啥新消息没。

师父肚里有货，但竟然不告诉我，还说明天专员就过去了，他也会把省厅这边的结果带过去，让我安心睡一觉，不差这一晚。

随后他话题一转，问我："你老爹最近咋样？"

这是我心里的一块大石，因为我从小是叔叔带大的，我爹在我上小学时就疯了，他的疯跟老刘不一样，老刘是吓出来的，我爹是真有病，一直神经兮兮，最后爆发了。

我跟老爹感情不深，但偶尔会去精神病院看看他。既然师父这么问了，我就回答说："他挺好的。"

师父让我勤去看看老人，毕竟是我爹，活着不容易啥的。

这么瞎聊一会儿，他把电话挂了。我是盯着电话直琢磨，心说这咋回事？师父的性子我太了解了，平时找我谈事都是开门见山，今天咋想着闲聊呢？

我想不明白，不过借着打电话这劲儿，我身子没那么累了，决定收拾一下回家。

我家离警局不远，走路二十分钟吧，我也没啥事，就溜达着往回走。

只是一个人赶夜路，没个说话的，就爱瞎琢磨，不经意地又想起女尸案了。

正巧路过一个地方，我来灵感了。其实这里是啥地方，我叫不准，一个装修到一半的门市，牌匾还没挂呢，但门口立了两个石狮子，没多高，也就到我膝盖那儿。我也不知道咋想的，还骑在一个石狮子上了。

女尸案有四个地方很可疑：磨牙声，养小鬼，只用后爪走路的狗，还有女尸被吃掉的小臂。

我有这么个荒唐的念头，如果怪狗和小鬼是同一个东西呢，也就是说这案子全是那怪狗做的，这一切疑点是不是就都被一条线串起来了？

但这么一来，"大鼻涕"又怎么解释？别说是那怪狗留下来的，而且怪狗吃人，为啥留下的还是人的牙印呢？

我琢磨来琢磨去，望着夜空，心说怪狗不会是火星来的怪物吧？

正巧有个110巡逻车经过这里，被我这奇葩的坐姿吸引住了，车停了下来，车窗摇下来后，有个片警探个头往这边看。

他一定把我当成问题分子了，犹豫着要不要上来询问。其实我带着警察证呢，真要询问，我把证件一掏，肯定啥事没有。

我却不想这么做，不然传开了，整个警局都会笑话我，说冷诗杰那小子真是变态啊！大晚上的，躲人家门口骑石狮子。甚至要是以讹传讹了，该说我大半夜非礼一头石狮子了。

我不想给人抓住把柄，对那片警呵呵一笑，扭头溜了。

夜闹

　　我本来没打算吃晚饭，这么一折腾，反倒有些饿了。于是找个超市钻进去，买了桶面和两根肠，又拎着回到家里。

　　我家就我自己住，烧开水把面泡上，趁空逗了一会儿宠物。一般人家的宠物都是猫啊狗啊这类的，我的宠物有点怪，是一玻璃缸的虫子，毛虫和山蚕，足足有五十来只。

　　倒不能说我怪异，主要是因为我师父。像我们这些法医，最头疼的就是解剖高度腐烂的尸体，很容易染到尸臭，怎么洗都洗不掉。我听到不少类似例子，法医家里有孩子的，当天法医解剖完一回家，抱上孩子后，孩子哇哇哭，说爸爸太臭。

　　我师父有个独门秘方，就是每天吃虫子和用虫汁当沐浴露一样洗身子，用虫子那特别的气味能消除尸臭。我是觉得太狠了，就没跟他这么学，他当时还嘲笑我呢，说，冬虫夏草是不是虫子，蚕蛹是不是虫子？大家都吃！

　　反正最后我被他带的，一来二去折中了，专门养起虫子来。

　　现在这些虫子都睡觉了，但它们肉乎乎的，我吃泡面时，也忍不住拎出一两只来，放在手里捏几下，算是解闷了。

　　我发现这肚子一填饱，整个人反倒觉得更累了。吃完饭，洗个澡就睡了。我是那种睡眠不太好的人，总爱做梦，每天夜里，脑子里全是稀奇古怪的梦。这么一晃到半夜了，我又梦到自己掉冰窟窿里了，同事都在上面看着，谁也不救，有人还往下扔石头打我。

我算被他们气到了，也顺带着一激灵醒了。我本想翻个身继续睡，但觉得屋子咋这么冷呢，隐隐地都快形成一股股小风了。

我倒没害怕，龇牙咧嘴地瞅了瞅窗户，发现它开了。这绝不是我睡前开的，难道我犯二啊，都深秋了，我半夜开窗冻自己玩？

我心里就一个念头，这窗户坏了吧？我光俩脚丫子下床了，先打开卧室灯，又凑到窗户那儿研究一下，我反复把窗户推来推去三次，发现都没问题。

我搞不明白为啥，但总不能干站着，太冻得慌，最后把窗户彻底关死，想爬床上睡觉。我撩被随意这么一看，发现一处怪异。

在正中心的被单上，有一处干枯的血迹。我也不是女人，没"大姨妈"，更没痔疮啥的，这血迹怎么解释？而且印象中之前是没有的。

我上来较真的劲儿了，一屁股坐在旁边想上了。

也怪刚睡醒脑袋有点乱，我有种离奇的念头，还特意回头看了看窗户做个对比，心说难道这血不是我的？

我早晨解剖时，解剖室的窗户也开过，当时窗框上就有血迹，只是检材还没化验出结果呢，也不知道那血是不是女尸的。

如果我家床上的血迹跟这些都有联系的话，就不难想象刚才窗户为什么会自动打开了。只是这想法如果是真的，那也太吓人了。

我控制住不瞎想，找一块纱布，沾上水，把这血迹吸下来。我们市局是没有DNA检验设备的，但我不担心这个，想等明天上班了，找个理由，把它送到省厅做DNA比对。

我刚忙活完这事，客厅那边就传来响动，一阵很轻的沙沙声。这让我很疑惑，但也不能不管啊，不然这觉没法睡了。

我就一技术警，平时不配电棍，家里也没武器。我想了一会儿，先嗖嗖跑到厨房，虽然我家不开火没菜刀，但握着把水果刀，也多多少少有点安全感。

我就这样来到墙边，把客厅灯打开了。我都做好准备了，瞪大眼睛，寻找声源。只是突然望见客厅的情景，我一下子愣了。

那一玻璃缸的虫子全爬出来了，甚至爬得满客厅都是。大部分在地上一拱一拱地"散步"呢，其中有两只在一张白纸上爬，沙沙声就是它们弄出来的。

我都想挠头了，连说邪门，自己养这么久虫子，从来没见它们跑出来，怎么今天集体大逃亡呢，另外它们怎么做到的？这玻璃缸对它们来说，无疑是一座绝壁高山。

我不能任由它们再爬，不然耽误了，它们躲在哪个犄角旮旯儿，我就找不到了。

我赶紧满地忙活，一边抓一边往玻璃缸里送。不过我一个人，有点忙不过来，还遇到几只捣蛋的，它们躲在桌子底下了。

我不得不撅着屁股，才勉强爬进去。正当我费劲地把它们抓住，还没等往回退呢，怪事又来了。

我觉得眼前一黑，整个客厅陷入到一片黑暗之中。

过了两三秒吧，客厅又亮了，随后又黑了。我还听到开关那儿有动静，说明有人正在拨弄。

这把我快吓尿了，我这姿势说白了太被动，只露出一个屁股，要是遇到坏人，他们想咋折腾就咋折腾我。

我一下子急了，猛地一抬头，反倒"砰"一下磕着脑袋了。我顾不上疼，扭着屁股，用最快的速度退了出来。

还捡什么蚕！我赶紧把兜里的水果刀摸出来，举着四下看。但屋里还是黑的，什么也看不清。

我心里像有一万只大象在乱蹦一样。我压着心头难受的劲儿，又依次把所有开关都打开了。整个屋子全亮了，我挨个地方搜，并没啥发现。我心里稍微好过一点，不过我也留意到，阳台的窗户开了。

这是今晚第二个被打开的窗户了。我冒出一个念头，心说难道刚才拨开关的"人"，又打开窗户逃了？但我家是四楼，他能走窗户，是壁虎吗？

我不相信，却有一个念头引导我走过去看看。我探个脑袋往外瞧，大半夜的，别说四周的楼体了，路上都没个人。

只是今晚风挺大，我一扭头看别的方向时，有个白乎乎的东西突然撞过来，正好糊在我脸上了。

我能闻到一股腥腥的味道，还有一种很强的窒息感。

我也不知道这是啥，被刚才的敏感神经一刺激，我想到那个"坏人"了——他要杀我！

我吓得想"哇"一声，只是这声被闷得没喊出口，我又连连后退，将水果刀胡乱挥舞着。我也是没经验，这么一挥舞时，脚下一滑，整个人坐到了地上，连刀都甩飞了。

但我总算有空把脸上这白乎乎的东西撕下来，仔细看看。我是气得想骂娘，这是一个白塑料袋，估计装过海鲜啥的，所以带着腥味。

合着刚才我是被自己吓唬住了，另外让我郁闷的是，赶巧这么一坐，我一屁股压在一只山蚕上了，那小家伙说不出有多惨了，而我这个裤衩，更是啥也别说了，整个后面，绿油油一片。

我站起来气得掐着腰，心说自己也太衰了，都是那两扇窗户惹的祸。我本想再洗个澡，把身子弄干净了，谁知道刚进厕所，手机铃声响了。

我又冲过去找手机，拿起来一看是卫寅寅的，这都几点了，她还打电话？

当警察就这点不好，24小时开机，谁想找我们，都是一找一个准。我接了电话问她干吗。

我自认语气没啥毛病，但寅寅这个姐太有女人的细腻劲儿了，她竟能品出来我有点害怕，还"哧"的一声笑了，说我是个二货，自己在家睡觉还能害怕。

我正好一肚子气没处撒呢，就想跟她在电话里理论下。寅寅不打算跟我争辩啥，又告诉我，说她一会儿开车到我楼下，我们去个地方。

要在以前，我保准头都大了，她又要去办正事，还没黑没白的，但今天特例，我们约定二十分钟后见，我提前穿戴整齐下楼了。

等她期间，被楼下冷风一吹，也让我心里淡定多了。我想过要不要告诉寅寅我家里刚发生的这些怪异事，但觉得有点早，总不能自己挺大一个老爷们儿，却一把鼻涕一把泪地跟她哭诉家里闹鬼吧？

我打定主意先闭口不谈，没一会儿寅寅的车来了。寅寅有私家车，虽然她跟我一样，工资紧巴巴的，但还是攒着钱买了辆吉普。上车后我问了句去哪儿，寅寅让我别猴急，等到了就知道了。我们这就来到一个酒吧。

我一直很宅，压根儿没来过这种地方，寅寅倒是挺熟，带我一起进去了。

我们找个靠角落的桌子坐下来，还点了啤酒。我看寅寅一点正事没提，心说这是太阳从西边出来了，她就是找我喝酒闲聊啊？那就别怪我让她破费了。

我俩随便胡扯起来，但我还是看走眼了，没多久寅寅故意坐到我旁边，拿出手机让我看几张照片。

我能看出来，这都是这个酒吧的照片，台上有个打扮艳丽的女歌手，正陶醉地演唱着。

我也不笨，一下猜出来了，指着照片问："这就是那个死者？"

寅寅点点头，又翻了下一组照片，问我："看出啥没？"

这些照片场景换了，女歌手下台了，正坐在桌旁跟客人聊天或喝酒呢，我仔细研究一小会儿，也有所察觉了。

我指着一个客人，照片中他留个小辫子，而且这组照片中，每张都有他，我问寅寅："难道这小子有啥不对劲儿的吗？"

寅寅抿嘴笑了，望着我说了句很古怪的话："冷哥，他有没有啥不对劲儿的，这得你告诉我才对！"

瘦了的尸体

　　我很诧异，又仔细盯着小辫子的照片，脑海里快速搜索着，我朋友圈不广，算来算去也就那几号人。

　　我很肯定地对寅寅摇摇头，说自己真不认识这人，没法对他做出评价。

　　寅寅抢回手机，又往我身边凑了凑。我们之间的距离已经超出朋友的界限了，反倒看着有点亲密。

　　寅寅不在乎，一边小口喝酒，一边跟我说悄悄话，她是不想泄密，说这小辫子跟死去的歌手有非正常关系。

　　我懂这里面的猫腻，便寻思，歌手给一个集团老总当小三儿，那老总除了钱还能有啥？弄不好都是个瘪货了，而小辫子就不一样了，这么年轻，明显就一"生猛海鲜"。歌手私下劈腿，情理之中。

　　寅寅继续说："小辫子在半个月前死掉了，当时刘哥负责解剖，结论是小辫子喝烈酒太多，烧死的。本来案子都结了，现在却出了歌手死亡这档子事，这两者之间就显得不那么简单了。"

　　我认可寅寅的话。寅寅又故意拽了我一下，使个眼色说她想从这小辫子的尸体下手，看能不能在女尸案上有突破。

　　我算明白了，合着寅寅今天带我出来，是想让我重新验尸。张队下午可是特意说过，专员没来前，我们不要管这个案子了。不过我就是名法医，私下看看尸体，他不会察觉到啥。

看在寅寅都有些求我的分儿上，我没那么不好说话，点点头。不过我又一琢磨，头疼上了。

我跟寅寅说："结案这么久了，小辫子的尸体肯定火化了，我对着一堆骨灰，一丁点儿办法都没有。"

寅寅笑了，说没那么难，小辫子是外地人，死后一直联系不上家属，他就一直被存在殡仪馆了。

我心说那就好办了，殡仪馆是咱们的地盘，打个招呼随时都能开工。

我觉得赶早不赶晚，这就想跟寅寅走。寅寅指了指杯子，说还有点酒，喝完吧，不然浪费了。

我俩权当放松一会儿，不谈正事，又瞎胡扯起来。

这期间我发现个事，虽然我俩坐在角落里，但寅寅穿的休闲装，配着她的长相与身材，让她很养眼，很多其他桌的客人都往这边看。他们一定是想不明白，我这么屌丝的一个人，怎么勾搭到这么美的女友呢？

人嘛，多多少少都要点面子，我一琢磨，既然有这条件了，自己不把握一下，太亏了。我跟寅寅一直坐得近，我就偷偷把手搭在她的椅子上了，我不敢抱她，不然被她知道我的动机，准得往死里削我，但这么一来，我也倍有面儿。尤其有个中年老屌丝，反复盯着我看了好几次，我还特意对他抖了下眉毛，那意思是你看个啥呢？

也赶得巧，没多久酒吧活动来了，就是歌手上台表演。

我真没想到，那死去的歌手在酒吧里的人气能这么高，主持人一说今天唱歌的换人了，台下观众就一片嘘声。主持人也聪明，说完过场话就下台，让新歌手自己挽局子去。

哪个当歌手的没有两把刷子？这位新来的，上台就出撒手锏，唱了一首很劲爆的歌曲。

我这种没音乐细胞的人，也都听出感觉来了，台下气氛渐渐热闹起来。

有一个人，本来我们都没留意他，他独自坐在另外一个角落里，但劲头儿上来了，他站在桌子上伴随节奏跳起舞来。

这人怎么评价好呢？要我说就一个奇葩，长得不丑，还很爷们儿，但留着稍长的头发，把额头都盖住了。而且他穿得太破了，一双黑旧的大棉鞋，老款的上衣与裤子，看起来像是从偏远山区来的难民一样。

绝不是我一个人的眼光有问题，很多客人都拿出一副想乐的样子看着他，他却置之不理，陶醉般地继续跳舞。

他的舞姿很棒，外加隐隐有种让人不可抗拒的气场，被他这么一带，渐渐地，也有客人站到桌子上，一起胡闹起来。

我有一个尺度，不喜欢太闹的环境，看着现在这么疯狂的场面，我坐不住了，更没心情欣赏音乐了。

我跟寅寅喝了剩下的酒，一起离开。

我们先去警局，拿了一个法医勘察箱后，又一起赶去殡仪馆。等到地方后，我看了看时间，凌晨两点。

今天值班的保安叫小王，跟我是哥们儿中的铁哥们儿，他操着很浓的东北口音，问我俩："咿呀冷哥寅寅姐，咋这么晚还来呢？"

我当然不能跟他说实话，编个理由，说上头让加紧查一个大案，我有点疑问，要去核实一下。

小王说没问题，还让我俩去尸库后给他来个信。

尸库都是遥控开门的，我跟寅寅来到门口后，我用电话呼叫了小王。大铁门轰隆隆地滚动起来。

不得不吐槽，尸库这种地方，每一具尸体都放在独立的尸柜里，是内部冷循环的，除此之外整个尸库跟户外温度一样，但每次来这种地方，我都觉得难受，隐隐有种冷飕飕的感觉，或许这么多尸体聚在一起，多多少少有点说道吧。

我跟寅寅不是菜鸟，没那么紧张，一同进去了。寅寅事先有准备，告诉我，小辫子在46号柜。

我轻车熟路，直接找到46号柜，还摁着开关，把它打开了。我把尸袋拉开，初步一看，小辫子的特征太明显了，说明我们找对人了，但等再细细一观察，我直皱眉，指着尸体看了看寅寅。

寅寅明白我想啥呢，其实她也迷糊了，还把手机拿出来，翻到小辫子照片，放大后对比看了看。

尸柜里的小辫子，瘦得太狠了，这么说吧，至少比照片里的人小了三圈。

我问寅寅，那照片啥时候照的？谁这么没水平，还整个减肥前的？寅寅反驳我，说照片就是小辫子死前不久照的，而且尸检时刘哥拍下来的照片她也看过，跟尸柜里这位也是千差万别。

我俩都觉得不对劲儿了，尸体是会腐烂没错，但绝不会瘦，毕竟人都死了，另

第五章 · 瘦了的尸体

外一直被冷气冻着，也不可能腐烂嘛。

我跟寅寅都没急着说啥，各自分析着。我联系着歌手尸体，她的小臂被吃了，而眼前这位的尸表是没啥变化，但慢慢变瘦，不也是一种变相的被"吃"了吗？

我绞尽脑汁地想之前读过的那些国内外奇案资料，试图借鉴它们，把眼前这怪事解释过去。

不过最后真就是白费劲儿，啥灵感没有。寅寅看我整个人跟个呆瓜似的，推了我一把，说她搞不定了，让我快点想招儿。

我一摊手说我有啥招儿啊？只能走常规路子试试。我把小辫子衣服解开了，刘哥之前缝合的羊肠线都在。

我是图省事，另外这尸体都冻硬了，再用解剖刀划新伤口也费劲儿。我就想把羊肠线剪断，打开他胸腹腔看看。

我刚把剪刀拿起来，剪断第一根羊肠线时，突然间尸库的灯唰唰乱闪。

我跟寅寅都吓了一跳，这现象在解剖歌手尸体时也遇到过。

我用了小凡那句口头禅，脸色都有些变了，骂了句："操，不至于吧！"

但尸库真不给我面子，灯又亮了下后就彻底灭了，整个尸库陷入到一片黑暗之中。

寅寅嘎巴嘎巴捏着拳头，她紧张上了。我没法子，安慰她，只是我太不会说话了，上来第一句就说："不是小鬼！不是小鬼啊！"

寅寅肯定早想到这一块了，我这么安慰起了反效果。她嗯一声，却明显往我这边靠了靠。

我暗自呸自己，又想起个事，说工具箱里带电筒了。

寅寅让我别动，她蹲下身翻起箱子，只是电筒刚一拿出来，尸库门口传来哗啦哗啦的响声。

我冷不丁没反应过来，心说这是啥声？咋这么熟悉呢？

寅寅用电筒对着门口照了照，我俩全看呆了。尸库的滚动门正缓缓往下落呢，很明显要把我俩彻底封在尸库里面。

我俩都慌了，还顾什么尸检，寅寅喊了句跑。我俩撒丫子溜。

寅寅个高腿长，我算败给她了，全速冲刺下，竟没跑过她。她先一步冲到门口，这时门已经落下一多半了，她要是就地打滚，也能险之又险地出去。

不过她够意思，没先走，扭头喊我。我也没太落队，但差这么一秒钟，我赶到地方时，我俩想滚都来不及了。

我俩也默契，一起半蹲着身子，双手托着大门底部，想把它抬起来。只是光凭我俩，力气太小了，有种螳臂当车的感觉，眼睁睁看着大门越来越低，最后咣的一声完全闭合。

我俩不住地喘粗气，寅寅这次先安慰我了，说这门一定是坏了，小王肯定能发现，我们等援兵就行了。

她还用电筒对着尸柜那边照了照，试探着说："我们继续去验尸吧。"

我家之前就出现过怪异事，本来也纯属压着性子不多想，现在被这么一搅和，我哪儿还有那心思？

我挤着笑对寅寅表示一下，我俩突然全靠在大铁门上，谁也不肯先走出一步。

我望着这漆黑一片的尸库，心里全是祈祷，心说千万别再有啥动静了，我一个小小法医，真受不了了。

被困尸库

第六章

这么过了少说十分钟，门外没啥动静，连小王的影子都没有。

目前的状况太难熬了，我打心里忍不住开骂，小王这个不着调的，尸库这里有异常，控制台上都有显示，我俩被困，他咋就没个动静呢？

我精神绷得太紧了，这种黑暗更是让我的恐怖感不断增加，我想找点事干，正巧一摸兜，翻到烟了。

我跟寅寅都吸烟，我还递给她一根，那意思一起吧。寅寅接过烟，我给她点上了，寅寅是真把我当兄弟了，她用手指在我手背上拍了两下，表示谢谢。

可我们没吸上几口呢，尸库里传来咔的一声响，这在如此寂静的环境里异常明显。

寅寅咦了一声，往我身边凑了凑。我心想怕归怕也不能这么做，不然我俩成啥了，在这练拥抱吗？

我硬着头皮，既对自己也对寅寅说："淡定，一定是靠墙扫把或拖布啥的，一失衡掉地上了。"

这借口有点软，因为尸库里有专门的储物间，清扫工具使用完就都放在里面。我知道寅寅也有点不信，她手里拿着电筒不用，我抢过来，对着远处照了照。

这下可好，当光线扫到一个尸柜时，我吓住了。尸柜开了，还正慢吞吞地往外出呢。

我冷不丁想到的是，尸柜里有啥东西要出来吧？

其实我也听过活死人的例子，有些死尸送到殡仪馆后，工作人员发现这还是个活人。但这都是刚送来检查时闹出的笑话，也没听说人都冻到尸柜里了，是死是活还不知道呢。

寅寅忍不住"这、这……"地念叨，她平时那么强悍，现在这点怪事，把她女人的本性都吓出来了。

我知道，再这么耽误一会儿，尸柜就全开了，我不想让这情况发生，也不想知道，它全开后有什么后果。

关键时刻我上来一股勇劲儿，一把拽住寅寅，说咱俩快点行动，把尸柜推回去。

我俩一前一后跑上了，不过这次寅寅没跑过我。我先冲到尸柜前。

我这把电筒上面也带着一个小胶皮套，我把它一下挂脑袋上了，方便照亮，也让自己能腾出双手使上劲儿。

我看到这尸柜里的尸体了，不得不说，太恶心了，一个五六十岁的老头子，应该是病死的，瞪着白森森的眼珠子，嘴巴微微张着，右脸颊上鼓起一个脓包，不知道是肿瘤还是啥。

我刚喝完酒，肚子有点翻江倒海了，甚至嗓子眼里冒出一股酸水，也就是我控制力好，不然哇地吐一口，立刻就能给这老头洗洗脸。

我强忍着咽了一口唾沫，算是把呕吐感给压下去了。我也让寅寅千万别往尸柜里看，又叫着她一起用劲儿。我能感觉到，尸柜上有股很大的阻力，阻止我们把它推回去。

但我跟寅寅真玩命了，我最后身子都倾斜了，有种纤夫的感觉，用肩膀顶着尸柜。我们一点点地，终于把它弄回去了。

随着咔的一声响，我整个身体一松快，还立刻扶着大腿大喘气。我是想稍微歇一会儿，没想到突然间有东西摸了我腰一下。

这把我弄得一哆嗦。我一扭头，发现是寅寅。我心说她摸我干啥？说句话不行吗？

寅寅没注意这么多细节，她看我瞅她，又指了指小辫子那个尸柜。

我明白，那尸柜还是关上比较好。我招呼寅寅一起凑过去。

这尸柜横面不大，我俩全推它有点挤得慌，我就故意让着寅寅，双手都往边上靠。但这次推了一会儿，我手滑了，一下杵到尸柜里面了，还巧之又巧地碰到小辫子的脸了。

正常死尸都有点局部干燥，尤其脸和嘴唇这里，我这一碰，反倒觉得他脸上有点黏，稍微有点出油的感觉。

我纳闷了，心说这是咋了？而且也隐隐想起来那怪怪的"大鼻涕"了。

寅寅看我"偷懒"，她念叨一嘴，我也知道现在不是研究的时候，又忙活起来。

我是几乎消耗了一半的体力，才又把小辫子的尸柜搞定。但没等喘口气呢，咔咔两声，分别在我一左一右的方向传出来。

寅寅怕得嘤了一声，我是急忙来回扭头看看。难以相信，又有两个尸柜开了。

我心说这到底是个啥，我跟寅寅在玩"打地鼠"吗？

寅寅有个想法，说我俩分别开工吧。我觉得不妥，因为这么一来，我俩每人推一个尸柜太费劲儿了，也很有可能就此推不回去。

我取舍一下，又拽着寅寅往左边跑，想先把这个搞定了。

可来到尸柜前一看，我有点愣，里面空荡荡的，什么都没有。我心说这里是原本就该这样？还是有什么东西已经跑出去了呢？

寅寅这次也忍不住看了看，她跟我想一块去了，还四下看看，想找到躲到哪个角落里的死尸。

电筒在我脑袋上，我不可能完全配合她来回扭头照亮，这么稍微一耽误，我看着别处时，听到啪的一声响，寅寅还嗷了一声。

她跟疯了一样往回退，伸手往脖子后面抓。我也不知道发生啥了，也不敢盲目冲过去帮忙。

我就看着她，心说难道是鬼上身了？但寅寅最后抓了个东西，往远处一撒。

我瞧仔细了，是个黑猫，估计是事先爬到柜架上去的。这也正常，外面天冷，黑猫躲到这里过夜。

我想跟寅寅说别怕，谁知道她扛不住了，脚步踉跄地走了一步，一下扑到我怀里晕了。

我看着这个睡美人，一时间愁坏了，心说早不晕晚不晕的，这时候犯蹶子。这还没完，没多久咔咔声继续响起。

我顺着看了看，觉得这些尸柜是全要开了。

这是什么概念？一群死尸要集体出来开会？我和寅寅意外中标，成了参与会议的陪客？

我觉得这里真待不下去了，一把将寅寅背起来。我想到一个地方，就是尸库的储物间，那里咋说也算是屋子，有个门能挡一挡。

我按照记忆嗖嗖往那里跑，也好在这里没门锁，我一扭把手就开了。

我头次来这种地方，有点陌生，用手电照了照，发现有个衣柜，我先把外面的门关上，又把衣柜打开。这里全是乱七八糟的工作服。

我随便找几个大件往地上一铺，又让寅寅躺上去。我挤在一旁坐下来。

这期间我好像听到门外有动静，貌似有脚步声，还越来越近。

我不知道啥玩意过来了，但自己不能坐以待毙啊。我是没啥武器，这储物间里，除了拖把就是椅子，也只能勉强算是个家伙吧。

我觉得用它们威力不够，又一下想到寅寅刚才回警局时，好像带了个电棍别在腰上了。

我就一边盯着门口，一边往她腰上摸。只是我这一下子有点误差，当不当正不正地摸到她双腿之间了。

我当时还寻思呢，心说这是哪儿啊？扭头一看，心说坏了，赶忙往上移了移。

等把电棍拿到手里时，脚步声停到门口了，似乎要推门。

我忍不住了，把电棍打开试了试。只是我一个技术警，平时没接触过这些东西，电棍拿反了，这一下倒好，啪啪啪的电花差点儿把自己电住。

我本能反应之下，一把将电棍撇了，落在地上发出当的一声响。这也给门外那位提了个醒。

"它"把门打开了，还探个头往里看。我脑门嗡嗡直响，只知道坏了，"它"冲进来了。

我双手没武器，又想站起来。可是脑袋上面就是衣柜，柜门微微开着，我没留意，一下子磕上了。

这把我疼的，捂着脑袋哼哼。

门外有人哈哈笑了，还拿个手电对我照了照，问了句："冷哥，你干吗呢？"

我看清了，这是小王，一时间心里跟打翻调料瓶子似的，都不知道啥滋味了。

小王也懂事，又不笑了，快点走过来，把我扶起来，解释说殡仪馆变压器上回没修好，刚才又坏了，整个楼全停电了，他知道我俩还在尸库呢，正巧这里有小门，他就从这进来找我俩了。

随后他看着卫寅寅，问了句："寅姐这是咋了？"

我觉得他是明知故问，但也说明他聪明，不然传出去，俩警察被困在尸库，还吓晕一个，以后怎么混公安口？

　　我编个瞎话，说寅寅累一天，又喝点酒，酒劲上来睡着了而已，我本想掐人中把她弄醒，后来一想，算了，别当着小王这么做了。

　　我又背起寅寅，跟小王出了尸库。这期间我问了几个事，原来这里一停电，大铁门就自动下落，尸柜也会自动弹出来，这算是一个程序上的漏洞，只是殡仪馆几乎没停过电，就没调整，一直这么凑合着。

　　我算被停电给坑了，但也突然来个想法，心说难道我家闹鬼，也有类似的原因吗？

　　我是没心情更不敢摸黑去尸检了，就跟小王告别，背寅寅上了车，又一番忙活，她终于醒了，我把大体情况念叨念叨。

　　寅寅也气得骂了几句，还说真倒霉，裤子都弄脏了。

　　我是没敢接话，其实这一晚来趟尸库，也并非没有收获，小辫子尸体的诡异，尤其他脸上油乎乎的，让我知道，寅寅分析对了，这小辫子跟歌手的死一定有联系。

第七章

代号乌鸦

我们想开车离开殡仪馆。这时是凌晨三点半。寅寅想直接回警局，又问我去哪儿。

像我们这种人，在警局也都备有行李的，可以临时住在会议室。我本想回家，但一想到家里那些怪事，打退堂鼓了，跟寅寅说一起回警局吧。

寅寅状态不是太好，但我有福了，这次车开得挺慢，不吓人。

在刚进警局大门时，我看门卫探出个脑袋，对我俩摆摆手。我觉得奇怪，心说这都后半夜了，他咋这么有精神头，还不睡觉呢？另外看起来有点神神秘秘的。

寅寅把车停下来，我摇下车窗，问："咋了？"

门卫指了指警局大楼，跟我俩说："你们不知道吧，专员来啦！"

别看这话说得含糊，我和寅寅全懂了，我还不相信地反问道："啥？省厅专员凌晨来咱们这儿？"

"可不是吗！"门卫继续说，"我都被弄蒙了，而且专员还特别怪。"

我跟寅寅被他吊起了胃口，问哪里怪，但门卫一耸肩不说了，还告诉我俩，等明天见到真人就知道了。

我们随便说几句，我跟寅寅又开车往里走。寅寅的意思，专员一定住在副局长的办公室了，那里有折叠床，跟旅店待遇差不多。而我俩晚上这么一折腾，浑身脏兮兮的，等早晨以这种状态见专员，印象分太低了，也不是那么回事。

我就顺着话说："趁还有时间，我们去洗个澡。"

警局旁边就有一个澡堂子，局里跟他们都打好招呼了，警员办案回来洗个澡啥的，只要带着证件就能随便去。

我跟寅寅又结伴去了，当然了，进了澡堂子可不是一起洗，我俩分别去了男女澡堂。

大半夜的，这里没人，冷冷清清的，我却不觉得寂寞，洗好身子后，我有点倦了，索性去了休息大厅，找个沙发睡起来。

这样到了早晨七点，寅寅电话来了，她竟然也在澡堂过的夜。她叫我起床，我还要赖呢，说："不还有一个钟头才上班吗？再睡会儿。"

寅寅说："不行，专员已经来了，今早肯定开会，我俩还是早点吃了早餐，把会议室好好整理下。"

我知道寅寅是想表现一把，这我倒不反对，也知道在寅寅这个暴脾气美女面前，我没拒绝的机会，不然弄不好她能来男宾休息大厅找我。

我点头说好，又急忙去穿衣服。

我们吃早餐挺快的，回到警局后，寅寅找了块抹布，说她负责去会议室擦桌子，让我一起摆摆桌椅啥的。

我们警局有个惯例，接待省里专员，都用指定的一间小会议室，也是局里设备最好的一间。

我俩直奔这里，但等开门往里一进时，我特想使劲儿搓鼻子，因为酒味太浓了。寅寅还念叨一句："谁这么大胆！"

我明白她啥意思，警察在工作期间是滴酒不沾的，下班后馋了的话，偷偷喝两口没问题，但公然在会议室喝酒，被抓住可是开除的处分。

只是我俩不能乱管闲事，不然岂不跟同事对着干了吗？寅寅想把窗户打开，散散味，我是直接闷头摆起椅子来。

窗户在会议室最里面，寅寅走过去后，没等开窗户呢，她呀了一声。这嗓子有点尖，我心里一紧。

我急忙跑过去看看，发现有三个紧靠的椅子上，躺了一个人，这人我跟寅寅都见过。

就是昨晚在酒吧里站桌子上跳舞的那个疯汉。

我冷不丁没反应过来，心说这哥们儿本事挺大啊，喝蒙了酒还能混到警局来睡觉。

寅寅更是不客气地推了他一下，嘴上说："喂喂！老兄，起来、起来！"

这疯汉醒了，但挺有意思，他第一个动作是先捂一下额头。之前提过，他头发长，把额头都挡住了，现在一看，这块的头发也明显做过定型，让他睡觉时都不乱，弄不好有啥说道。

他看了看我俩，懒洋洋地坐起来。他倒是一点都不紧张，没等我们说啥呢，他竟反问我："看看表，几点了？"

我本来挺生气，心说他谁呀，对我指手画脚的！但我看到他的目光时，心里一震。

这疯汉穿的破归破，目光却很特别，很深邃，让人琢磨不透，更让人觉得这是一个经过大风大浪的主儿。

我一下明白了，甚至有种不可思议的想捂脸的冲动，心说我的妈呀，这就是省厅专员吧，他也忒奇葩了。

寅寅慢半拍，但也明白过来劲儿，还急忙看了看表，告诉他："七点半。"

疯汉点点头，又伸了个懒腰，说真要起来了，吃个早饭好回来开会。随后他背着手溜溜达达往外走，中途回头看了我俩一眼，说："不错，好警察。"

我跟寅寅都不知道咋接话了，只能挤着笑目送他离开。

我俩一时间没打扫会议室的意思了，聚在一起讨论。寅寅挺幽默，问我："冷哥，省厅是不是最近资金短缺？不然专员咋穿成这样，连套像样的警服都没有？"

我没心思逗乐，说了我的看法："专员一身乡下衣服，仔细看有些地方还挂着碎小的树叶，很明显是刚办完别的案子回来，而且能让他这么辛苦走一趟的，一定是大案。"

寅寅连连点头，赞同我的想法。

我又想了想，觉得还是给张队打个电话妥当些，也把刚才这事都说了。

张队还在家里磨蹭呢，估计是刚起来，一听专员到了，他激动了，说马上就到。我突然觉得今天挺有意思，一个专员来了而已，竟把警局弄得跟过节一样。

张队没多久就到了，而且更让我吃惊的是，主抓刑侦口的副局长也来了，这俩人的打扮，真是闪瞎了我一双眼睛。

他俩皮鞋崭亮，衬衫都是熨过的，我不相信短短一早晨，他们能收拾这么干净，一定是早都准备好了。另外也来了几个刑警队的同事，我印象中，这都是骨干力量。

我们整整齐齐地坐在会议室里，我掐表算着，八点整，专员溜溜达达进来了。他一定刚吃完油条，嘴巴油亮亮的，看样他本来不咋在乎，但一看我们这么正式，他不好意思地摸了摸嘴唇，嘿嘿笑了。

副局长和张队先后站起来，一顿握手，我是彻底看蒙了，心说这位大哥啥来头啊，以前也有省厅专员来过，但副局不是这态度啊。

疯汉有点不习惯，也直说了："大家别这样，把我都弄得不好意思了。"

副局长和张队急忙赔笑。疯汉又走到会议桌最前面，跟我们介绍，说他叫姜绍炎，外号乌鸦，让我们叫他乌鸦就好。另外也是辽省派下来针对歌手死亡案调查的专员。

我一听到乌鸦，有点敏感了，跟寅寅偷偷互相看了看。我猜乌鸦不是别人给他起的外号，弄不好是一个代号。什么人才有代号？我只知道特工、特务或者执行特殊任务的人才配。

这让我觉得，姜绍炎背景不简单。

他也不多说自己的事了，又起身去一个角落里，把一个大布包拽了起来。这布包在刚才收拾会议室时，我和寅寅都看到了。我们都猜这是专员的，因为乍一看跟捡破烂的大口袋似的，别人不可能用它。

姜绍炎把它打开，从里面拿出一个小平板来，我不知道这玩意该叫手机还是该叫电脑，反正我没见过，他把小平板打开，又连到投影仪上，竟能直接放片子。

他让我们看了一组资料，说这是省厅传给他的。

我留意到这上面是一份份表格，全是各个器官的数据，我估计冷不丁的，那些刑警肯定看不懂，我却能看个一知半解。

这应该是女尸解剖的报告，心脏、大脑、肝脾等的重量，切片分析，还有一些样品细胞的检验数据。

有些地方底下被画上一条条红线，说明姜绍炎仔细看过了，而且他都懂。

他也掌握一个尺度，知道说这些数据里面的猫腻，对我们这些人没啥用，他只是让我们大概浏览一下，又直接翻到结果那一页。

他开口说："这个尸体确实不简单，通过各种数据比对，目前有一个结论，她的新陈代谢比正常人要慢，甚至跟七八十岁老人差不多了，另外有几项体内激素的指标也严重失衡。"

我们没人接话，他看了看大家，又看向我，问了句："你是冷诗杰吧？乌州市法医，我刚才说的结论，你再给大家详细说说。"

我觉得他一定是在考我呢，不过我真不怕这个，接话说："尸检时，我发现死者的死亡时间有冲突，尸僵、尸斑、尸温等，比正常死尸形成的要慢，而省里给的结论，就很好地把这问题解释了。"

姜绍炎满意地点点头，还点了一根烟吸了两口，指着陈新代谢慢这一结论，强调说："没错，这里有大问题。"

其他警员都皱眉头，尤其是副局长和张队，不过他们皱眉，就是装个样子，配合一下，我心里是真郁闷上了，我是真没见过哪个年纪轻轻的女人有这么怪的身体指征。

寅寅有啥说啥，她猜到一点，大声问："专员，这女尸会不会是中毒了呢？"

第八章

女警的任务

　　寅寅这问题，立刻遭到我和姜绍炎的双重否定。我俩还很默契地一起说："不可能。"

　　我看了看姜绍炎，又瞧了瞧周围同事，先说："任何人中毒，身体局部都会有一些异常反应，我记得很清楚，女尸的肠胃、肝脾、心脏，甚至血液与尸表都很'正常'，不像是中毒的迹象。"

　　当然，说完这话我也掂量掂量，觉得不能说得这么死，又补充一句："也不排除这毒非常罕见，连法医学都检查不出来。"

　　但姜绍炎立刻把我最后一句话否了，他是彻底定了调调，把中毒的可能性完全排除。

　　接下来他又拿起小平板翻看起来，不过他翻看什么内容，没在投影仪上显示。我们其他人都不再说话了，一时间会场很静。

　　我留意姜绍炎的一举一动，发现他突然皱了下眉头，一副若有所思的样子。他那烟少说还有半截呢，也顾不上抽了，用拇指和食指这么一捏，"嗞"的一下把它熄灭了。

　　这让我看得倒吸一口冷气，心说我的乖乖，他也不怕烫到，而且这动作也能侧面反映出来，姜绍炎是个武把子，至少他手指头有说道。

　　姜绍炎回过神，又问我们大家："这几天调查得怎么样，有什么收获？"

　　这下张队急了，他可是给我们下命令了，说专员来之前，这案子先搁浅的，可姜绍炎这么一问，他总不能这么说，这把他憋的，"这、这"地念叨好几遍。

张队毕竟是我领导，我不想看他出丑，另外我和寅寅昨天也真遇到怪事了，我就拿它说事，把小辫子的疑点说了出来。

这下把张队乐坏了，还顺着我的话往下编，说警队对小辫子的尸体很重视，今天正想继续跟进呢。

姜绍炎点点头，问我们还有其他发现没？这下连我也没词儿了，张队只好硬着头皮摇摇头。

姜绍炎很怪，又一下子窝到椅子里，闭上眼睛。我心说他在干吗？想事情还是困了睡觉？

我也不敢问，看样子副局和张队他们打定主意干等，我总不能这时候无聊地四下乱看，我也有打发时间的法子。

开会前，我带来一个笔记本，我就拿笔在上面假装写字，做会议记录，其实就是忙里偷闲当练练字了。

这样过了有十多分钟，姜绍炎睁开眼睛，坐直身子又继续开会，趁这段时间，他把思路捋顺了。

他跟张队说："小辫子的尸体即刻发往省厅，让省里法医继续检查，另外歌手驻唱的酒吧是个能挖到线索的地方，张队你是'地头蛇'，这任务你来办吧，找几个机灵点的线人，去酒吧里蹲点，看能不能问到或发现什么。"

张队急忙点头，说今晚线人就能开工。

姜绍炎继续说："那歌手平时就是卖卖艺，不至于惹到什么仇家，她这次死得如此蹊跷，很可能跟集团老总有关，咱们找专人跟外地警方联系，看能不能对那个集团老总做一番调查。另外法医老刘因女尸案变疯了，虽然还在治疗期间，但我们也要找人跟他详细聊一聊，看能否得到有价值的线索。"

张队很配合，姜绍炎说出一个任务，他就立刻安排下去，挑出几个参会的干警，让他们着手准备。

最后我也被提到了，但属于待命状态。

不久会议结束了，副局长在会上是没说话，现在却来劲头了，让姜绍炎跟他一起去办公室继续聊一聊。我觉得这个聊一聊就不是公事了，而是私下攀攀感情啥的。

我们这些下属，懂规矩是很必要的，开完会领导不走，我们是不能动的。我就继续整理"笔记"。

等领导撤了，其他人也走得差不多的时候，我也想收工了，但无意间抬头一看，发现寅寅依旧抱着胳膊，沉着脸坐在位置上。

我好奇，心说她这是干啥？开个会咋还急眼了呢？

我走过去碰了她一下，问了句。寅寅看我的眼神都很冷，还说："冷诗杰，你发现没，这省里来的专员重男轻女。"

我差点儿笑出来，心说她欺负我笨吗？刚才的会议我可是全程参与了，我咋没看出来姜绍炎重男轻女呢？

寅寅接着说："在场所有人，哪个比我更了解女尸案？这一阵子我也真花大心思去追这个案子了，可姜绍炎什么态度？连个任务都没给。不是瞧不起女警还能是什么？"

较真说，姜绍炎的破案思路跟寅寅很像，至少在对刘哥与酒吧这些方向上，他们都重视起来了。我不知道姜绍炎为啥不给寅寅下任务，但总不能顺着寅寅的话火上浇油。

我又嘻嘻哈哈地打岔，想把她火气降下来。当我这么说了一会儿时，会议室门开了，我扭头一看，姜绍炎回来了，正靠着门框看着我呢。

我心说他不是去副局长的办公室了吗？又回来干吗？本来姜绍炎是专门看着我，跟我这么一对眼，他又避开了，瞧着寅寅。

他突然嘿嘿笑了，拿出一副溜达的样子往里走，问我俩："你们这对小情侣，这是开完会又要温情一下的节奏吗？"

寅寅别说婆家了，男友还没有呢，我太怕姜绍炎这么说了，真传出去，寅寅嫁不出去可咋整。

我急忙摆手，那意思我俩是清白的。寅寅根本不理这句话，猛地站起来，问姜绍炎："专员，为啥不给我任务？"

姜绍炎看着寅寅，先指正一句："说过叫我乌鸦的，专员这称号我不喜欢。"

寅寅急忙改口叫乌鸦，又把刚才的话重复一遍。

姜绍炎拿出一副沉思的样子，一边摆弄额头的头发，一边说："乌州这地方是小，但怎么也算是个市，每天都有命案发生。这次女尸案，你是没有任务，但你可以把精力放在别的案子上，不一样能尽到警察的职责、维护社会安定吗？"

看寅寅摇头不认可，姜绍炎叹口气，说女尸案真的太危险，他不想这么一个年轻漂亮的女警因为这个案子受到什么终生的伤害。

我一直旁听着，当姜绍炎说这案子危险时，我心里咯噔一下，尤其他表情那么严肃，让我觉得今天开会时，他没对我们这些市局警察露底，一定还有些秘密没说出来。

寅寅的心思全放在争辩上了，没细品姜绍炎的话，我看她有些激动，想走到姜绍炎身边继续理论，就赶紧拽住她，先出了会议室。

我是觉得让寅寅先冷静地想一想比较好。姜绍炎不想给她任务，也未必对她不好。

可寅寅不这么想，她找个墙靠着，倔强地望着窗外，跟我说："冷哥，你知道吗？我老家就有重男轻女这个规矩，甚至男人吃饭，女人都不能上桌的。只能等男人吃完了，她们才能吃剩下的，我从小就不服这个，女人差哪儿了？"

寅寅的家事我了解不多，也真不知道她早年有过什么经历，但她说的这个现象，我也有所耳闻。我猜她一定是被今天的会议勾起了陈年往事、不开心的记忆。我一时间想不到啥理由劝她，索性继续插科打诨，转移话题分散她的注意力。

我这么胡扯一会儿，姜绍炎又从会议室出来了。我不知道刚才寅寅的话他听到没有，但他直接奔着寅寅来的，还说道："这次专案还有一个地方需要调查，本来我想自己入手的，你要是觉得能行，这活儿就交给你。"

寅寅把目光从窗外收回来，问："是什么？"我也急忙支个耳朵听着。

姜绍炎比画一下，说："歌手家里不是有个养小鬼的坛子吗？那里有大学问的，你是个聪明的丫头，多研究多琢磨，一定会有所发现的。"

我是听呆了，心说那坛子说白了跟个尿盆似的，有啥秘密啊？不过它里面那块"大鼻涕"，弄不好能有点说道。

寅寅也疑惑地看着姜绍炎。姜绍炎不多解释，让寅寅立刻着手就是了，随后他离开了，只是动身前，又特意瞧了瞧我。

我隐隐觉得他找我有事，但他不说，我也不知道咋问。

这样我们散伙了，我又回到法医门诊，开始我正常的工作。

我可记得"正事"呢，把昨天夜里收集的血迹样本拿出来，另外也把自己血液提了样，一起交给一个司机。他正好要去殡仪馆，把小辫子尸体最快速地运到省厅，我这也是搭了顺风车了。

我也给师父打了电话，让他帮忙打声招呼，加急处理下。

师父没说的，真照顾我这个徒弟，下午就有一个省厅法医打来电话，只是结果让我异常吃惊。

他说昨天送来的样本中没值得注意的东西，而且在解剖室窗户上发现的那个血迹，经过比对，是女尸的。而我今天送去的血迹样本，经过比对，也是完全吻合的。

这什么意思？换句话说，我认为家里很可疑的血迹是我自己的。

这让我一下子蒙了，等撂下电话，我还去了趟厕所，把裤子脱了看了看，裤衩上面没血，说明我真的没痔疮。

我纳闷，心说床单那块血，自己怎么弄上去的呢？

专 员 的 劝 告

一直到下了班，我还在琢磨血迹的事呢，另外顺带着，闹鬼的事也没弄明白呢。

我想到一个人。别看姜绍炎才"报到"一天，我对他印象却非常好，总觉得他是有大智慧的人。我心说既然家里的疑点让自己这么发愁了，何不找他诉说一下呢。

我也听说了，姜绍炎晚上不去旅店，依旧在那小会议室过夜。我掐着时间，等七点多钟的时候，走到小会议室前，敲门而入。

姜绍炎没睡觉，盘着腿坐在椅子上，会议桌上摆满了小食品，他吃得挺来劲儿。看到我时，他还吮了吮手指，指着小食品问我："吃不吃？"

我算被这老哥打败了，摇摇头谢绝了好意，心说他一个老爷们儿，年纪不小了，咋还好这口呢？

姜绍炎似乎猜出了我心中所想，他望着小食品很珍惜地说："小冷啊，如果一个人数周或者数月都只能以土豆、白菜为食，甚至要吃山间野菜与虫子，等他回到城市了，才会发现这里的食物有多棒。你懂吗？"

我估计他是在说自己呢，我不想跟他继续讨论这个话题，只是点点头，并没接话。

姜绍炎也不吃了，招呼我坐到他旁边，又问我这么晚找他是不是有事。

我有点纠结，心说告不告诉他呢？但他用目光引导我几次，我最后心一横，全盘说了出来。

姜绍炎听得很仔细。等我说完了，他闷头寻思一会儿后哈哈笑了，故意往我身边凑了凑，一把勾住我肩膀。

这时候的姜绍炎没把我当下属。他把脑袋靠在椅子上，望着我很随意地说："既然床单上的血迹是你的，这就不算是疑点了。灯开关老化时，突然断电也很正常。至于窗户无缘无故开了啥的，我之前也遇到过，或许是巧合，又或者……你让自己多放松一下，应该就好了。"

他说的放松字眼提醒我了，我们警队有个哥们儿，有次追个连环凶杀案，就因为压力太大，晚上梦游，当着他老婆的面，夜里去厨房烧水。

我心说难道自己太紧张，昨天梦游开窗户了？但应该不至于，我从小到大也没梦游过啊。姜绍炎又在一旁给我提醒，问我睡觉是不是不老实。

这我承认，说白了自己睡得淘气，经常早晨一睁眼睛，发现脑袋在床尾呢。

我又被姜绍炎说得觉得自己真有可能梦游了。姜绍炎拍拍我肩膀，说不必为这点小事害怕，赶紧回家休息吧，过一阵子忙起来，就没机会睡那么好的床了。

我看他说得这么肯定，心里诧异，我过阵子能怎么忙？再说忙起来跟回家睡觉有冲突吗？

姜绍炎不跟我多聊了，继续吃小零食，还哼着歌。我心说得了，不耽误这个吃货的时间了，于是起身告辞，走出小会议室。

虽然我一时间看开了，但还想缓一晚上，今天就又在警局凑合了一夜。

这一夜是没啥事，等第二天早晨六点多，有一个意想不到的案子来了：法医刘哥死了。当时是姜绍炎给我打的电话，他本想开车到我家，接我一起去案发现场，我告诉他我没走，我俩就约定好了，在警局后院停车场会合。

我本以为姜绍炎会从警局里出来呢，谁知道他开着一辆车从院外进来的，而且车上还落了一堆发黄的树叶。

警局后院可没树，他车上树叶这么多，说明这车停在外面好久了，我怀疑他是不是夜里出去干啥事了。另外我也隐隐闪过一个念头，我家小区树倒是蛮多的。但去现场要紧，我没再多想。

这次是姜绍炎开车，我发现这么一对比，他的车技明显比寅寅差了一大截，虽然也是开车满街跑，但速度上不去。

我跟寅寅关系那么好，这期间当然给寅寅说两句好话了，就不露痕迹地提了一嘴。姜绍炎很吃惊，说没想到那个女警有两把刷子嘛。当然了，这老哥也没太贬低自己，强调说他开车差一点儿，但骑摩托很棒。

第九章 · 专员的劝告

我们先赶到市医院，又绕过去，来到旁边的水塘，刘哥的尸体是在这里被捞出来的。

我们来到现场时，已经有派出所民警在这儿了。我看看附近地形，这里离医院很近，属于要拆迁的地方。

按民警说，今早有三个民工吃早餐路过这里，看到水里有浮尸，就打电话报了警，警察都认识市局的刘哥，赶来后一眼认了出来。另外据医院那边交代，早晨五点，护士去病房测体温时，就发现刘哥不在床上，那小护士没经验，以为刘哥上厕所了，就把这事忽略了。

听完经过，我有这么一种感觉，刘哥是犯疯了，自己跑出医院，又到这里自杀的。我心里不住叹气，心说老刘啊老刘，咋就没想开呢？还用这么窝囊的死法，这水塘多臭啊！

姜绍炎一直蹲在刘哥尸体旁边，盯着看，一句话不说，貌似琢磨啥事呢，我也没打断他，趁着现在，做了初步的尸表检查。

刘哥的脸都涨了，眼结膜下有出血点，嘴唇与指甲是青紫色的，嘴里和鼻子里有淤泥，指甲中也有淤泥和水草。这都是溺死的典型征象。

这案子乍一看没啥，我也把这些特征说给姜绍炎和民警听。民警是又点头又叹气的，姜绍炎倒是突然扭过头来，冷冷看着我。

我心说他啥意思？这么瞅我干啥？但被这么一刺激，我突然想到一个事，之前寅寅问过刘哥，记不记得三年前有个跳楼自杀案跟这次歌手死亡案很类似。当时刘哥用热水把我俩泼跑了。

我有了一个很大胆的猜测，难道刘哥的死不一般，跟这两个案子有联系？我看着刘哥尸体，跟其他人说："我想把尸体带回殡仪馆，做进一步的尸检与解剖。"

没等民警回复，姜绍炎笑了，对我点头说："辛苦了。"又提了个建议，"小冷，这次尸检，多注意下刘哥的隐蔽部位。"

我蒙了，心说刘哥的隐蔽部位咋了。但当着这么多人面，我也不能现在就给刘哥脱裤子吧。

姜绍炎没有离开的意思，民警找车，把我和刘哥尸体送到殡仪馆去了。我还给小凡打了电话，那意思是有活干，开工了。

小凡不知道死的是刘哥，等他赶到解剖室一看，跟我意料的一样，他当时就呆了。我们仨可是一个部门的同事，看着刘哥的尸体躺在解剖台上，小凡的眼泪都在眼睛里打转了。

我安慰小凡几句，让他一定要稳住情绪。当然了，我们在尸检前，小凡也学我，对着刘哥尸体鞠躬。

我把刘哥脱光了，从上到下仔细看了一遍，先给死亡时间下个结论，推算起来，就是今早四五点钟的事儿。

我有点怪那个小护士了，心说她当时机灵点，或许还能把刘哥救回来，但现在说这个有点晚了。

我又按照姜绍炎说的，对刘哥下体做了很详细的观察，小凡是挺不理解的，问我为啥对它兴趣那么浓。说实话，看久了我也觉得有点别扭，而且这里没什么古怪嘛，我就给姜绍炎打了电话，说了这个情况。

我自认为做得没毛病，但姜绍炎在电话里来气了，跟我强调："隐蔽部位，非得是丁丁吗？腋下也是嘛。"

我都无语了，心说这个老"乌鸦"，刚才咋就不说明白呢？

我撂下电话让小凡帮忙，把刘哥两个胳膊举起来。我蹲在腋窝前观察。本来我还是没看出什么来，为了保险起见，我找个小刀，把刘哥腋下的毛全刮了。

这下问题来了，我看到他右腋下有个红点，按经验看，是注射器留下来的。

护士是会给患者打针，但我从没听说在腋下送针的。我对小凡指了指这个针眼，小凡也懂，接话说："刘哥死得冤啊。"

我点点头，也立刻给姜绍炎打了电话，分析了我的观点。刘哥很可能被人打了麻醉药，这样丢到池塘中，他只能眼睁睁送死了。而且这针眼不易被发现，很容易造成自杀的假象。

我建议给刘哥尸体抽血，做样品分析，看能不能从血液里找出蛛丝马迹来。

姜绍炎同意我这么做，不过他也强调，让我把血液样品先保存起来，不必急着送去化验，这事他差不多有谱了。

我听到这儿，觉得姜绍炎貌似知道谁是凶手，我忍不住多问了一句。

姜绍炎哼了一声，说了句让我听不懂的话，说："没想到那两只老鼠精也掺和到这事里来了，好几次从他同事手下溜了，这次新账旧账一起算吧。"

我不懂老鼠精是个什么概念，而且怎么还一下蹦出来两只呢？

姜绍炎又让我把刘哥尸体收好，就把电话挂了，我本来还合计要不要开膛呢，但既然姜绍炎知道凶手是谁了，胸腹腔的解剖就省了吧。

我跟小凡一起给刘哥穿好衣服，送回尸袋里，又想联系殡仪馆，把他尸体及早冷冻，但意外的是，我俩刚出解剖室，就迎来了一拨客人！

我
爹
的
秘
密

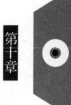

　　来的是刘哥的妻子和父母。刘哥不是本地人，家在相邻的一个小城市，也不知道是警局疏忽了还是刘哥特意交代了什么，他的家属不知道刘哥疯了，今天早晨却突然得到了他的死讯。

　　这场面让我冷不丁有些受不了，刘哥的妻子一下扑到我怀里，哭得那叫一个昏天黑地，反复说刘哥为啥想不开呢。尤其是她还撕扯我的解剖服，也就是解剖服质量好，不然这力道，当场就得裂开几个大口子。

　　我跟小凡都安慰了几句，又找个借口提前撤离了。本来看在同事兼哥们儿的分儿上，我真该好好陪一陪的，但我怕自己嘴贱，把刘哥被害死的情况说出来，他们情绪会更加失控，把我衣服扯光了。

　　我跟小凡一起回警局，我着手写刘哥的验尸报告。没多久，警局里都传开了，知道刘哥死了，张队还特意来到法医门诊，问我一些情况。

　　但我真是了解得不多，只把知道的都说了出来。姜绍炎是一直没回警局，但他办事真有效率，通过跟病患的接触，在上午就挖到线索了。

　　有几个病患看到了，刘哥在早晨被医院的一个医生带走了，而医院那边查了一遍，发现并没有医生找过刘哥。

　　很明显有人假冒医生把刘哥骗出去了。张队还立刻找了一名专业警察，带着工具去问这几个目击者，看能不能做出凶手的素描画来。

本来我挺不看好的，因为那医生穿着白大褂，戴着口罩，那几个病患也就是隔远看看，只能提供凶手的身高与大致体征，长什么样，肯定说不出来。

但姜绍炎做了一把主，他跟个证人一样，把一些数据提供给"画师"了，还说得特别详细。

最后素描画被传回警局里，我也特意跑过去看看，这人有一个特征让我印象深刻——左脸颊上有一条刀疤。

姜绍炎还在素描画上标注，这嫌犯叫老鼠精，我倒是觉得，把他叫作刀疤脸更恰当。

姜绍炎还特意跟张队强调，刘哥的死跟女尸案有绝对的联系，让张队务必重视起来。这下可好，张队又抽出几个人来跟进这个案子，刑警队那点精英，冷不丁全被调走了。

我也想尽一份力，可是想一想，自己能做什么呢？还是老老实实地干好本职工作吧。

等到了中午，姜绍炎回来了，他拎了两桶肯德基，来到法医门诊，说请我和小凡吃午餐。

他很兴奋，说这玩意儿好吃，把他大吃货的本性又暴露出来了。而我和小凡对快餐都不感兴趣，尤其这种炸鸡块，总让我觉得吃不饱，但专员请客，这面子得给，我们就在屋子里围个圈儿，吃上了。

本来就是随便聊聊天，没提啥正事，但吃完后，姜绍炎对我摆摆手，把我叫出去了。

我以为他要问刘哥的事呢，没想到他一边剔着牙一边说："听张队说了你家里的情况，对了，你父亲最近怎么样？"

我冷不丁有点蒙，因为张队压根儿不关心我家的事，姜绍炎这么说，有编谎话的嫌疑。另外细掰扯掰扯，最近咋都关心我父亲呢？我师父上次也这么说过。

我看姜绍炎一直等我回话，索性笑了笑，说："老爷子挺好的。"

姜绍炎点点头，看了看时间，说现在正好午休呢，你这儿也不忙，不如一起去看看他吧。

我真不明白这省里来的专员到底想啥呢，而且他真逗，我能不忙？刘哥撒手不管了，这两天法医门诊室压了一堆案子，都快把我和小凡累得肚皮朝天了。

我琢磨着找什么借口能把这事推开，但姜绍炎不给我机会，他说骑摩托带我，还立刻拽着我走了。

他这摩托是私人的，挺特殊。轮胎很宽，排气筒也都是大件的，我不太懂摩托，却也猜出来了，这是个军用货。

姜绍炎说过，他开车不在行，但摩托车技不错。看来是没撒谎，这摩托骑得，那叫一个"溜"。

乌州市只有一个五福精神病院，在郊区，姜绍炎带着我，也不能空手去，中途买了些吃的。

我们又去了精神病院的B区，这里都是病情轻的患者，平时能随便溜达。

我们在大厅里找到我爹了，他独自坐在一个角落里。我跟他长得很像，当时我没说啥呢，姜绍炎就把他认出来了。

我爹在刚进精神病院时，很疯癫，总嚷嚷说世界末日要来了，这两年在积极治疗下，病情倒有了大幅度的好转。

他看我俩到来时，还对我笑了笑，等看着姜绍炎时，他又板着脸，问："你是谁？"

我还琢磨咋介绍呢，姜绍炎主动开口了，说他在省里工作，跟我是朋友。

我爹点点头，显得不那么热情。姜绍炎兴趣倒挺高，主动坐到我爹旁边，又说了句："我跟'狼娃'也是好朋友，我们偶尔会说起你。"

我对这话很在意，尤其看着我爹反应挺大地看着姜绍炎时，我知道他也认识这个叫狼娃的人。我纳闷了，心说狼娃？是谁？

我想插话，但姜绍炎对我偷偷使个眼色，那意思让我旁听就好了。

他又跟我爹聊起来，而且这俩人聊得是越来越有瘾。我没法子，只能干坐着。

我发现他们都是围绕着狼娃，聊了一些很日常的东西。通过这几次接触，我是对姜绍炎有点了解了，心说这老乌鸦说这些无关紧要的，就是个开胃菜，压轴戏一定在后面。

果然，过了一会儿，姜绍炎觉得气氛差不多了，又嘿嘿一笑，从兜里拿出手机，翻开一个照片，让我爹看了看。

我坐在另一侧，也想凑过去瞧瞧，谁知道姜绍炎故意把手机偏了一下，我看的反光，只隐隐瞧到，上面是一个坛子，这让我想起歌手家养小鬼那个东西了。

我爹看完情绪波动有点大，他目光有些呆了。

我被震慑住了，想不明白我爹为啥会这样。姜绍炎还把手机收起来，很严肃地看着我爹。

我爹有点语无伦次了，又说世界末日要来了。我吓住了，暗骂姜绍炎一句，心说这个祸害，咋让我爹犯病了呢？

我责怪地看着姜绍炎一眼，想叫护士过来。姜绍炎却对我摆摆手，又凑到我爹耳边，说了一番悄悄话。

我啥也听不到，最后姜绍炎说完了，还特意拍了拍我爹的肩膀。我发现怪事来了，我爹淡定多了。真不知道这几句话有什么魔力。姜绍炎说了句保重，又叫着我要一起离开。

我看了看我爹，有点不放心，想陪他一会儿，但又被姜绍炎一催促，我一琢磨，跟他出去了。

我是开门见山，直接问他，到底跟我爹说啥了？而且看样子，他认识我爹，那我爹以前是干吗的？

这也是我从小就不知道的事，印象里，我爹就是个小商贩而已。

姜绍炎没正面回答，他背着手一边走一边想了老半天，跟我比画着说："小冷，你信这世上有地狱吗？"

我摇摇头。姜绍炎又继续说："这世上不仅有地狱，还有一个通往地狱的大门，有人手里拿着开启它的钥匙。"

我这么一联系，不敢相信地问了句："你是说，我爹就是那个给地狱看大门的？"

姜绍炎回头看了看我，一耸肩，说他刚才只是随便说说，可没对号入座，让我别瞎想。

我看他又不说啥了，嚷嚷着回警局，知道自己想问也问不出来了。我私下打个算盘，心说等这几个命案弄完，我单独过来找我爹，不信挖不到消息。而且这次来精神病院，我也重新对我爹有个评价了。

我依旧被姜绍炎骑摩托带着，我俩往市里赶，但没走多远呢，姜绍炎猛地来了一个急刹车。这把我弄得差点儿侧歪出去。

姜绍炎有心事，他愣愣地想了一会儿，念叨一句："老刘死了！"

我总觉得这话怪怪的，他一大早就知道刘哥死了，咋现在这么激动呢？我问他咋了。

他不说啥，重新骑车，带我快速地回到精神病院。我这下猜出来了，难道说，他是怕我爹有危险？

我也有点急了，我爹要是跟这几个命案有关联的话，他会不会跟刘哥一样，被坏人盯上呢？

我满脑子想的是以后怎么办，我只是一个法医，怎么能确保我爹的安全？我总不能天天守在精神病院吧？另外无凭无据的，也不能找警察来保护他。

我正愁着呢，姜绍炎把摩托停在门口了。看我想下车跟他往里走，他对我摆摆手，让我老实在这里等他。

我越来越觉得，姜绍炎这个人不简单，整个女尸案里面的水太深了。虽然我不想听他的话，不想在这里干等，但有种直觉，姜绍炎是为了我好，也在努力保证我爹的安全。

我决定相信这个省厅下来的专员，而且也懂了一个道理，有些事不该我知道的，最好还是别问，不然有反效果。

我耐着性子，应了一声，乖乖在这里等起来，姜绍炎独自跑着进去的，中途还打了一个电话。

我不知道他啥时候能出来，就四下看风景，打发时间。但没多久，我的手机嗡嗡响了，有人找我！

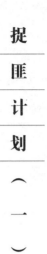

捉匪计划（一）

我拿起手机一瞧，是寅寅。一上午我都没见到她，尤其是刘哥死了这么大的事，她也没露面。

我心说这不像她的性格，她可是对刘哥和整个女尸案很在意的。我跟她这么熟了，接起电话就先开了句玩笑："寅姐，今天去哪儿发财了？"

寅寅让我别闹，又叹了口气回答，她一直在研究那个破"尿盆"，还特意去古玩市场打听了一下，只是啥发现都没有。

我偷偷想乐，很难想象寅寅抱着尿盆满街走是啥场景，另外我觉得她有点钻牛角尖了，那坛子的古怪，绝不因为它看着像古董。

我想提点建议，却也不知道咋说，省里法医可是回话了，"大鼻涕"没啥有价值的东西。

寅寅把话题变了，这次她问起刘哥的事了，我一五一十说了一遍，还特意强调，警局正在全力抓刀疤脸呢。寅寅老半天没吱声，最后撂下一句话就把电话挂了。

她说自己想想，晚点儿再找我。

我不知道她所谓的想是什么，但这么一来，我又没事干了，闲待了一刻钟吧，姜绍炎回来了。我看他又溜溜达达地走上了，而且见面后，他先摆摆手跟我说："放心吧。"

第十一章 · 捉匪计划（一）

我猜他一定跟精神病院安排啥事了，甚至他也有权力能请来"保镖"。

我没多问，只是扭头看了看精神病院。姜绍炎没给我太多时间，他上车就打火，把摩托加速蹿了出去。

我不能太分心，不然万一他又来个急刹车，我真摔个三长两短，这责任找谁负啊？

我们回了警局，一下午很"正常"地度过了，我又继续忙着手头案子。等到了晚上，我想起家里的虫子了，心说这都两天没回去了，再不喂喂，它们可就饿死了。

我想今天回家过夜。在走之前，我特意去小会议室看看，跟姜绍炎打个招呼告别啥的，而且我也打定主意，要是他没吃晚饭，我请他撮一顿，毕竟他是外来客，当地有啥美食，他不知道。可姜绍炎没在会议室，估计是出去办事了。

我独自离开了，其实我自己一个人，对付一口也方便，楼下盒饭、快餐啥的很多，但我想了想，决定晚点去个烧烤店。

倒不是说我爱吃烧烤，我每次吃烧烤，第二天就拉肚子，很邪门。之所以要去烧烤店，是想看一个人，她叫孙佳。

我俩关系不一般，算起来，比朋友近一点，又没发展到情侣那种程度。还是我同学介绍我俩认识的，她没工作，自己开了个烧烤店。她也跟我明说了，互相认识归认识，不干涉对方私人空间，如果再过两年，我们都没找到合适的，就凑合凑合一起结婚算了。

我一直记着这话呢，但也长了个心眼，没提早过去。一般吃烧烤，九、十点钟是黄金期，我去得早了，怕她忙不开了，不得把我当小工使唤？

我先回家待着，在开门的一刹那，我还特意探脑袋往客厅里瞧瞧，那些虫子很乖，这次没爬出来。

我急忙给它们喂虫粮，等喂饱了，又特意从楼下找来一根细树枝，轻轻捅它们屁股。在这种刺激下，这帮虫子使劲儿往上爬。

我是要做个实验，看它们到底能不能自己爬上去。

我发现这么摆弄一会儿，还真有好几个虫子爬出玻璃缸了。我观察它们逃亡路线，发现玻璃缸有些地方长了薄薄的一层苔藓。这就是辅助虫子逃跑的"工具"了。

我打心眼儿里高兴，觉得自己终于有所发现了。我怕留下后患，也特意把这些虫子临时倒出来，捧着玻璃缸去厕所好好清洗了一下。

这么一来，缸壁光滑了，虫子想逃跑也没门了。我又看了会儿电视，熬着时间，等觉得差不多了，我起身出门。

来到烧烤店时，这里还有几桌客人，不过都吃到后期了，满桌一片狼藉，他们也就是干喝酒吹吹牛啥的了。孙佳不忙，正在吧台玩手机呢。

我跟她当然不客气，让她跟后厨说说，给我做一碗面条，接着我俩找个空桌坐下来。

我的微信圈子男女失衡，想想也是，自己认识的几乎都是大老爷们儿，不是警察也是在类似部门混的。他们这些人平时就爱秀恩爱，把自己和女友照片晒出来。

我突然有了个念头，平时只有干看的份儿，今天也该轮到自己坐庄了。

孙佳不让我亲她，但能拉拉手，抱一抱啥的，我就凑到她旁边，拍了几个亲密照，晒到微信上了。

我一边跟孙佳聊天，一边隔一会儿继续看看，有多少人点赞或留言。

这样等面条做好了，端上来后，我是真没想到，没等吃两口呢，有人直接到烧烤店找我来了。

她直接推门进来的，是寅寅，也一定是看到我朋友圈留下的地址了。

孙佳不认识寅寅，还迎上去问："你一个人吗？打包还是在这儿吃？"

寅寅摆手，又奔着我来了。她是真不在乎，一屁股坐在我旁边了。

我看孙佳皱着眉看我，知道她误会了，尤其寅寅穿着休闲服，身段那么美。

我就赶紧接话，指着寅寅说这是我同事。孙佳挤着笑应了一声，寅寅也跟她打了声招呼，但随后又看着我，说："有任务。"

这话让我一下忘掉现在的尴尬局面了，甚至连面条都顾不上吃了，问她啥任务。

寅寅说发现刀疤脸的行踪了，马上要抓捕他归案。还让我一起去配合。

法医虽然是负责幕后工作的，但有时也要去第一线，在第一时间收集下物证啥的。我以为这是张队的意思呢，毕竟这次是专案，省里和副局长都很重视。

我点点头，这就跟寅寅走。孙佳也很支持我工作，还说等忙完了，给她来个信。

我跟着寅寅上了吉普车，我以为接下来就直奔现场呢，谁知道寅寅问我："你那儿有麻醉药不？"

我愣了愣，心说麻醉药？那玩意儿只有医院才有，她找我要这东西不为难我吗？我摇了摇头。

寅寅哼了一声，说我骗她，还特意强调一句我师父。

这我承认，市局的法医只做法医现场这一块，我师父却瘾头很大，还偷偷研究法医毒化的领域，他没调走前，法医门诊里存了好多药剂，包括麻醉药，还有一笼子小白鼠。

只是我对这些不感兴趣，他走了后，我把老鼠都撇了，把那些药剂封存起来。

寅寅是个老警察，知道这些事，今天可好，赖上我了。

我是一点招儿也没有，但也不明白，难道一会儿擒刀疤脸，我们要用麻醉的法子吗？

寅寅不多说，带着我一起回了警局。我去法医门诊里一顿乱找，终于看到一瓶哥罗芳。我就找个小包，把它装起来了。

寅寅开车带我离开，途中她打了一个电话，我听到她问了什么情况，没一会儿又嗯了一声，说我们马上就到。

我以为接下来自己会看到一个很壮观的场面，毕竟连我这个法医都出动了，其他警队的同事，得来多少人啊？

但我们进了一个挺破的小区，在一个不起眼的楼下停车了。

我又有个猜测，四下看着，心说大家是不是都埋伏好了？这刀疤脸就藏在楼里，就等一声令下上去围堵呢？

还没等我问啥呢，吉普车后门开了，嗖的一下钻进来一个爷们儿。他一脸皱纹，估计得有四五十岁了，看着寅寅，却很客气地叫了声寅姐。

我看得直眨巴眼，也真不认识他。寅寅却没这方面的表示，还直接问："怎么，嫌犯出门了？"

这爷们儿点点头，隔着车窗指着楼上说："三单元四楼的东屋，就是他家，我也打听到了，这小子是外来客，房子是租的，没来几天呢。"

寅寅又问："看准了吗？"

这爷们儿又点点头说："走不了眼！那小子脸上有刀疤，跟素描画一模一样，还有股子凶气，也很敏感，我跟踪的时候差点儿被他发现。寅姐，你就放心吧，而且我跟你的关系比张队深多了，这事先告诉的你。"

寅寅满意地嗯了一声，告诉这爷们儿："先回去吧，过阵子打钱。"

那爷们儿笑着下车了，走前特意拍了拍我俩肩膀，算是一种鼓劲儿吧。

可我这一瞬间，整个人有种石化的感觉，我也品出来了，他就是个线人，发现了嫌犯的踪迹了。

而他没告诉张队代表着啥？说白了，这里除了我跟寅寅就没别的警察了，难道寅寅的意思，是就我俩一起擒贼吗？

我看着寅寅，一时间呵呵地笑了。寅寅没理会，一把将我小包抢过去，把哥罗芳翻了出来。

她也早有准备，又从副驾驶抽屉里拿出一块手帕来。

哥罗芳这东西，真要用它捂人，用起来是有讲究的，剂量小了肯定不行，剂量大了更危险，很容易把人弄中毒了。

寅寅不太懂，还问我呢："冷哥，你倒是说说啊，这玩意儿倒出来多少合适？"

我哪有闲心说这个，又盯着寅寅开口了："姐，你是我亲姐行不？你告诉我，到底想干啥？"

寅寅一下子严肃了，低头摆弄着手帕，隔了一小会儿，才冷冷开口说："那破坛子就是个摆设，里面有个屁呀？这次我要立功，给姜绍炎看看，女警未必不如男！"

捉匪计划（二）

我发现姜绍炎错了，他真不应该让寅寅去调查那破坛子，今天刘哥死的事，他就该让寅寅主抓，这样我就不会半夜里出现在这种不该出现的场合了。我听寅寅这话，也知道她决心很大，光靠嘴皮子劝是劝不了了。

我心说那就别怪我不地道了，我突然开车门，想直接逃走。我自认为速度够快了，还是慢了半拍。在刚抬屁股的时候，寅寅一手抓到我裤袋上了，还一使劲儿，我一下子又坐了回去。

寅寅双手紧倒腾，又是拉又是扯的，把我扶正了，把车门关上还都上了锁。

我都有点愁眉苦脸的了，跟她摇头，做最后的争取，说："妹子，我不是刑警出身，根本不懂擒拿，你带我去抓贼，我不是那块料啊！"

寅寅轻呸了一口，算是对我这话的一种否定，她又拍拍胸脯，说："不还有我吗？"

倒不是我低看她，都这时候了，我也忍不住，比画着做个动作，尖着嗓子说："啊，尸柜……尸柜开了，鬼要来了，我吓晕了，晕了！"

我也是侧面告诉她，去个尸库她都能这样呢，这次这么危险的任务，她没准还能晕。

寅寅气得咬牙切齿，但她真没法反驳我，我说的是事实。她想了想，又指着胸口说:"来,摸这里。"

我瞬间呆了,看着她凸得那么明显的胸,心说要干吗?使唤我之前要给个甜枣吃吗?她这种做事方法可够奇怪的。

要在平时,有这便宜不占我是傻子,但现在我全被理智压住了,知道真要摸了,那就得去擒贼玩命了。

我看着胸口强忍着,呵呵呵地摇摇头。

其实我是误会寅寅了,或者说她这么隔空一指太含糊。她又绷了一下右胳膊,让我摸她上臂。

我明白过劲儿来,这也不是啥敏感部位,我没那么怕了,把手伸过去。

寅寅特意问我:"怎么样,我这胳膊还行吧?算有劲儿的吧?"

我瞅瞅她没吱声,心说她胳膊这么绷着也就是个硬,别的有啥,那肱二头肌还没我的大呢。

寅寅又说了她的计划,刀疤脸杀了刘哥,还是个外来的,按她分析,嫌犯十有八九这两天会跑路,虽然警方在各个路口设置关卡了,但刀疤脸花点钱,找个黑车并不难。刚才线人看到,刀疤脸是空手出去的,但兜里很可能带钱了,就是联系跑路的事了。

或许他回来时,就会夹着包走人了,我们现在联系张队,多少有点来不及。反正刀疤脸的家里没人,我俩偷偷进去守株待兔,保准能把他擒下来。

我听寅寅这么一说,也觉得有点道理,我就顺着话问了句:"怎么擒?用哥罗芳?"

寅寅摇摇头,她又一撩上衣,露出电棍来。寅寅想一会儿她先上,用电棍弄晕刀疤脸,但她也知道,有些人体质怪,专门训练过,抗得住一般的电击,她又想了个备手,就是我。一旦她失手了,我就往上冲,用麻醉剂把刀疤脸镇住。

我仔细琢磨着,反复推演这个计划,最后觉得,寅寅的智商够用,这计划真的可行。

寅寅趁空又给我打鸡血,一是说了刘哥,毕竟都是我们自己人,死得那么冤,我难道就不想为哥们儿报仇擒住真凶吗?二又说我是个爷们儿,虽然是法医,但在寅寅心中,我每次尸检,都能让证据说话,将凶手绳之以法。第三点,她又攀了攀关系,说我俩这么铁,难道叫我帮忙还不行吗?

有个成语叫狡兔三窟,我发现寅寅这个大兔子给我挖了三个坑,我被这么一"忽悠",真栽坑里去了,最后一咬牙一点头,同意了。

第十二章 · 提匪计划（二）

　　但在这一瞬间，我又想到一个问题，问道："咱们怎么进屋，你有刀疤脸家的钥匙吗？"

　　寅寅看我同意时就很开心地笑了，拍了拍我胸口说："冷哥，开锁是你的强项，别跟我装糊涂，小刘他们可都说了。"

　　我一听小刘就知道歇菜了，我是会点"旁门左道"，对开锁有点研究，有次跟小刘他们喝酒，我喝大了，谈论撬锁时，在小刘家做了演示，没半分钟就把他家入户门的门锁打开了。

　　我当时可是跟他说好了，这是秘密，不能外传，但从寅寅嘴里说出来，我心里一顿乱骂，心想，酒肉朋友不能深交啊。

　　寅寅又把副驾驶座的抽屉打开了，我发现这里就是个百宝囊，她拿出一个巴掌大的小黑包来，里面铁丝、卡片、万能钥匙啥的，应有尽有。

　　我心说得了，今晚自己要露一手了。

　　我们也不在车里久坐，既然决定了，就摸黑迅速上楼。当然了，进单元门前，我先认了认方向，刀疤脸住的是四楼东屋，我俩别傻分兮的算反了，去撬西屋的锁。

　　这要被住户看到了，我俩跳黄河也洗不清了。

　　这小区比较老，入户门的锁也只是一般货。我来到刀疤脸家前，用卡片顺着门缝往里顶，又用几把万能钥匙试了试，没几下就把它搞定了。

　　寅寅凑到我耳边说一句："冷哥威武！"算是对我一种鼓励吧。

　　我是没听进去，因为心里有点紧张，急着想看看这屋里啥样。其实我也想过，寅寅这种做法有点狠，我们这么擒贼，手段不太正当。

　　但老话怎么说——甭管黑猫白猫，抓到耗子就是好猫。我也听说过，有时候对待特殊案子，为了保证能破案，动点特殊手段也没啥。就跟用刑一样，面上规定，不准殴打犯人逼供，但遇到那些老油条，你好说好商量根本不好使，就得来点硬菜，给那些老家伙松松皮子，一切就都美好了。

　　我跟寅寅都踮起脚，走得很轻，这么来到屋子。寅寅不让我开灯，还找到总闸，把电掐了。而我借着昏暗环境，也看得出来，这里真就是个出租屋，那个简陋劲儿就甭提了。

　　我的意思，我俩就蹲在门口等着，一旦有人回来开锁啥的，我们能提前知道，也能做好准备。

　　寅寅本来听我话，但蹲了一刻钟吧，她熬不住了，又起身四处走走。这屋子就是个一室一厅，寅寅先去的客厅。

我看她也不老实，四下乱翻，就想跟她说说，消停点，但又一合计，算了，她找找证据啥的也行，门口我守着就好了。

这样寅寅把客厅检查完了，没啥发现，又钻到卧室里去了，没多久还喊我："冷哥快来看。"

我没想理她，心说自己蹲点呢，有啥事比干这个重要？但架不住寅寅总喊。

我就不得不跑过去，还先悄声问了句："咋了？发现金条了？"

我发现自己的嘴相当狠了，真被我说中了。

在一个衣柜里，寅寅发现一个黑色大包，有一尺那么高吧，已经打开了，最上面是绳子、钩子、钳子螺丝刀这类的，下面竟然全是钱。

一捆捆的百元钞票，我估摸着，得有百八十万。

这场景给我的冲击太大了，我跟寅寅一起琢磨起来。寅寅先说："冷哥，嫌犯把刘哥杀了，也跟歌手死亡案有关，这一兜子钱，会不会是犯罪动机呢？"

我觉得有可能，包里的家伙，说明刀疤脸是个盗匪，他去歌手家偷盗，正巧歌手回家了，他就出其不意把人杀了。

但细想想，我又不明白他杀刘哥为啥，另外歌手小臂被吃了，这跟他有啥关系？还有那只直立行走的狗呢，跑哪儿去了？

不过不管怎么说，我能肯定，这背包是个重要线索，我们只要抓住刀疤脸，这一切能水落石出。

有时候赶的就是这么巧，我俩正研究呢，门口有动静了，刀疤脸回来了。我跟寅寅也顾不上这黑包了，寅寅打手势，让我跟着她蹲在卧室门口去。

这卧室跟入户门挨着，我俩在这伏击是不错的场所。

这样又等了三五秒钟，有人进来了，他本来想开灯脱鞋，可扒拉两下开关，灯不亮，他又骂上了，说："什么破房子，咋还停电了呢。"

我跟寅寅没吱声，寅寅还稍微探头往外看了看。

刀疤脸没法子，又摸黑脱鞋。

寅寅是看准机会了，拎着电棍冲出去了。我又急忙往前凑了凑，做好替补的准备。

我们都知道，刀疤脸是个盗匪，可没想到这小子身手真横，警惕性也那么高。

寅寅本来在他后面，但他就好像背后长眼睛了一样，突然间，一个后抬腿，一下子踢在寅寅手腕上了。

寅寅疼得闷哼一声，估计是咬着牙才没让电棍脱手。

刀疤脸不打算就此收手，他继续走旁门，不急着转身，两条腿交替着往后踹。这可是一套组合腿，寅寅被逼得没招儿，只能往后退了两步。

我是看愣了，脑袋里闪出一个念头来，刀疤脸一定属驴的，不然一个人，咋能这么熟练地后踢呢？

寅寅一退，无疑给刀疤脸腾了地方了，他猛地一转身，跟寅寅对视起来。

刀疤脸是匪，不敢喊，我跟寅寅是偷袭，也没有喊的意思，他俩正面相对，这么停顿了几秒钟，寅寅又举起电棍，冲了上去。一场肉搏要开始了。

第十三章

岔子

寅寅依旧选择用电棍，对准刀疤脸的胸口捅了过去。

这种环境下，用电棍捅人容易，但反过来，一个人看准电棍很难，刀疤脸却是例外，他那双眼睛跟猫一样，绝对有夜视功能了。

他轻喝一声，一侧身子一抬胳膊，异常准确地把电棍夹在腋下了。

他可是一个壮汉，死死夹着电棍，寅寅挣脱几下都没抽出来。刀疤脸也不出拳不踢腿，另只手往兜里一摸，拿出一支注射器来，一下刺到寅寅胳膊上了。

这注射器里有啥不用说都知道，肯定是祸害刘哥的凶器了。他还立刻想把药打给寅寅。

寅寅知道后果，她吓坏了，应急之下也顾不上电棍了，松开手往后一撤。

这支注射器有一小部分药已经打进去了，我发现药劲真大，寅寅立刻喊了句："好麻！"

刀疤脸把注射器扔了，也不要电棍了，他狡猾地笑了一声，又用脚扫了一下。

寅寅一失衡，扑通一声倒在地上，刀疤脸就势想骑在她身上，真要这样的话，他在上寅寅在下，他怎么欺负寅寅都行了。

在寅寅搏斗的时候，我就把哥罗芳的瓶子拧开了，本来我也懂，哥罗芳不能太多，但现在一着急，我管那个？心说把刀疤脸要是真中毒了，也算他倒霉，谁让他是坏人呢？

我一下子倒出足足有半瓶的剂量，又一声不吭地冲了出去。我算盘打得好，偷偷对准刀疤脸的鼻子下手。

但刀疤脸太机灵了，他留意到我出来了。我本来还暗骂刀疤脸属驴的呢，现在一看，他改行了，绝对属王八的，脖子竟然能收缩自如，估计也练过。

看我手帕过去了，他竟然猛地一缩。这手帕一下拍到他脑门上了，啪的一声，听着都有点恶心。

哥罗芳很刺激，刀疤脸多多少少受点影响，有点蒙，不过他还有意识地立刻飞起一脚，踹在我肚子上了。

这把我疼的，好像有把解剖刀在刮五脏六腑一般，而且我整个人一下飞着退后一大截，还跪在地上了。

我心说他竟敢踢我，我跟他拼了。我又挣扎着爬起来，把哥罗芳的瓶子握紧了，全力向刀疤脸脑门砸去。

我是这么打算的，他不是会缩脖子吗？我这一瓶子药，不管砸到他哪个部位，只要瓶子碎了，药水流他一脸，不信他能抗住。

刀疤脸是真中招了，我也实打实砸到他额头了，只是有一个意外我没想到，这瓶子太硬了。

砰的一声，我震得胳膊一抖。

我心说师父啊，你咋这么逗呢？这种瓶子还用啥有机玻璃的？

瓶子不像砖头，是个弧面的，这么狠地砸了一下，刀疤脸并没受重伤。

我气得把瓶子丢开了。这时候寅寅也在帮忙，她那只胳膊是麻了，但还有双腿。她就躺在地上，用双腿疯狂踹，试图让刀疤脸失衡，也躺下。

我看刀疤脸被寅寅这么一分神，赶紧溜到他后面了，又扑上去，用胳膊卡着他的脖子。

我是想这么把他勒晕算了，刀疤脸也难受得直"呃、呃"，但他没放弃，虽然一时间打不着我，却用胳膊肘使劲往后顶。

我没啥格斗经验，被砸到两下。我当时的感受就是，太疼了，整个肋骨都有种要断的感觉。

换作一般人，肯定就此撒手了。但我明白，这么一撒手，无疑是放虎。我一咬牙，来次逆思维。

我不退反进，往刀疤脸身上一跳，用双腿紧紧卡在他腰上，让自己不掉下来，另外我上半个身子往下坠，把这股力道都使在手上，加大勒他的力度。

这纯属死磕了，不是他死就是我亡。

我们肉搏的地方，说白了就是个过道，空间不大，刀疤脸晃了几下，想把我甩下去，发现做不到时，他又把精力放在客厅了。

他身子壮如牛，这么死撑着，背着我往客厅里走。

这客厅有一套沙发和一个茶几，茶几是老式的，上面有棱有角的。他在茶几前面停下，又一转身。

我一下明白他意图了，他是想带着我往茶几棱角上撞。这啥概念？我是垫背的，我俩的体重全作用在我身上，真要撞顺当了，保准就此丧命。

我不敢这么拖下去，急忙从他身上跳下来了，但刚才这么夹腿，让我有些没劲。

我晃晃悠悠的，一下身子一软，坐在茶几旁边了。我心里那叫一个恨，恨自己太不争气，关键时刻，竟软蛋了。

刀疤脸知道我下去后，他又退后几步一转身，想抓住机会，冲过来收拾我。

之前说了，他是有些迷糊，但人太要强，还想助跑呢，只是他回到家里时，鞋脱了一半，鞋带都乱作一团挂着呢。

他这么一跑可好，犯了大错误，他左脚把右脚鞋带踩到了。他嗷一声惨叫，整个人摔着扑到茶几上了。

我有点被吓住了，因为冷不丁地，看刀疤脸神经兮兮地自虐。但我才不让他缓这口气。

我看他哼哼呀呀还想爬起来，掐了自己一把，被疼一刺激，先一步起来了。

我跟跟跄跄地来到刀疤脸旁边，双手扯着他头发，玩命地往茶几棱角上磕。

我没数到底有几下，反正砰砰砰好几声，但刀疤脸没晕，或许是我力道不够吧，他被这么一疼，反倒还有点清醒了。

我心说这么下去不是办法，又一发狠，双手死死卡着他脖子，带着他整个人往下一坐。

我的体重起到决定性的作用。我是坐到了地上，但刀疤脸的脑门再次狠狠磕在茶几棱角上了。

这次咣的一声，茶几都震得挪了挪，刀疤脸身子软绵绵的，彻底不省人事了。

我都有点阴影了，不放心，又赶紧把刀疤脸拽到地上，把他裤带还有我裤带都抽出来，当绳子给他双手双脚全绑住了。

这下我能松口气了，又掏出手机，借着光线看了看他。

他脑门上呼呼往外冒血，都沁透半个脸了。这把我吓住了，心里咯噔一下，心说他可别死了。

其实我天天跟尸体打交道，再恶心的死尸都见过，但人就是这么奇怪，让我摆弄死尸行，让我知道这人是我弄死的，感觉就不一样了。

我又压着心里的恐慌，对他伤口检查一下。这下我差点儿笑了，伤口只是看着血淋淋的，其实不太严重，止个血再缝几针就好了。我就赶紧用手掌把他伤口压住了，这样能快速止血。

这期间我还看了看寅寅，问她怎么样了。

寅寅说没事，但很奇怪，没一会儿她挣扎着从地上站了起来，满地找电棍，又对着门口很警惕地走了过去。

我一看这架势，心说咋了？难道还有危险？

我又顾不上刀疤脸了，反正耽误一会儿，他也就多流点血。我跑过去，来到寅寅身边。

寅寅犹豫地看着入户门，跟我说她刚才好像察觉到门外有人。

我也不知道寅寅怎么察觉的，但这么一说，我敏感了。我心说不会是刀疤脸的同伙吧？那他们在门口干站着干吗？咋不进来救援呢？

我想来想去有个笨招，我对着门轻踹了一下，这么一弄，走廊里的灯就亮了。

我透过猫眼往外看，想知道到底什么情况。可外面黑咕隆咚的什么都没有。

我第一反应是，走廊灯坏了吧？我正想这么跟寅寅说呢，又突然想到另一个可能，难道是有人特意捂着猫眼？

这可够吓人的，谁这么变态玩这一套？

别看寅寅一条胳膊不太灵活了，但毕竟是警察出身，她想了想，让我做好准备，又一手把门推开了。

我看着门缝一点点扩大，整个心都揪起来，不过等门开时，我没看到任何人，也没遇到任何危险，走廊灯很亮。

我纳闷了，心说咋有这么矛盾的情况出现？我又壮着胆走出去，发现猫眼上粘了一个泡泡糖。

印象里，我跟寅寅进到这屋子里时，猫眼上很干净，难道是刀疤脸回来时，特意用泡泡糖粘了猫眼？只是刀疤脸晕了，我现在想问啥也来不及了。

寅寅让我别愣着，快回来，又把门关上了，还跟我一起走到刀疤脸的旁边。

我俩一边一个蹲下来，我问寅寅："咱们现在该叫张队他们过来了吧？"

寅寅点点头，这就打电话。我是一时间觉得没啥事了，也真累了，不嫌脏地坐到了地上。

可寅寅摆弄了好一会儿电话，也没见通上话，她还咦了一声。我心说不好，又有啥麻烦出现了？

第十四章

紧急情报

寅寅对我举了举手机说："奇怪，电话接不通。"

我把她手机抢过来一看，发现问题了，她的SIM卡没信号，我有个猜测，刚才跟刀疤脸搏斗时，她不是摔到地上了吗？可能把手机弄坏了。

我一掏兜，把自己的拿出来，跟寅寅说："我来打。"

可等解锁一看，我彻底愣了，我的手机也没信号，跟寅寅那个毛病一模一样。我觉得这绝不是巧合这么简单，也不可能这么巧，我俩手机全摔坏了，还都摔出同一个毛病。

我四下看了看，寅寅跟我想到一块儿去了，她抢先问："难道这屋里有屏蔽信号的装置？"

我又觉得不太可能，回答说："这里屏蔽信号有啥用？再说这么一来，刀疤脸也不能打电话了。"

我为了验证，摸着刀疤脸的衣服，把他手机拿出来。

刀疤脸的手机很怪，不是正经牌子，但外形做工很好，还很沉，不像是个山寨货，另外在手机背面，还印了一个老鼠头。

我记得姜绍炎叫刀疤脸是老鼠精，或许这老鼠头就算是一个解释吧，细想想，刀疤脸还是个抢匪，老鼠这种动物，也总爱偷油偷东西。

他的手机没密码，我划了一下就进去了。我发现他的手机信号是满格，这让我忍不住皱起眉头来。

寅寅也凑过来看了看，本来我这就想给张队打电话，但寅寅细心，拉住我指着手机屏幕上的一个快捷文件夹说："我猜这里有古怪，先点进去看看。"

我也上来好奇心了，不过一点之下，文件夹没进去，反倒出来一个圆框，里面横着一条绿线，上下滚动。

这让我冷不丁想起二维码扫描了，但扫二维码可是方框，这个是圆框，不太像。

寅寅分析，这一定是进文件夹的密码，只是这密码是特殊的。

我俩琢磨上了，我还试图翻翻刀疤脸的身子，看有啥地方看着像扫描的图案没有，但寅寅精于密码推理，她试了个法子。

她把刀疤脸的大拇指单独掰出来，让我举着手机往上贴。她意思很明显了，这很可能是指纹密码。

我也很认真地试了，刀疤脸的左右手都没放过，可惜全部失败了。

我想放弃，心说反正刀疤脸落网了，大不了等他醒了，慢慢审，套出密码来，但寅寅上来犟劲了，说再想想。

我本来没啥好想法，但无意间想到指纹时，又联系起眼睛了。

我知道每个人的身体有三个特例，指纹、眼虹膜和脑电波，我觉得脑电波不靠谱，但眼虹膜可以试试。

这次我让寅寅用手机，我负责把刀疤脸的眼皮扒开。寅寅把手机举过去，很快有反应了。

绿线扫了一半时，就传来嘀的一声。我和寅寅相视一笑，又不理刀疤脸了，一同聚在手机前。

这时候的手机，我也发现一个小怪异，有个小灯总亮，印象中这是电量灯，另外看一看，手机电量也不多了，我也就没太在乎。

我俩翻看文件夹，怎么说呢，这里全是一个个的图片。第一组照片，乍一看跟基建图一样，只是重点描述的，都是一个个屋子里床和衣柜的位置，还有逃跑路线。

我懂了，心说刀疤脸这抢匪当得不一般，甚至还挺专业，都说流氓会武术是很可怕的一件事，这强盗有文化，一样很牛。

寅寅看完这一组照片，还很肯定地下了一个结论，说这照片就是歌手家的别墅。

我赞同寅寅的说法，这样一来，也跟我之前的部分猜测相符合。我们继续往下看，又有新的怪异出现了。

第二组照片全是结构图，但具体外形没给出来，全用立体几何那种线条勾画的，它还有一个代号，叫X。

我对理科尤其数学很头疼，上学那会儿就没学明白，但现在需要这方面的知识，我不得不硬着头皮思考。

照片上还有长宽高的数据，我一比画，也就小孩巴掌那么大小。我心说这是啥？本来还寻思会不会是那坛子呢，但大小对不上号。

寅寅也搞不明白了，我是真没想到，这时寅寅的手机嗡嗡响了。我脑袋里全是问号，心说手机不是没信号吗？咋又有电话打进来了？

我跟寅寅一起看的手机，上面是一串号码，我冷不丁觉得这号码挺熟，寅寅提醒了一句，说是张队的电话。

我算败给寅寅了，心说她真强，张队电话也不存起来，每次看号码记人，累不累？

寅寅没避讳我，直接摁了免提。

张队上来就问寅寅："在哪儿呢？"寅寅把我俩擒刀疤脸的事说了一下。

张队沉默好半天，又鼓励我俩几句。我以为他会立刻派警察来呢，谁知道他口风一变，说案子还没结束。

他又大致介绍了下情况，刚才收到一个重要信息，今晚刀疤脸和他同伙要去歌手家行窃，三点整，他俩会在别墅前会合。既然刀疤脸被我和寅寅捉住了，这次警局就继续顺藤摸瓜，把他同伙也逮住。

张队让我和寅寅迅速赶去，参与这次抓捕行动，至于刀疤脸这里，我俩不用管，他联系区派出所的值班民警接手。

寅寅当然乐意了，一口应了下来。我却愁眉苦脸，总觉得自己纯属被捎带上的，如果不跟寅寅在一起，我绝不会被安排出警。

撂下电话，寅寅看了时间，说已经一点多了，我俩不能再等民警了，立刻就得走。

我看刀疤脸一时间也没要醒的意思，另外双手双脚都被绑着，我也放心，觉得不会出大岔子。

我跟寅寅立刻下楼，但刚出单元门，看着寅寅的吉普车时，我俩全愣住了。

车后窗玻璃碎了，明显被砸了个小洞出来。我俩都想到贼了，寅寅气得直跺脚，说哪个不长眼的，敢手痒动老娘的车，以后逮住了给他好看。

我心说她现在吐槽没用，我又拽着她跑过去，看丢啥东西没。

寅寅车里，值钱的东西都在副驾驶的抽屉中，她打开查了查，说没丢啥。但她不解气，四下看看。她眼睛尖，突然说了句："那里有人。"

没等我回答呢，寅寅拎个电棍往那边走，我顺着看了看，这是一个拐角，我连个人影都没有看到。

我心说到底是真有人被寅寅发现后逃跑了，还是寅寅看岔了？我没法子，把车门关上，随着寅寅过去了。

等转过拐角，我发现这里依旧空荡荡的。再往前就是别的楼的单元门了，我们也不能继续往下搜楼吧？

我跟寅寅说算了，而且任务要紧，把她拉回来了。

奇怪的是，我们回到吉普车这里时，这车的车门还开了。寅寅说了我一句："怎么下车不关门呢？"

我明明记得自己关上门的，本来我挺想反驳的，说自己能这么马虎吗？

但我俩不能因为这事闹起来，我就一转话题，把这话题带过去了。

最后寅寅开车，我坐在副驾驶上。我们这里离郊区别墅挺远，寅寅为了抢时间，依旧开得飞快。

我知道这种车速很危险，不能打扰寅寅，不然一分神撞到哪儿，保准车毁人亡。

我没闲聊，也不敢看前面，索性低个头玩手机。

这样过了一刻钟吧，我正看新闻呢，突然闻到了一股臭味。我愣了一下，又试着吸了一小口。

不得不说，太难闻了，我纳闷上了，心说这味哪儿来的？难不成是窗外，因为吉普车后车窗漏个小洞，外面有啥气味飘进来很正常。

我把车窗摇下去，闻了闻，发现外面空气只是有点冷，没别的。

这时候我还发现寅寅看了看我，但等我看她时，她又特意回避我的目光。

我一下子懂了，心说一定是寅寅放屁了。这虽然有点不雅，但能理解，人吃五谷杂粮嘛，外加刚才一番搏斗，寅寅身子不舒服，肚子有点活跃，很正常。

我没多问，寻思过一会儿这臭味就散了，但郁闷的是，每隔一小会儿，总会飘来一小股臭味，我就这样断断续续地被熏着。

最后我们到了郊区，寅寅把车停下来，这里有点荒凉，四周都是大野地。

寅寅叹了口气，拿出一根烟来，吸着下了车。

她就靠在车外面，一边看着夜色一边吸着。我不理解了，又看了看表，心说这都两点多了，我们不往别墅那里赶，中途休息个什么劲儿啊！

我也下车了，走到寅寅旁边。没等我问呢，寅寅倒是急了，跟我说："冷哥，这都啥时候了，你咋还这么淡定呢？"

我不理解地回了句："啥？"寅寅也看了表，说时间紧迫，只能给我五分钟，让我去大野地里解决去，她保准不偷看。

我有点明白了，也愣在当场。很明显，车里的臭味不是寅寅弄出来的，另外更不是我，那到底是怎么个情况？

我也不藏着掖着，就此事说了说。我俩还一同望着吉普车。我本来还想呢，难道车里有啥东西坏了？

可当我们看着吉普车后门时，我就觉得脑门要冒汗！

错
觉

吉普车后门开了，这是今晚第二次遇到。这回寅寅不能说我马虎了，而且可以肯定的是，在开车期间，后门是关着的，一定是刚才我俩下车后，它偷偷"开"的。

寅寅想到两个词，不可思议地念叨出来："臭味，门！"

我知道，她在强调，熏我俩一路的臭屁肯定跟两次开门有关。

寅寅把警棍拿出来，先凑到车后门前，又深吸一口气，举着电棍，把它完全打开了。

她要找找，看车里到底藏了什么东西。

我有点怕，因为这种看似灵异的事情，已经在我身上发生过了，这次更直接，还"传"给寅寅了。但都这时候了，我不能没作为。压着心头恐慌，我绕到另一边，把车门也打开了，跟寅寅来个两头堵。

车里就这么大个地方，我俩很快搜完了，没啥发现。

我俩又一起看着旁边的荒郊野地，心说难不成这放臭屁的怪物逃走了？但这里这么空旷，我们没法找。

我们干站了一会，我看看表，跟寅寅说："算了，这事记着，先赶过去跟张队会合要紧。"

我俩启程了。

第十五章 · 错觉

歌手家别墅周边环境不错，门前有一片小树林，等我们赶到后，寅寅特意把车停在小树林旁边，我们又往前看。

寅寅带我去刀疤脸家楼下时，就没遇到张队他们，但那是因为寅寅诓我，这次别墅四周仍旧没人。

我心说张队他们是真藏起来了？我想把车窗摇下来，对外乱摆摆手，看能不能引起张队他们注意。

但又一合计，我费那劲干吗？直接打电话不就完了吗？

我把手机掏出来了，邪门的是，上面又没信号了。我气得磕了磕手机。寅寅让我别激动，说再看看她的。可结果一样，她的手机也那德行。

我俩一商量，咋办好？我想了个招儿。这次出发，寅寅也把刀疤脸的手机揣走了，倒不是我们贪嫌犯一部手机，而是怕他同伙的计划有变，那样会给刀疤脸来个电话或短信，我们也能及时收到最新消息。

我就说把刀疤脸的手机拿出来，看看有信号没。

真被我猜中了，他的手机信号还是满格。我俩索性就用他的手机打起来。

寅寅用的免提，接通时，我听到张队问了句："你好，哪位？"

这话说得有气无力，甚至懒洋洋的，我心里咯噔一下，心说坏了，张队这是在睡觉的节奏，他压根没行动。

我开口说："张队！"寅寅也跟着喊了句。

我俩一口一个张队，让他冷不丁呀一声。这样稍微沉默一小会儿，张队回话了，说："小冷、小寅？你俩半夜在一起呢？咱们这种部门，是不提倡同事间恋爱的，但既然你俩在一起了，我也不能说啥，是吧？而且这也不是啥急事，别半夜给我打电话！"

我一时间脑袋混乱了，心说这个"张老板"扯啥用不着的呢？

我跟寅寅互相看看，我又试探着问："头儿啊，你们出警没啊？"

张队有点不乐意了，说："今晚没任务，出什么警啊？"

我跟寅寅都觉得不对劲了，寅寅又接着问："队长，之前给我打电话的不是你吗？"

张队蒙了，不过他也不笨，反应过来了，问我俩到底发生啥了。

寅寅把事情经过简要说了一遍。张队一听刀疤脸落网了，一下子急了，说寅寅接的电话有点古怪，很可能被电话诈骗软件这种东西忽悠了，让我们赶紧回来，另外他立刻派人赶过去，把刀疤脸押到警局去。

我能品出来，张队的意思，我俩中了调虎离山之计了，很可能就是刀疤脸同伙干的。

但我俩已经被忽悠到郊区来了，再怎么往回赶也来不及了。撂下电话后，我俩又压着心头的浮躁，分析了一下。

张队的想法是没错，但有个漏洞，我跟寅寅都想不明白，刀疤脸同伙怎么能把张队的声音模仿得这么惟妙惟肖？

过了十多分钟吧，张队打电话过来，说派出所民警到了，把刀疤脸逮捕了。

这下我们仨全蒙圈了，刚才的猜测更站不住脚了。

寅寅看时间，马上三点了，就跟张队说，既然她跟我都已经在别墅周围了，索性再等等看会不会真有抢匪出现。

张队犹豫一会儿，说行，而且嘱咐我俩，一旦有情况，赶紧给他打电话。

我是不明白寅寅的目的了，因为乍一看很矛盾，明知道是一场骗局，我俩为啥还往坑里走呢？撂下电话后，寅寅对我解释，说她办案这么多年，遇到过极个别的几个案子，破的真就是稀里糊涂，往往是一个匿名信或一个匿名电话，却露出一个惊天线索来。

她事后也追查过，但一点头绪都没有，按她分析，很可能是那些凶犯的仇家，暗地里给凶犯下绊子。

我点点头表示理解了，而且往深了说，很多凶犯的背景都很复杂，谁知道他们惹到谁了。

我俩纯属死马当活马医，在这儿苦熬起来，这样一晃到了三点整，远处真出现辆摩托车。

摩托司机很怪，一边开着摩托，一边四下乱看，他的举动让我联想起侦察兵了，而且他体格很壮，就冲这个，就有当悍匪的资本。

我跟寅寅都觉得他可疑，坐在车里观察起来。没想到摩托司机眼睛贼，吉普车躲在这么隐蔽的林子旁，也被他发现了。

最让我郁闷的是，吉普车没熄火，摩托司机一定瞧出端倪了。他一调车头，对着吉普车奔了过来。

我跟寅寅总不能这时候下车对他盘问啥，尤其寅寅还念叨一句："这小子开的是辆越野摩托，真要逃起来，在郊区这种地形，我追不上他。"

我心说这可咋办？看着摩托司机越来越近，寅寅突然说了句有了，又让我一会儿配合下，别紧张。

第十五章 · 错觉

我没明白她的意思，心说配合啥？但没等我回过神呢，寅寅直接抱了过来，吻到我嘴巴了，一股淡淡的女人香也冲进了我的鼻孔之中。

我这么大个人，第一次亲嘴，整个人都天旋地转起来。而且潜意识地，我都把寅寅的话忘得一干二净了，还做什么任务，完全陶醉其中了。

寅寅倒挺理智，知道演戏呢，她还提早把电棍握在手里了，藏在双腿之间，本来是防着摩托司机的，现在被我这么一闹，她用电棍捅了捅我，位置还挺正。

我那地方疼，也一下子清醒了，只好做做样子，不敢有啥过分的举动了。

摩托司机故意用车灯对着吉普车照了照，在这么强的光线下，他看到我俩的动作了。

寅寅掌握一个尺度，就像我俩要亲热却突然被路人发现了，她有些扭捏地把脸埋在我怀里。

我也配合着，对摩托司机摆摆手，那意思是有啥好看的！

摩托司机带着头盔呢，我看不出他什么表情，但他明显放松警惕了，还对我竖起大拇指，摁了下喇叭，那意思是，兄弟，有你的！

我看摩托司机没要离开的意思，估计他在等我们先走。我就跟寅寅悄声说了句，寅寅起身，依旧扭捏着，倒车离开了，这车开的也故意有点"惊慌"。

我们走了挺远，最后在一个上坡上把车停下来。

我心说摩托司机这么狡猾，我们怎么回去？怎么抓住他呢？

没想到这时寅寅兜里电话响了，但不是她的，而是刀疤脸的。等拿出一看时，上面来显提示，是"二鼠"打过来的，不用说，肯定是那个同伙了。

我还跟寅寅说呢，这电话决不能接。寅寅点点头，又把电话递给我，让我等一会儿再拒接，她要确定个事。

她把副驾驶抽屉打开，拿出一个小望远镜，对着别墅方向看去，跟我说："冷哥，那摩托司机正在打电话呢，你现在拒接。"

我照她意思来了，寅寅又说："错不了了！那摩托司机刚撂下手机，还望着手机直纳闷呢。"

我心说换谁也得纳闷啊，说好了三点行动，现在少了个人。

寅寅强调，让我耐心等待，她还把望远镜守得死死地，不让我看，而我呢，就干握着刀疤脸的电话，又拒接过两次。

寅寅最后说那个摩托司机死心了，把电话揣起来，独自跳墙进到歌手家里了。

我想起张队的话了，虽然现在有种远水救不了近火的感觉，但还是给他去个电话，说明下情况比较好。

我没记住张队电话，正翻我手机找号码呢，寅寅把我拦住了，还冷冷地看着我。

这目光我太熟悉了，也猜到寅寅的意图了，我有点不情愿地问了句："又咱俩？"

寅寅"嗯"了一声说："没时间了，机会绝不能错过。"这语气还让我觉得，她很坚决。她把车一掉头，开回去了，而且控制车速，行车时几乎没发出大的响声。

我们回到小树林旁边，停好车。这时候我留意到了，那辆越野摩托就停在别墅的一个墙角下。

我是冷不丁没啥好计划，问寅寅："这摩托司机一看就是硬茬子，咱俩没枪，怎么逮他？"

我想好了，如果寅寅说带我不管不顾地往别墅里冲，我肯定不干。

但事实让我意外，寅寅饶有兴趣地看着那辆摩托，又拍了拍车座，回答我："没枪咋了，咱们不是有吉普车吗？"

二人组

我有点迷糊了，因为寅寅提到过，盗匪骑的是越野摩托，我们压根儿追不上。

寅寅没仔细解释，反倒直接定下了计划，她自己就在吉普车里等着，让我现在下车，偷偷跑过去，给那摩托放气。

我懂了，也暗赞寅寅这丫头聪明。我急忙翻了翻副驾驶的抽屉，也就这里面能有家伙了。

我找到把螺丝刀，握着它行动了。我以前一直中规中矩，也没干过放车胎气的勾当，上学那会骑自行车，也都是同学使坏，放我车胎的气。

我现在多多少少有点紧张感，这一路小跑，简直拿鬼鬼祟祟来形容都不过分。但我也明白，自己没必要这么害怕，盗匪刚进了别墅，不管他偷啥东西，保准没这么快出来的，给我的时间很多。

摩托车的轮胎很厚，尤其这小子的车还是高级货，轮胎质量更好，我一螺丝刀下去，竟没捅透。

这把我气住了，心里还说，作为一个男人，捅轮胎都不行，那干啥能行？我也下本钱了，整个身子用劲。

这下有效果了，呲的一声响，摩托的前轮眼见着往下瘪。我又走到后面去，但没等下手呢，听到别墅里传来了动静，有个脚步声嗖嗖往这边传来，还有人瞎喊："鬼呀！"

我能猜出来，喊话的是盗匪，用不了几秒钟，他就得翻墙出来。

我脑子里全是问号，不知道在这爷们儿身上发生啥事了，他咋有这种反应呢？但我不想跟他打照面，赶紧对着摩托后轮捅了一下，更不管这次漏没漏气了。

我撒丫子往回跑，赶巧的是，刚上车坐下来一看，从别墅墙头上翻出一个人来。

剩下都看寅寅的了，她立刻把车打着火了。我记得同事说过一次，寅寅以前在缉毒科，为了逮一个逃跑的毒贩子，就用车把毒贩子撞晕了。

一般人做不到这一点，毕竟稍有闪失，会把嫌犯撞死的，而寅寅真行，她的车技太无可挑剔了。

我打定主意，一会儿好好瞧瞧寅寅露一手。

盗匪跳出来后就发现我们的吉普车了，而且这是第二次见面了，他也明白我们来者不善。

寅寅猛地把车开出去，盗匪也不消极，我跟寅寅也真没想到，他竟然还有枪。

他一摸后腰，拿出一把左轮枪来，对着吉普车砰砰开了两枪。一枪打在车盖上，我坐在车里都能听到当的一声，还激起一股烟来。

另一发子弹更有准头，打穿挡风玻璃了，几乎是在我耳边飞过的，我听到很轻微的呜的一声。

这是我头次离子弹这么近，也觉得黑白无常就站在我身边，我吓得一激灵，也就是坐着，不然很可能腿软了站不住。

寅寅急忙把车停了，还故意一打方向盘，让车歪了一些，算用车身给我们挡子弹吧。

我是真服了寅寅了，她忍不住骂了句，说劫匪是个畜生，竟然把她车打坏了。也就是气氛太紧张，不然我都想好好反驳，到底车重要，要是我重要？

盗匪看吉普车不走了，他也不开枪了，看出来了，他打定主意想逃跑。他嗖嗖跑到摩托车那，坐上去，最快速启动车辆。

只是他太紧张了，也没看车轮，这么一骑，没蹿出去多远呢，整个人带车倒在了路边。

寅寅哼了一声，似乎挺解气，她也想了另一个躲避子弹的办法，跟我说："冷哥坐后面去，指挥我。"

我知道寅寅鬼点子特多，就急忙配合。

第十六章 · 二人组

等我腾出地方了，寅寅竟然把她车座往后退了退，腾出地方后，整个人横着躺在车里，用这种古怪姿势开起车来。

只是她这样弄，视线就没了，我勉强露出个脑袋，把实时情况全面地反馈给她。比如盗匪在前方多远，在哪里又转弯了等。

盗匪算被我俩弄"疯"了，他一边紧倒腾两条腿跑，一边又开了几枪，只是这次枪没威力了，除了把挡风玻璃打出几个洞来，连我俩的汗毛都没沾到。

我也留心数着子弹呢，等打够六发了，跟寅寅提醒。她猛地坐起来，这次自己能看到了，她把车速又提高一截。

吉普车跟头大象一样，掐着角度擦着边撞到了盗匪的身上，他"嗷"的一声惨叫，只是这明显是吓出来的。

他也不是孬种，关键时刻往旁边一扑，虽然把枪扑丢了，人没啥事。他恨恨地看了我俩一眼，又四下打量。

我们这么一追一逃的，已经到了另一个别墅的附近了，这爷们儿忍痛爬起来，嗖嗖地往这栋别墅里冲。

我跟寅寅都知道，他要是进别墅了，我们再想用车发威就不行了，吉普车又不是推土机，根本没法撞破墙。

寅寅又把车速提了提，试图在盗匪爬墙前把他拦住，我们双方明显来了一次追逐大战，不过不得不说，这也真练胆儿。

我眼睁睁看着吉普车奔着墙去，潜意识在作祟，告诉我，马上就撞车了。

但我信得过寅寅，觉得就算拦不住盗匪，我们也不会撞在墙上，可我错了，或许说就差那么一点点。

盗匪刚爬到墙上，腿刚迈上去时，吉普车跟他裤腿擦了个边，哐当一声撞了！

我整个人猛地往前一冲，脸跟个大饼似的，糊在前车座上了。盗匪也没好到哪里去，墙被这么一撞，狠狠抖了一下，他借着这个劲儿，"嗷"一声大叫，摔进去了，这次的惨叫是发自内心的，而且墙头上还留下他一截裤腿。

寅寅招呼我下车，只是我下车后，整个人有点打晃，寅寅还跟我说呢，你身板咋这么不禁震呢？

我是没好意思反问她，她也直晃悠好不好？

我都跟她拼到这份上了，没法子放弃了，我俩又不得不咬紧牙，一起往墙上爬。

我俩爬墙省劲，能拿吉普车的车前盖当踏板，等这么一先一后跳进去时，我发现盗匪不见了，这别墅里的灯也亮了。

我知道不好，惊动别墅主人了，他可一定把门守好了，不然盗匪进去就不妙了。

但情况太悲观了，还没等我跟寅寅有下一步的举动呢，别墅门就被踢开了，盗匪手里拿着弹簧刀，架在一个女孩的脖子上，把她带了出来。

女孩穿着很性感的睡衣，估计也就二十岁，长得那叫没得说，那身材跟寅寅有一拼了。

她是吓得都快哭了，也不知道发生啥事了，带着一股哭腔，跟身后的盗匪说："大哥，你要钱直说，我家那位是满家乐老总，不差钱。"

我倒是知道满家乐老总这个人，满家乐是当地一个很大的购物商城，那老总爱嘚瑟，总联系电视台做报道，只是印象中，那是个白发老头子了，怎么有这么年轻一媳妇呢？

我一下来个概念，恍然大悟地说："哦！这又是个小三儿，合着这里的别墅群，是小三儿集中营！"

盗匪现在还有闲心"扯皮"，对着女孩说："去你妈的有钱吧。"

随后他把刀顶了顶，冲着我俩吼："你们什么人？"

寅寅把警棍拿了出来，这下不用我俩报名号了，那盗匪也看明白了。他说："操蛋，原来是警察，老子这辈子烦的就是这种人，你俩识相点，看到没？我这刀子再往里送一点，这妞保不住了。"

为了给我俩施加压力，盗匪也很逗，对女孩喊了句："你咋不说话，再大声说说，你给谁当三儿呢！"

女孩真配合，或许是真蒙了，现在的她，脖颈上都往下溢血了，她几乎扯着嗓子配合，说她是满家乐的三儿。

我听着有种想捂脸的冲动，心说这咋还升级了呢，都给商场当三儿了。

盗匪倒对女孩的喊话很满意，他低声冷笑，又指着我俩说："识相的快按我说的做，把鞋和袜子都脱了，连带武器一起丢过来。"

我知道他那点小九九，我俩没鞋穿，他到时一逃，我们追不上他。

我看了看寅寅，我是真没啥招儿了，寅寅也挺不甘心，但人命关天。最后她气得一跺脚，先照着做起来。

我只好随着。我俩挺痛快，反正又是鞋、袜子又是武器的，全撤了过去。盗匪不满意，我俩还把衣兜翻开，把腰亮了亮，证明真没武器了。

盗匪盯着那个电棍，笑声变了，这次不再冷笑了，反倒有点淫荡，他也不嫌恶心，对着女孩的脖颈，伸个大舌头舔了一下说："今天该着老子开荤。一会儿先把你们都整晕，再跟这两个美人好好爽一爽。"

我这下傻眼了，因为这匪徒的变态超乎我们想象。寅寅想带头冲过去抢电棍，但真的晚了，匪徒带着女孩往前走了一步，一下把电棍踩住了，又拿女孩当挡箭牌，故意要挟我俩。

我眼睁睁看着盗匪在女孩身上瞎打量，却无计可施，其实我倒有个招儿，也是听同事说过的，真要有人被匪徒这么劫持，只要抓住机会，用脑袋往后一磕，借此反击，就能反败为胜，只是眼前这妹子，当小三儿拿手，做这个，完全是门外汉。

一时间形势危急起来，要再找不到突破口，我觉得今晚，我俩要坏菜。

第十七章

鬼援兵

我对盗匪已经有个评价了——很变态，但实际上，他的变态超乎我的想象。他色色地看着女孩，念叨一句："你和女警要是一生一死的话，玩起来一定很舒服。"

随后他就要下刀，明显要对女孩脖颈狠狠搓一下。我都做好准备了，心说一会儿保准见到她脖子喷血的惨剧。

可如此关键时刻，意外发生了，突然传来嘎巴一声响，盗匪呃了一声，显得很痛苦，这声音也明显是他身上发出来的。

我对此很熟悉，是骨头断裂弄出来的。盗匪也顾不上我们，赶紧扭头看了一眼。

我想起来，之前他从别墅跑出来时，就喊着说遇到鬼了，难道这鬼跟了过来？还用神力把他打伤了？

我顺着往他身后看了看，但那里实在太黑。

盗匪丢下我们，扭头就逃，只是他右边胳膊明显伤了，这么逃起来，胳膊晃荡着，根本用不上劲儿。

女孩吓得一屁股坐到地上，捂着脸嘤嘤哭，我跟寅寅没时间安慰她，我俩很默契，先找鞋穿。

我发现自己点背，一只鞋正好被女孩坐到了屁股底下，合着当垫子用了。我不客气地推了她一下，说借光让让，又把鞋使劲儿抽了出来。

这么冷不丁不穿袜子，有点磨脚，但谁在乎这个？寅寅拿好电棍，揣好手铐，我们继续追匪。

这盗匪也算有两把刷子，别看右臂残了，翻墙却不是问题，手脚并行很轻松地跳了过去。

等我俩赶到墙下后，寅寅突然拽住我，她留意停了停，跟我悄声说："那人没走，一定在外面墙下呢。"

我明白，这盗匪是个老油条，竟有临危不乱的本事，如此逆境下还想还手反击。

我四下一看，墙角还有一个锄头，估计是这别墅雇了什么人，平时种点啥东西用的。

我拿在手里，对寅寅使个眼色。她跟我算是心有灵犀了，这时开始爬墙，还特意弄出声响来。我趁机说了句："一会儿抓住那变态了，回去铐在审讯室里，咱们好好'招待'他！"

我这是故意刺激盗匪呢，没想到寅寅接话了，说："冷哥，全听你的，到时随你怎么处理，大家没意见。"

我掂量着，又过了几秒钟，等时机差不多了，突然把锄头伸到墙外面。

盗匪根本没看清，一定以为探出来的是人脑袋呢。他本来左手握着一块石头，早就准备好了，这时骂了一声，跳着对锄头狠狠砸了一下。

可这么做，吃亏的全是他。盗匪哎呀一声，我也能感觉出来，要不是自己紧握着，锄头都能被打飞了。

寅寅等的就是这时候，一看盗匪分散精力了，她娇喝一声，跳了出去。

这次我听得真真的，两个人的脚步渐渐远去，明显是追逐上了。

我怕寅寅一个人不够，也准备爬墙，但我有点逊，这墙太高，没了汽车前盖当踏板，爬起来费劲，一只脚踩上了，刚一要使劲，整个人就有点往下出溜。

我也有招儿，反正周围没人看，我就左右脚交换，不是有个王八拳吗？我纯属一顿王八踩，靠着乱蹬的优势，稀里糊涂地爬上去了。

等下墙就轻松多了，一跳就解决了。

这时候寅寅跟盗匪已经不跑了，都站在远处对峙着，盗匪两只手晃荡着。

我发现寅寅有一点实在太爷们儿了，她看盗匪这德行，竟把电棍收了，意图明显，不想多占便宜。

我心说这都啥时候啥时代了，咋还有一对一对决的老思想呢？我不管那个，嗖嗖往寅寅身边奔，我是打定主意，一会儿二对一，尽早拿下盗匪。

可我人在中途，他们就开始打上了。

寅寅上来就是狠招儿，全是重手，又是擒拿错骨，又是切脖子踢下体的。她是把当警察压箱底的本事全施展出来了。

只是盗匪也滑头，虽然双臂受伤，却全力防守。尤其他跟刀疤脸有一点很像，腿功不错，一顿乱踹乱踢，让寅寅不能近身。

他是专门防着寅寅，却无疑把背后这个空当留给我了。

我本来还想，自己用老招数跳到他背上，刀疤脸怎么栽的，就让他怎么栽跟头。但又一琢磨，自己也换换花样吧，别用来用去都这一招，那不让寅寅笑话吗？

我又把上衣脱了下来，找准机会后，我一个猛子扑上去，把衣服扣在盗匪的脑袋上了。

这下他彻底"瞎"了，我本想再使劲抱住他，只是这时候，我的潜意识作怪，这都到最后关头了，又不自然地跳他身上去了，用了那一招。

我双腿缠着，用胳膊卡他脖子。寅寅也机灵，凑上来用胳膊肘使劲击打盗匪的胸口及肺部，刺激他呼吸紊乱。

盗匪一下子扛不住了，随后有一个意想不到的事发生了，他身体一软，仰面倒了。

这太坑爹了，较真地说，我反倒栽到盗匪手上了，彻底当一把垫子，砰的一声摔到地上。或许是这么一来，我卡不住他了，盗匪又上来最后一股劲儿，使劲扭着身子，想挣脱出去。

我肯定不让，还死死搂着他，只是他这么扭着，我衣服彻底完了，估计至少要大洗一次了。

寅寅让我再忍耐一会儿，她"凑热闹"地坐在盗匪身上，只是她是反着做的，面朝盗匪的双脚。

既然盗匪胳膊伤了，我们铐他双手没意义了，寅寅就把手铐当脚铐用了，等忙完这个，她先站起来，我也赶紧挣扎出来。

我是没法看到自己身后，但用手这么一摸，坏了，摸到好几个洞，我气得脑袋嗡嗡的，心说这盗匪真是个不着调的货，就不知道我衣服坏了警局不给报销吗？

等我把上衣从他脑袋上扯下来的时候，盗匪对我呵呵笑了，还呸了一口。

我骂了一句，幸亏自己躲得快，不然身上保准多了一块浓痰，我看他那张狂样，一把将寅寅腰间的电棍扯出来了。

说实话，我挺想捅他脸上啪啪一顿，只是一合计，这么一来我有点故意伤人的意思，最后一叹气算了。

我俩把盗匪丢在这儿，又商量着是时候给张队打电话了。

怪就怪在，刚说完这话，我跟寅寅都发现，远处来了几辆警车。我心说这可巧了。

寅寅是不客气，拿着电棍对着盗匪电了几下，让他晕了，我们又一同往警车那里赶。

我们在中途会合了，先下车的正是张队，他看我俩一身狼狈样，急忙问了句："咋样？嫌犯抓住没？"

寅寅初步汇报下情况，张队真有意思，一听我俩把事搞定了，立马对身后警车一挥手。

这帮同事也懂张队的意思，一时间警灯亮起，甚至警笛还鸣了几下，我心说这啥规矩？这么造势，演电影呢？

接下来全由同事接手了，没我和寅寅啥事了，张队的意思，让我和寅寅先回警局，换身干净衣服，我俩都同意了。

但走之前我问了句："头儿，你咋这么快赶来了呢？"

张队回答，说他也给专员打了电话，专员对我跟寅寅汇报的情况挺重视，让张队别等了，赶紧召集人手过来。

张队还特意在我面前赞了专员，说他真是神机妙算，我表面上连说对，心里却一顿呵呵，心说这情报是我跟寅寅发现的好不好？

我俩回到警局后，一起去洗了澡，又稍微吃了点东西。我是一点儿要补觉的意思都没有，因为这次是专案，我相信肯定会立刻审问刀疤脸和他同伙的，我要听听，他们供词是什么样的，怎么杀刘哥的，也许还能为女尸案提供啥重要线索。

实际情况却让我失望了。张队他们收队回来后，有同事告诉我，两个嫌犯压根没来警局，直接派辆车送到省里了，这也是专员的意思。

我一合计也对，这俩老鼠精身上背的罪不少。或许是冷不丁一下没精神"寄托"了，我突然累了，还有种累得虚脱的感觉。

同事看我这么一蹶不振，问我要不要去医院，我摆手说不用，歇一会儿就好。

我找个偏僻点的屋子，这样就算明天上班了，也能晚起一会儿，铺好行李后，闭眼睛就睡着了。

我是真睡到天亮了，但具体啥时候就不知道了，反正睁开眼睛时，我发现姜绍炎坐在我旁边。

他正望着我呢，还是那种凝视，可表情有点怪，有种关心的感觉，也有种恶狠狠的意思。

我心说这咋了，他要吃人啊？我是带着一种被吓到的心思，正准备坐起来。

但刚一使劲，我就觉得腰有点疼，那种阵阵的麻意让我一下没了力气，我又重重地躺了回去。

姜绍炎回过神，又恢复原来的样子，邋邋遢遢、大大咧咧的，他嘿嘿一笑，让我别乱动，又说："我看了，你昨天没少打斗吧？伤了筋骨了，但好在没大碍，养几天就好了。"

随后在他帮忙下，我又翻了个身。

我看姜绍炎把上衣脱了，活动起胳膊来，有点莫名其妙，问他："要干吗？"

姜绍炎做了个嘘声的手势，说："马上就知道了！"

古怪的结案

姜绍炎把手放在我后背上了，我知道他这手有讲究，能直接灭烟头，指头的功夫造诣不凡，但等他开始给我按摩时，我更吃惊地察觉到，这手指简直跟小铁棒子一样。

他也会找穴，专门奔着几个地方去的，还推拿了几下。我对中医针灸这类的理论了解不多，但这真的很有效果。没一会儿，我就觉得整个身子从里往外的舒坦，貌似还有一股气在肚里循环一样。

这样持续了一刻钟，姜绍炎累得脑门出汗，也结束了这次按摩，他又一屁股坐回椅子上。我不好意思继续这么趴着，赶紧坐起来，跟他一起吸了根烟。

姜绍炎指着我说："你这身子不行，太弱了。"

我有点不服气，虽说自己不是运动员，但有啥体育项目，比如篮球，我全场玩下来都没问题。

没等我接话，姜绍炎又具体解释，说我这身子去做任务，别说遇到高手了，就是个懂点皮毛的练家子，我也保准吃大亏。

我心说原来他指的这方面，我也不想反驳啥了，但打定主意，上次擒刀疤脸和他同伙，纯属是被寅寅忽悠了，日后还这么来，我绝对跟寅寅绝交！

姜绍炎倒是自己来瘾了，不说话了，往椅子上一靠，闭目沉思起来，等他手中烟快烧尽了，才坐起身，念叨一句："那东西或许能有用。"

我不知道那东西是啥，愣愣地看着他，也纳闷他这话跟我有什么关系。

姜绍炎思维大跳跃，又看着我，问了另一个话题："小冷，你觉得寅寅怎么样？"

我不相信地"啊"了一声，还连连摆手，再次跟他强调："我俩真没什么。"

姜绍炎嘿嘿笑了，故意凑近问："真的没什么？"

我发现他的目光挺有穿透力，跟锥子似的，把我内心戳个透亮。我是一下想到我跟寅寅亲嘴的场景了，突然反思，我俩确实没什么吗？

我一时间有点犹豫与结巴。

姜绍炎又说："寅寅这个丫头，人不错，但这里有点不够用。"他指了指脑袋，明显在说寅寅脑袋笨。

我觉得还是给寅寅说说好话比较好，就摇头开口了，说寅寅智商真的不赖。

姜绍炎很严肃地否定我，还借此上了一课。他说："人的脑袋啊，里面有智商和情商两种，你看科学家，做些学术研究与探讨很在行吧？但很多人生活上一塌糊涂，甚至出门都穿错袜子，再看那些从政和经商的人，他们为人处世很圆滑，左右逢源，你让他们去解一些复杂的方程式，他们肯定也头疼。寅寅，就属于前者，智商高，情商却只有这么一点点的人。"

姜绍炎捏了捏两根指头。

我被他这么一说，觉得真有点道理，寅寅在某些场合的某些表现，明显情商不够用。

姜绍炎留意我的表情，等我看他的时候，他又把目光回避，站起身做了个抻腰舒筋的动作。

我再次被他"吓"住了，他这种姿势，让身子里嘎巴嘎巴直响，甚至也让我觉得，人类怎么能做出这么违背常理的动作，貌似只有豹子才能办到吧。

姜绍炎打算离开了，还抛下一句话，说既然嫌犯抓住了，他也该回省里了。

我没想到他能走得这么利索，也提了个建议，说副局长和张队他们肯定要送行，也得撮一顿啥的，我到时一定参加。

姜绍炎对我摆手，说以前都孤独惯了，不习惯那种场合，他这么悄悄地走，除了我，不想告诉任何人。

我不知道说啥好，就这么目送他离去了。当然，我也真守口如瓶了，没告诉张队，那天晚上，张队知道专员已经回省里时，也发了老半天牢骚，我就当看热闹了。

第十八章 · 古怪的结案

接下来两天，我又回到正常工作中，每天处理法医那点事。但我打心里觉得还会忙起来的，女尸案的侦破工作还没走到关键点上。

谁知道省里突然来了一份文件，说刀疤脸两人的审讯已经做完，而且证据确凿，一下子刘哥死亡案和女尸案全侦破了，能结案了。

张队是乐得不行了，也屁颠屁颠忙活起来，我听完，却一下子呆在当场。

按文件里说的，刀疤脸两人是兄弟，分别叫李米粉与李元馨，他俩本来是去歌手家盗窃，不料歌手回来了，他俩为了不败露行迹，就偷偷给歌手打了一针，想杀人灭口。可歌手体质有点怪，或许是因为她本身也长期有嗑药的习惯吧，这针让歌手突然癫痫发作起来，死前疯狂地吃自己的胳膊。俩盗匪吓坏了，而李元馨被这么一刺激，反倒把他嗜血的本性也弄出来了，他后来也在歌手胳膊上咬了两口。

至于我提到的另外一个疑点，在解剖室窗框上出现血迹这一块，文件里也有解释，分析是刘哥发疯前不小心弄上去的。其他方面，文件上把它们只归为"检材"了，也算不上是证据。

我觉得这文件有点糊弄人，案子结得也叫一个草率。如果这一切真是刀疤脸兄弟做的，那他们为啥抢完钱财不跑，还再次潜入歌手家偷窃呢？另外刀疤脸的手机也是一个很有说道的地方，那古怪密码，里面代号为X的不明物品，还有刀疤脸他兄弟那晚为啥莫名其妙地喊鬼，等等。

我不相信省里办案是这个水平，最后有一个猜测，省里这么做，或许是在隐瞒什么，可我这么屌丝的岗位，根本没机会去接触到"真相"。

我是那种很有自知之明的人，也不想为此去追究什么，就压着冲动，把这事放到一边了。

细说起来，我跟寅寅在侦破这两起案子上，也算立了头功，张队就订了一桌庆功宴，要好好庆祝一下。

我是准时参加了，但寅寅推托身子不舒服，没来。我知道，她肯定要性子呢，对这两个案子的处理不满意。

张队也没管寅寅，在庆功宴上，就特意指着我说："这次多亏了小冷，案子才能如此高效地侦破了。"

大家当时都对我举杯，但我急忙接话，说自己瞎猫撞上死耗子，还是张队指导有方，也算把这话完美地推回去了。

这一顿饭，张队乐得合不拢嘴，同事也没少喝酒。等酒席散了，大家一散伙，我倒是有种说不出的难受劲儿了，我没急着回家，溜溜达达的想四下走走。

我本来就是纯属散心，走过两条街之后，上来一股直觉，有人跟着自己。我中途也回头看了看，却没发现异常。

我心里直合计，真要有人跟着，他的目的是啥？难不成是自己工作惹到啥人了？但我哪有仇家？

这次又转过一个拐角，我止步了，靠在墙上等着，想知道一会儿有没有人匆匆忙忙从对面出现。

但少说过了两分钟，连个逼近的脚步声都没有。我带着一股好奇，又从拐角走回去了，往远处看了看。

我发现远处站个人，他没瞅我，只是单单站直身子，面向马路。

虽说只看个侧面，还模模糊糊的，但他的外貌让我心里咯噔一下。他的长发，尤其是挡住额头的特点，明显是姜绍炎嘛。

我心说他不回省里了吗？难道没走？

我大步奔过去了，只是酒劲没过，走这么急还有点晕。

这人没给我太多时间，他又突然一转身子，奔着胡同里走去。我急了，跑起来了，等来到胡同口时，那人又离得挺远了。

他挺有意思，走路还背着手，这又是姜绍炎的招牌动作。

我敢确定了，扯嗓子喊了句："乌鸦！"

只是我的喊声在胡同里回荡，那人跟没听到一样，依旧不回头。

我怀疑之前跟踪我的，会不会也是他。我对姜绍炎是挺放心的，也不觉得有啥危险，我继续跑，想把他拦住。

只是胡同有点乱，有种蜘蛛网的感觉，我这么一追，他这么一乱走，最后人没拦住不说，我都有点蒙圈了。

等我凭着感觉，彻底走出这胡同时，"姜绍炎"彻底不见了，而不远处是一个让我很熟悉的地方，死去歌手的那个酒吧。

我心说有这么巧吗？省里刚结案，我这刚心里抱怨结案草率，咋又出现一个像姜绍炎的人，把我带到酒吧这儿了？

我又四下看看，觉得他也一定去这个酒吧了，我就奔着去了，钻酒吧里看看。

现在十点多钟，正好是酒吧人气旺的时候，乍眼一看，几乎是满堂彩，桌子上全是人，连吧台还排了一个长龙呢。

我站在门口，没理会服务员的问话，就说自己找人，又挨个儿桌看起来。

等看到一个角落时，我愣了，这桌旁坐的是寅寅，还有另一个陌生男子。

寅寅喝得挺多，半趴在酒桌上提不起精神，而那男子打扮得花里胡哨的，一看就挺骚，不是啥正经人。

我有个猜测，寅寅跟这骚男不认识，他纯属找机会约炮呢。

我不想寅寅吃亏，先把找姜绍炎的事放在一旁，直奔过去。离近了后，还听那男的说："妹子，咱们聊聊天认识下，一会儿出去玩玩不？"

我看寅寅是提不起精神回答，我来气了，啪的一拍桌子，还拉着椅子在寅寅身边坐了下来。

第十九章

妖
虫
来
袭

我跟这名男子互相看着，他是一脸古怪，也隐隐露出一种责备我的意思。

他喝了一口酒，看架势是壮壮胆，又问我："兄弟，你谁呀？没看我先来的吗？"

我被他问的特别想笑，不过细细一琢磨，自己咋回答？确实也不是寅寅的啥人。

这时候寅寅帮我一个忙。她醉归醉，也知道我来了，费劲地坐起来，又一下子撞到我怀里了，搂着我喊："冷诗杰！"

我索性就着我俩这个"暧昧"劲儿，就事论事了，跟男子理直气壮地说："没看出来吗？我是她男友！"

男子脸有点红了，绝不是酒劲上头了，他结巴一小会儿，又一扭头，说他朋友叫他，先走了。

我心说算他识相，不然还在这儿耍无赖的话，我拿酒瓶抢他。

我也把这事一笔带过去了，又摇了摇寅寅，问她："喝这么多干吗？"寅寅咻咻地笑了，不让我摇她，说没事。

随后她盯着我问："冷诗杰，你说当警察是不是特没劲？"

我怀疑她咋了，突然对职业生涯失去信心了？我猜一定是那两个案子搞的鬼，我就顺着往下安慰着说："案子是省里结的，听我的，别太较真了，以后机会多了去了，咱们一定尽职尽责，维护社会安定。"

寅寅嘘我，只是她这几声听着像催尿似的，我都有些难受了。

寅寅又叹气说："我以前觉得，当警察很有正义感，但实际怎么样？！对了，冷诗杰！你是学医的吧？"

我连忙摇头，虽说医和法医只差一个字，但差别大了，一个针对活人，一个针对死尸。

也不知道寅寅看没看到我的举动，她又从我身上爬起来，挂在桌子上自顾自地往下说："算起来我抓过不少凶犯了，有个别的还是连环杀手，一个人杀掉五六个人，可结果呢，他是挨了一个枪子死了，只痛苦两三分钟就痛快走人了。那些死者家属却一辈子都留下不可磨灭的阴影。这不公平，这种便宜不该出现在这种事情上，那些凶犯应该遭受到更严重的惩罚，却一直没有！"

我很仔细地听着，接话说："古代有，比如凌迟。"

寅寅呵呵笑了，说："凌迟算什么？看起来很可怕，凶犯是被切得只剩骨头了，但他受刑前后只是肉体痛苦了，在心里想过他的罪恶、赎罪了吗？这有点治标不治本了。要我说，人活着有很多选择，生存却只有两个基础，温与饱，对那些罪大恶极的凶犯，就应该把他们关到铁笼子里慢慢饿死，要么就把他们丢在寒苦之地，只给单薄衣服慢慢冻死，他们在这种煎熬下才真的会悔悟，知道他们犯下的罪恶。"

我觉得寅寅是胡言乱语了，说的怎么都是刑罚方面的事了，这玩意儿都是上头制定的，跟我们没太大关系。

我没法评价啥，就没接话。寅寅又扑到我怀里，带着倦意问我："冷、冷哥，知道吗？我省里有朋友，听他说，刀疤脸他俩，最后不会是死刑，最多是个无期，可笑吧？"

我被刺激到了，也反问了句："什么？"我真不知道省里怎么想的，为何会给刀疤脸这连环杀人凶手这么轻的刑罚。

可等我看着寅寅时，发现她竟然睡着了。

我特想把她弄醒了追问，不过想想算了，她能睡不挺好吗？等明天醒酒了，啥烦恼都没有了。

我也不在酒吧待了，背起寅寅往外走。

只是我这做法让很多人误解了，他们都看着我起哄，还有人吹两下口哨，喊"捡尸啦"。

"捡尸"这个词我听别人说过，说白了就是在酒吧把烂醉如泥的女子带到酒店开房。我是真没这想法，也懒得跟他们解释。

这期间也有人特意跑过来，拍我肩膀啥的，我闷头最快速地离开了。

我叫了一辆出租车，想送寅寅回家，只是我光记着寅寅住在秀月小区，具体哪栋楼就不知道了。

我没法子，让司机先开车，我趁空掐人中，把寅寅弄得稍微醒了。

现在的寅寅太闹了，告诉我具体楼号了，又要挠我。赶巧的是，这期间我还接了个电话，是孙佳的。

她问我今晚有没有空，去她那儿坐坐，还说这都好几天了，也没见我有啥信。

我今晚都喝了一顿酒了，另外还得送寅寅，没这个心情了，说了几句就把电话挂了。

寅寅家住顶楼，这把我累的，背着她上楼，最后腿都软了。等开门时，我都蒙了，还摸自己的兜找钥匙呢。

不过我很快反应过来了，心说不对，这不是我家。但刚才这么一弄，我发现兜里有个小塑料包，印象中，我可没这东西。

我先顾不上，又从寅寅身上找到钥匙，把门打开。等放她平躺在床上了，坐在床边吸根烟缓缓时，我又把这小塑料包拿出看看。

这玩意儿跟方便面调料包差不多大小，里面有一截树枝，这树枝挺一般，但中间多了一个黑圈。

这黑圈全是一个个小黑粒围出来的，我有经验，认出来了，是虫卵。只是我火候未到，也不知道这是啥虫子的卵。

我想挠头，心说它怎么来的呢？我想来想去，就一种可能，是我背寅寅时，酒吧哪个客人塞给我的。

我心说这怎么个意思？他是卖虫子的？专门推销虫卵？这一小塑料袋就跟传单似的，让我先试着养？

可他怎么知道我养虫子呢？我琢磨不明白。

这事让我觉得不严重，就没太较真。我又看着寅寅，她喝醉了，其实挺需要人照顾的，但我不能留下，不然孤男寡女的，传出去不好。

我不打算多待，给寅寅床头放了杯热水，就悄悄离开了。

我走着回家的，进屋时很累了，我也就洗个澡，躺下睡了。这一晚上没啥事，等天刚蒙蒙亮的时候，我被疼醒了。

我觉得肚子上有一个点很疼，还是从外往里。我心说咋回事？顺手摸了摸。

这下可好，我摸到一个硬壳，它还能动，劲儿很大，嗖的一下往外逃。

这我能让吗？赶紧发力，也一下把它抓住了。等坐起来把它举着一看，我愣住了。

这是个有半个指头那么长的大蟑螂，浑身通红，爪子在空中乱蹬，嘴巴还一张一张的，似乎想咬我。

我心说邪门了，这种祖宗辈的蟑螂从哪儿来的？我家以前遇到的蟑螂全是小个头的，而且都胆小，也不会爬我身上乱咬啊？

大蟑螂看我不放它，还急眼了，从尾巴上哧地喷出一股水来。这下把我惹到了，心说它有种，老子摔死它。

我就势要往地上撒，但这么一来，我也抬头四下看了看。我吓得"哇"了一声，这蟑螂没撒出去，还脱手了，正巧掉在我肩膀上了。

我根本不坐着了，飞速地从床上爬起来，对着身子乱打乱拍。那大蟑螂害怕，嗖嗖跑了。

可让我更恶心的是周围的环境，我的床上还有四五只大个头蟑螂，全趴在被子上，另外地上还出现了密密麻麻的小蟑螂，黑乎乎的，看着直瘆人。

我又去客厅看看，发现更奇葩，虽说这里的蟑螂没卧室多，但玻璃柜子里趴着一个大蜘蛛，有小橘子那么大，把我那些蚕全咬死了。

我使劲掐了掐大腿，知道这不是梦，我怀疑我家咋了，为何成了虫子窝？

我就是个业余养虫子的，对昆虫学没研究，根本搞不懂它们咋来的，但我很在乎它们咋没的。

我也不能用鞋拍，不然就这虫子量，我拍到上午都拍不完，我一发狠，随便找身衣服，也不管搭配不搭配的，穿好了就下楼了。

离我家不远的地方，有个超市，是24小时营业的，我进去后跟无精打采的营业员说买东西。

她挺逗，也不问我买啥，拿出一副我懂的样子，从旁边货架上拿了一盒毓婷。

我被气笑了都，摆手说不是，我要杀虫剂。

估计我是第一个这么早风风火火到她店里买杀虫剂的，她都听愣了。但我跟她有啥好解释的，尤其最后她都有点鄙视地看我了，估计一定以为我家脏，我生活邋遢呢。

我不管了，握着杀虫剂往回跑。我是真不客气，关好窗户，把这一瓶药全喷光，又把门一锁，自己坐在走廊里吸烟。

我足足等了半个多小时，估计差不多了，又开门进屋，开窗户放气，打扫战场。

这一下子，我收获真不少，足足收集半纸篓的死虫子。连我这个养虫子的都觉得恶心了。

我又开始换被单，没想到刚忙活起来，有人敲门。

我心说这么一大早谁过来找我？我急忙跑过去开门，意外的是，来的是孙佳。

我本来想问她啥事，她却不给我说话的机会，嗖嗖往我家里跑，客厅、卧室、厕所，都找遍了。

我心说她干吗？就问了句。

孙佳没好气地反问我："昨天给你打电话时，你旁边是不是有个女人？"

我顺着这话点点头，但又一想，不对，她这是话里有话。我知道她误会了，想解释。谁知道孙佳啧啧几声，指着我新换的床单说："行啊，昨晚在这睡的吧？还离开得挺早。说说吧，风流几次啊？连床单都换了？"

第二十章

活尸再现（一）

　　孙佳绝对是想多了，而且这么早找我，意图很明显，是来抓奸的。

　　我想用事实说话，就告诉她，换床单是因为上面爬了一堆虫子，我也把纸篓拿起来给孙佳看，又说屋里刚打完药，不信闻闻，还有杀虫剂的味道呢。

　　孙佳根本不看纸篓，她闻了闻后，竟又呸了我一口，说这哪是杀虫剂，明显是香水味。

　　我心里急得都要发怒了，心说这杀虫剂也是的，咋非得带着一股又香又甜的味呢？

　　我还想说话时，孙佳喊了句"等等"，走过来从我上衣上拽下一根长头发。

　　她把头发抻直了，说："黄色的？呦！还是个金发女郎！冷诗杰，你这色狼艳福不浅嘛。"

　　我知道这头发是寅寅的，一定是昨天她喝醉靠在我肩膀上时留下来的，我突然觉得，自己废了，跳进黄河也洗不清了。

　　我一时间没反驳，孙佳倒更怪我了，几乎吼着说："不说话就是承认了？亏我昨晚还想做好吃的给你呢，你这个缺德玩意儿，老娘……老娘带刀了，我杀了你。"

　　我一听刀，敏感了，心说她是啥都敢干，要跟我拼命啊？我不想惨剧发生，看她真往兜里摸，我赶紧跑过去想拦着。

但孙佳跟个兔子似的，太机灵了，左躲右闪把我避开了，又趁空拿出钥匙链来，上面挂着一个指甲刀。

我算知道这"刀"长啥样了，孙佳也没说错，这确实是一把刀。只是用它怎么杀人？剪肉吗？

孙佳比画几下，也发现自己太逗了，她又四下一打量，发现门口的鞋柜了。

这鞋柜没门，一共三层，我平时穿的鞋全放在这上面。她可好，蹲在一旁，双手紧倒腾，把这堆鞋当武器全撇了过来。

这把我砸的，而且我发现了，孙佳平时卖烧烤，估计是穿肉串和切肉块练出来了，胳膊有劲儿，鞋打到身上真疼。

反正我左躲右闪老半天，我的鞋也全进客厅了。

孙佳最后忍不住哭了，捂着脸跑了。出门时，还对着入户门狠狠来了一脚。

我头次看到孙佳发脾气，发现她的脾气真狂暴。我也想过追出去拦着她，但我怕她在气头上，我傻兮兮过去，不得当街挨打吗？另外看看时间，也快上班了，还有一堆案子没处理呢。

我纠结一番，心说算了，让孙佳消消气再说。

我又带着很强的压抑感，把家里收拾一下，穿好衣服离开了。

在上班路上，我也给寅寅打了个电话，我怕这丫头还没醒，问她咋样。

寅寅接了电话，只是嗓子有点哑，说没事，还特意谢谢我。我觉得这句谢谢，分量太重了。

但不能怪寅寅，我又说几句，就把电话撂了。这样一晃到了中午，本来我跟小凡收拾下准备去食堂呢，但突然间来案子了。

这是一起斗殴杀人案，在一个饭馆发生的。张队意思，我跟小凡一起去趟现场。

这是正事，我和小凡没犹豫就点头同意了，也立刻带好家伙，坐上警车跟大部队出发了。

来到这个饭店时，不得不说，我都看愣了，哪有饭店的样子？简直就一垃圾场兼人间地狱。

桌椅凌乱不堪，满地的玻璃碴子与血迹，有几个鼻青脸肿的人都站在一边接受民警的盘问，这就该是闹事者，另外在一个角落里，静静地躺着一个人，他死了。

正常情况下，我们还得采集指纹、收集鞋印、分析血迹啥的，务必想办法把凶手找到，可这种案子省事多了，凶手就在这些闹事者当中。

我只是初步拍了几张照片，就带着尸体，跟小凡提前撤离了。我们要去做尸检，还是在老地方——殡仪馆。

这是个二十多岁的男子，而且死了没多久，尸僵还没怎么形成呢，我断定死亡时间在两小时以前。他的脑袋上，分布很多钝创，一看就是被酒瓶子和椅子打出来的。

最让人难忘的，是他脖颈上有环形索沟伴擦伤，明显是被人从背后下手，勒出来的。

我结合他的尸表现象，初步有个想法，脖颈的环形索沟就是致命伤，也就是说，这人是机械性窒息。

但光凭这些，还不能下结论，也不排除他天生有疾病，被这么一勒犯病了。我让小凡打下手，给尸体做腹腔解剖，看看他心肺表面有没有出血点。

没想到刚把死者肚子拉开的时候，我手机响了。我本来让小凡拿手机看看，要是张队的，就让他接一下。

但小凡告诉我，是孙佳打来的。我一合计，接了吧，好不容易能跟她聊聊。

我就停下手头工作，小凡举着手机，贴着我耳朵。

我以为孙佳想开了，要跟我和好呢，谁知道接通后，她劈头盖脸一顿骂，说我这个没良心的畜生啊，一上午了都不找她，是真不把她当回事。

我被气得想笑，心说这小娘们儿是不是彪啊，我干啥工作的，她也不是不知道。

我压着性子解释几句，但孙佳说我找借口，又一顿念叨。小凡离我近，他是听了个一清二楚，忍不住扑哧笑了。

我看了看小凡，心说这小子，这叫什么，幸灾乐祸吧？难道就不知道家家有本难念的经吗？等着吧，他以后要是跟对象闹别扭，我肯定在旁边敲锣打鼓。

这样过了一会儿，孙佳终于放过我了，还把电话很不客气地挂了。我叹了口气，依旧强作镇定地把尸检工作弄完。

等回到警局时，下午三点多了，我还没吃饭，但一点都不觉得饿，估计是气饱了。

小凡抽空出去填饱肚子，我就干坐在椅子上寻思，心说人点背，放个屁都能崩出屎来，自己最近是咋了？

但我也试着想些开心的，不断安慰自己。赶巧的是，没多久寅寅又来了。她搬个椅子，坐在我旁边了，长长地叹了口气。

我心说她叹个什么气啊？我就愁眉苦脸地看着他。

我的长相很大众，这么一愁眉苦脸，看着更屌丝，寅寅看我不爽，说了句："你干吗呢？我求你办个事。"

我知道肯定是正事，也没啥逗乐的心思了，又问她咋了。

她说抓回来五个嫌犯，倒是都承认参与斗殴了，却没人承认杀人。她还拿出一截麻绳给我看。

这上面沾着星点的血迹，明显是凶器。我知道这种皱皱巴巴的绳子，在上面很难套出指纹来，但细细找找，能发现皮屑，化验一下，也很可能揪出凶手来。

只是我们这小城市没那么好的设备，这种化验也要送到省里。这种小凶杀案，我们要麻烦省里，有点掉价的感觉，而且一来一回，既耽误时间又耽误成本。

寅寅让我想招儿。我本来就闹心，还让我动脑，这不折磨人吗？我本想拒绝的，但突然想起一个事，我让她等等。

我从抽屉里翻出一组照片，都是死者的，我盯着他脖子看了看，比画几下，对寅寅说："这个环形索沟，左侧比右侧要深，这说明什么？凶手是左撇子，反正审讯这么久了，嫌犯也都饿了，给他们弄点盒饭吃，接下来咋办，你懂的。"

寅寅嘻嘻笑了，说："冷哥，你真行。"她也不多待，这就要起身。我是突然有个想法，把她叫住了。

寅寅问我："干吗？"我说："我都帮你一个忙了，你也该回报一下。"

我让她把车钥匙交出来，今晚上要借她的吉普车用一用。

我这么想的，晚上开车找孙佳去，带着她兜兜风，逛一逛，用这种方式散散心。不然我这一个几乎没感情经历的木头疙瘩，也想不出别的浪漫的事了。

寅寅挺大方，当场把钥匙递给我了。

我继续熬着等下班，只是我能准点下班才怪呢，而且今天任务超重，等十点多钟了，我才弄完。

我急忙收拾一下，给孙佳打个电话，但这丫头一顿拒绝，弄得我最后都烦了。

我一合计，得了，去烧烤店找她吧，只是开车赶到了一看，烧烤店压根没开张。

光凭这个，我意识到孙佳真伤心了，估计晚上也没吃饭呢，我也知道她家住哪儿，就买了快餐，另外拎了一瓶红酒，继续奔向她家了。

她家住在三楼，我拎着吃的喝的站在门口时还琢磨呢，她可别不开门或不在家。

但实际上，我刚敲一下，就发现这门开了个缝，明显没锁。我心说邪门了。

我又慢慢打开门，对着里面喊了句："孙佳？"

有个人回我了："谁？"只是这声音太冷太哑了，跟电视里那种鬼声似的，我听得出来是孙佳的没错，但还是整个后脊梁骨发凉。

我稍微缓了缓，回话说："是我，冷诗杰！"

"啊！是你，进来吧！"

我又急忙往里走。可屋里黑咕隆咚的，什么也看不到，我随手要开灯，但拨弄两下灯的开关发现，压根没反应。

孙佳似乎知道我在干吗，疯子一般的嘻嘻笑了，又说："我怕光，把电掐了，这样不挺好吗？你找我干什么呀？"

第二十一章

活尸再现（二）

孙佳这样绝对不正常，我钥匙扣上正好有个小手电，是装饰物那种，虽然没啥强度，但也能凑合照亮。

我赶紧把它拿出来。凭声源能断定，孙佳是在客厅说话的，我就用小手电对着客厅照了照。

这场景让我看呆了。客厅中间摆着一个椅子，孙佳坐在上面，只是她背冲着我。

我立刻想起女尸案了，心说现在这一幕，不就还原那个案发现场了吗？我紧张地心怦怦直跳，但还壮着胆说："妹……妹子！你别开玩笑啊。"

孙佳不正面回答我，反倒说："冷诗杰，你过来，今晚上你要啥我都给你，包括我身子。"

这话要在平时，肯定让我兴奋老半天，但现在哪有那个心思？我也不是冲着这话去的，皱着眉，都有点防范的意思了，一小步一小步往那儿走。

这样离得挺近了，孙佳突然垂下一只胳膊来。我看得清楚，这只胳膊上全是血，虽然没少块肉，却有牙印。

我吓得站住了，没等缓过劲呢，孙佳又猛地从椅子上站起来，扭过头。

我脑袋里跟打过一道闪电一样，咔嚓一声，甚至连手里拿的红酒和盒饭全扔地上了。盒饭倒好说，那一瓶酒彻底洒了，让原本就恐怖的客厅更染上一层血色。

孙佳嘴上全是血，她还冲我做鬼脸，吐了吐舌头，那舌头更不用说，还有一条血线挂在上面。

我心说这就是活尸人吗？案子又出现了。我一时间根本没别的念头，只意识到危险了。

我吓得扭头就跑，只是已经晚了。孙佳嗷的一声，跟疯狗一样扑过来，一下把我抱住了，还对准我后背就咬。

她咬得挺正，隔着衣服啃到肉了。那股钻心的痛让我忍不住直哆嗦。但我也不能干挺着，使劲一扭身子。

真要感谢我的衣服，挺厚挺硬也挺滑，这么一使劲，孙佳没咬住，我后背这块肉从她嘴里出来了。

她只能干咬着衣服，来回扭着嘴巴撕扯。

我是背着孙佳的，挣脱不开，但急中生智，我把衣服脱了。不过这么一来，我又不想逃了。

我想过，不管孙佳这一天遇到啥事了，她还活着，我怎么说也要救她，带她去医院。

我就一扭头，正面面对她。孙佳还真疯，她嘴巴咬着衣服不松，又扑向我了，还用指甲使劲挠我。

她手指甲长，弄得我衬衣上"哧哧"全是响声。我顾不上这个，用手掌对着孙佳脖子切了几下。

我是没学过的，所以切得有点歪，第一下让孙佳一个趔趄，第二下才让她彻底晕了过去。

我急忙抱着她，让她不至于滑落到地上，又四下看了看。

这屋子里静悄悄的，不像有别人，尤其是凶手，不然孙佳刚才抱我时，他肯定会出来的。另外孙佳的状态不咋好，不能再拖了，我一合计，就没对屋子做彻底排查，赶紧背着孙佳走人。

我拿出最快速度往楼下走，只是孙佳住的地方环境不太好，是栋老楼，楼梯破旧不堪，有的地方还都缺一块。

我在奔向二楼的时候，孙佳竟然醒了，她突然晃悠起来，要挣脱我。

这下可好，我被这么一闹，脚也踩到一个缺口上了，我身子一失衡，带着孙佳一起往下滚。

二楼的楼道里还放着一排砖头和一堆沙子，估计是装修用的，我算点背到家了，一下子跟王八似的趴在沙子上了。

我身子跟散架了一样，不过没就此歇着，用舌头顶上牙床子，借着这股劲儿爬了起来。

孙佳就在不远处侧歪着，一动不动，也不知道死活。

我晃晃悠悠靠过去，想把她扶起来，问题来了，谁知道她是不是装死，会不会突然睁开眼睛对我来个天女散花。

她事先手里都握着沙子，也幸亏我闭眼睛快，不然这一把沙子，能让我废了。

孙佳又来劲了，她掐起我脖子来，还嘴巴大张着，想往我脸上凑。我不得已，用了一个鱼钩手。

这是我们当地一个叫法，其实不是什么武术招数，说白了，只有小孩子打架才用到的。用几根手指头，伸到对方嘴里，钩住对方腮帮子。只要把腮帮子勾起来，对方就咬不到了。

我用这招一时间倒是压制住孙佳了，她挣扎了几下，也没靠到我面前来。

我另一只手四下乱摸，找到一块砖头。

都说男人不能打女人，但现在我管这个？再说眼前这位还是女人吗？简直就一狂暴兽。

我用砖头对着她脑门狠狠来了一下子。孙佳翻了翻眼珠，又晕了。

这次我学聪明了，反正孙佳衣服都是血，也都脏了，我就从上面撕下一个布条来，用它当绳子，把孙佳双手牢牢绑住了。

这样我才放心地继续背着孙佳下了楼。

吉普车就停在楼门口，我赶紧把孙佳弄到副驾驶座位上，自己又坐到正座上，打火准备走人。

可刚开出一小段去，我就听车顶上砰的一声响，好像被什么东西砸到了一样。

我吓得停了车，抬头看看，可什么都看不到。我还心说呢，难道有人丢垃圾吗？但不至于啊。

我又想起一个事，以前我跟寅寅去歌手家时，遇到过类似的情况。

寅寅车里有个小锤子，是买车保时赠送的，虽然正常用途是在危难时刻砸玻璃的，但我也把它武器一般地握在手里。

我深呼吸一口气，把车门打开了，一个猛子蹿出去，又站直了往车顶上看。

上面什么都没有，但细瞧之下，我留意到，有一个地方有点"大鼻涕"。

这在意料之中，但也有点打击到我了，我不相信地用手摸了摸。这时候我脚脖子凉了一下。

怎么说呢，像有只手摸着一样，我一激灵，都快跳起来了，赶紧低头看看。

还是什么都没有。

我有点想抓狂的意思了，但看着车里坐的孙佳，我又一咬牙，抛开所有杂念，坐了回去。心说，就算天塌了老子也不下车，赶紧开车离开。

在小区里不好走，路窄不说，路边还有别的车，我车技很一般，只好打起十二分精神，确保不把别人的车刮到。

等上了主路，我知道可以适当松快一下了，就一边开车一边打电话。

我要告诉张队，这案子还没完，尤其让他快点派警察过来，就算抓不到凶手，也要找到点证据。

电话响了好几声，终于通了。我等张队喂了一声后，立马抢话，让他啥也别说先听我说。

可没等说几句呢，我无意间地往车里倒车镜上一看，吓得哇了一声，还让手机从手里掉下去了。

我看到后车座上坐着一个人。他有婴儿般那么大吧，外面套着一个袍子，微微低个头，看不到具体啥模样。

估计是被我叫声刺激的，他又稍稍晃了晃脑袋，就好像在证明给我看，他是活的，不是木偶。

我一下子六神无主了，这车也没法开了，整个往路边冲上去了。

我眼睁睁看着车奔着电线杆子去的，就急忙踩刹车，最后还打了下方向盘。这车是撞偏了，不过也让车头有些变形。

我没受啥大伤，顾不上别的，急忙扭头往后看，但车后座上什么都没有。

我不信刚才眼光，正琢磨接下来咋办呢，却发现孙佳又醒了。

我猜她现在这德行，一定是神经系统有啥问题了，比正常人要敏感，也不易昏睡。

她瞪个眼睛阴森森看着我，还龇牙，我以为她又要咬我，就赶紧做好搏斗的准备。谁知道她突然一转念头，别看双手被绑着，但还能打开车门，先逃下车了。

我不能让她一个疯子满街跑吧？急忙跟下车，这么一耽误，孙佳已经横过马路了。

这时候马路对面来了一辆出租车，这出租也真横，开得飞快，司机看到孙佳要过马路，按了按喇叭，没丝毫要减速的意思。

我估计这司机也没想到孙佳敢跟车抢道儿，这下可好，砰的一声响，出租车把孙佳刮个边撞倒了。

孙佳咕噜咕噜地滚出去挺远。我本来心里一沉，心说完了，孙佳还是难逃一劫。可像反驳我一样，孙佳哆嗦一下，从地上爬起来了，摇摇晃晃地还能往马路对面逃去。

我忍不住喂了一声，想让孙佳停下来，另外脚上不耽误，依旧奔着追过去。

但出租车司机这个畜生，他下车了，还拎个棒子，拿出一副特别横的架势，对我喊了句，"给我站住！怎么回事？你朋友把我车刮了，你们想跑吗？"

我本来没想理他，他却赶在前面把我拦住了，还推了我肩膀一下。

我知道这种人纯属无赖，他咋不说他把人撞了呢？而且这一晚上，我连惊吓带压抑的，已经很难受了，这次再也压制不住了。

我骂了句娘，狠狠抽他一个大嘴巴，看他还想抢棒子，我一掏兜，把警察证拿了出来，对他一举，吼着说："警察办案！你给我配合点！赶紧打电话给我同事！叫他们火速支援！"

司机彻底愣了，我趁空把他的棒子抢了过来，权当一个武器吧，又推了他一下，让他快点行动。接着继续去追孙佳。

第二十二章

恐怖来客

我曾经追过"姜绍炎"，当时进了一个胡同被绕蒙圈了，这次我又遭遇了类似的情况。

孙佳是朝着一个巷子跑过去的，还跟跟跄跄钻进去，我跑到胡同口，发现孙佳都没影了。

我气得想乱蹦，最后也真无奈，硬着头皮走进去了。

我打定瞎猫撞着死耗子的主意，四处乱走，看能不能遇到孙佳，这样过了一支烟的时间，我发现这么"玩"下去不行。

我又试着喊了几嗓子："孙佳，孙佳，孙……"

我最后卡壳了，因为有个声音突然传出来，打断了我。它太恐怖了，是一顿咔咔咔的磨牙声。

我觉得浑身上下的肉都紧绷绷的，心说这下好了，女尸案那些看似没头绪的疑点，一下子全冒出来了。

我能品出来，磨牙声是从前面右拐的地方发出来的，我使劲深吸几口气，让自己镇定一些，又举着棒子，步步为营地走过去。

转弯后，我看到墙角躺着一个人，还把上衣盖在脸上了。他一动不动的，好像一具死尸。

我一点点走近，又用脚踹了他一下。我只是想验证下，这人到底是活是死。

我这一脚力道不大，也不可能把他踹受伤了，但他突然坐了起来，把上衣扯下来，盯着我问："你干啥？"

我看他蓬头垢面的，明显是个乞丐，另外他这言语也表明，这人挺亢奋，精神上有点小问题。

我压着性子问他："刚才我听到磨牙声，是不是你弄的？"

这人来气了，说什么磨牙声，滚一边去，老子还想睡觉呢。

我看他还动了动拳头，似乎要打我。我也把棒子举起来了，这样随时能抢下去，来个先发制人。我俩这么僵持着，我又强调一句，说我是警察，让他配合。

可他一听这话，反倒来劲了，一顿瞎叨叨，说他恨的就是警察，什么狗屁东西，他一个残疾人，想找个工作或者有个保障，警察不管，半夜想睡觉，警察却来瞎搅和，还怪他磨牙打呼噜。

我敢确定了，这人有病，再者说，他找不找工作，是社会保障那边的事，跟警察有半毛钱关系？

正巧这时候，远处又传出来咔咔声了。虽然我听得又是一激灵，但也知道跟这乞丐没关系了。

我不跟他较真，也没说话，扭头走开了。

这次我转到的胡同里特别黑，也特别寂静，我只能一点点往里走。

我的脑神经绷得紧紧的，尤其中途踩碎一个玻璃片时，我还被吓了一大跳。等这么慢悠悠地快穿过整个胡同时，前面出现一声婴儿哭。

哇哇的，持续时间很短，很快也变得特别闷，就好像嘴被塞住了一样。

这种声音绝不是孙佳的，我一下联系起来了，从倒车镜里看到那个穿袍子的小人，一定是他发出了这种婴儿哭，也是他发出的磨牙声。

我不想让他跑了，虽然不知道这小人有啥厉害的地方，能让歌手和孙佳都变得疯疯癫癫吃自己胳膊，但我管不了那么多，双手使劲握了握棒子，又跑着冲出了胡同。

这胡同前面是一条小马路了。我还担心自己跑出去的一刹那，那小人会偷袭我呢，但眼前的情景让我惊讶。

这里有一辆摩托车，上面坐着一个人。他带着头盔，穿着一件风衣，我看不准他的长相与身材，他背后背着一个长条盒子和一个小黑兜子。黑兜子里鼓鼓囊囊，还偶尔动一下。

他冷冷看着我。我根据他的摩托，把他认出来了。

这是军用摩托，跟姜绍炎的一模一样。我不知道他咋又突然出现在这里了，就问了句："乌鸦？"

他不理我，低头打火，一下子把摩托开出去了。

这摩托我也坐过一次，但此刻却很邪门，一点马达声都没有，另外排气筒里竟然喷出一条火舌来。

这么说绝不夸大，这火舌少说有一指来长，在它的推动下，摩托瞬间加速，跟一支箭一样，一眨眼间就离我远远的了。

我呆住了，失神之下，连棒子都松开了，任由它落到地上，脑门也吓得溢出了汗。

我突然意识到，这摩托何止是军用这么简单，它明显是改装过的，有很先进的防噪音功能，另外排气筒简直神了，能喷火舌，岂不是一种高端助推器吗？

他背的那条长盒子，里面肯定是枪了，而那黑兜子里的东西，就该是我要找的小人了，也就是活尸案的罪魁祸首。

姜绍炎为什么会带着小人离开，难道说这些案子都跟他有联系？那小人是他的宠物？我想不明白，却知道这里的严重性了，也恍恍惚惚明白了，为啥省里把这案子结得这么草率了。合着是姜绍炎在作祟。我对姜绍炎的好感全没了，退后几步，一屁股靠着墙角坐下来了。

我整个脑袋快短路了，就这么愣着，不知道这案子要咋破好了。

也不知道过了多久，有人蹲在我旁边推了我一下，我吓得一哆嗦，下意识地说别过来，不过我也借此回过神来。

我看清楚了，是寅寅。她看我这德行，还用拳头打我胸口一下问："冷哥，你怎么了？"

寅寅算是我知己了，我特想把现在知道的一切说给她听，但也有个念头硬生生告诉自己，不能这么做。

姜绍炎的事，决不能提，他的背景不简单，多一个人知道这种秘密，多一个人有危险。

看我盯着她没说话，寅寅又问："我今晚值班，刚才有个出租车司机报警，说这里有警察破案，需要支援，等我带着同事赶过来一看，我的吉普车都撞到路边了，我就猜到是你，到底发生什么了？"

我被逼得也不能啥都不说，就专挑孙佳的事讲了讲。饶是如此，寅寅还听得直皱眉，念叨说："竟有这事！"

随后她用对讲机呼叫一下。其他同事也都分布在胡同中，被寅寅一说，很快有人发现孙佳了。

我跟寅寅一起奔着这个方位赶过去，只是到现场后，我又有种闭目逃避的想法。

孙佳躺在一个角落里，双眼瞪得大大的，嘴里又是血又是白沫的，身体也挺着，一看就知道已经咽气了。

我还是脑袋很乱，索性抱着头蹲在一边不说话。寅寅对其他同事说了说，大家都知道我跟孙佳的情况了，寅寅赶紧给小凡打电话，让他赶过来处理现场。

孙佳的尸体肯定要尸检的，也要解剖，但这活不适合我来做了。寅寅的意思，我啥事都别管，包括她的吉普车。她会跟张队打招呼，让我这两天在家好好歇一歇，养养精神头。

我本来不想离开同事，甚至不想离开警局，怕姜绍炎对付自己，但又一想，如果姜绍炎真有这念头，刚才就能轻而易举地把我杀掉，何苦留着我呢？

我最后掂量一番，还是回家吧，至少家里没人说孙佳和案子的事，我也能耳根子清净一下。

我呆呆地拦住一辆出租车。只是我这身行头，让出租司机有所怀疑，他还问了句："哥们儿，你带钱了吗？"

当然了，打车都是小事了，这一路也没遇到啥风波，等我上楼开门进屋了，却发现怪事又来了。

我家又成了虫窝了，门口都挂上蜘蛛网了，亏得我及时低头，不然肯定粘一脑袋。至于客厅和卧室就更不用说了，尤其床上，趴着足足七个大蟑螂。

我心说这七个蟑螂干吗？在我床上结拜当葫芦娃吗？我一下子来气了，不管什么床单不床单的，拿起扫把，对着这些带壳的"畜生"一顿猛拍猛打，最后一伸手把床单扯了下来。

我找个板凳，坐在上面连吸闷烟，这么缓了半个钟头，我来个顿悟，心说家里这些虫子明显有个规律，客厅少卧室多，而卧室床上更是它们理想的集聚地，难道说我的床有啥古怪了？

我上来一股劲头，把床垫和床板全掀开了，露出下面的床柜来。

我只是自己住，尤其一个当法医的，也不怎么花钱买东西，这床柜下面几乎是空的，所以掀开后，我一目了然地发现了问题。

这里多了一个小锦囊，也就巴掌那么大，上面爬的全是蟑螂。

我印象中自己根本没这东西，我就伸出扫把，把它扫过来，拍了两下，把上面虫子全轰走了。

我把锦囊打开，发现这里有一个小鼎，做得很精致，很像历史书里提到的司母戊鼎，只是它不是铜做的，外面密密麻麻分布着一个个小黑块，这种材料我没见过，摸起来也觉得特别光滑。

我发现自打小鼎一出现，有个不知道在哪儿潜伏的大蟑螂，突然张开翅膀，飞着扑到小鼎上了，还铆足了劲儿往鼎里爬。

这我能让吗？赶紧来个弹指，把它弄飞了。

我知道虫子这种东西，在某些感知方面比人要强，比如地震啥的，它们都能提前感应到。

我猜测家里之所以多出这么多虫子，一定跟这个小鼎有关系，难不成这是个宝贝？另外我也联系起一个事来，我跟寅寅擒住刀疤脸时，他手机里不是有一个关于未知物品X的资料吗？从尺寸来看，X就是指的这个小鼎吗？

第二十三章

诡异来电

我捧着小鼎，想起了很多东西，甚至有种直觉，之前遇到的所有疑点，全部都是围绕小鼎展开的，如果这小鼎的秘密被挖掘出来了，这些怪事就真相大白了。

可我对这个小鼎是一丁点儿都不了解，另外也合计着，它到底怎么来的。

我猜是有人偷偷把它放到我家中的。记得有一晚我家里出现很多怪状况，又是窗户突然开了，又是山蚕满地爬啥的，会不会说，小鼎就是那一晚到我家的呢？

我再深一琢磨，把这想法否了，因为这鼎能吸虫子，那一晚变故后，我家没什么大变化，反倒从这两天开始，虫子猛然增多了。

我身边的人，在这两天有变化的只有姜绍炎，他离开我们回省里了，先不谈论他到底走没走，但只有他跟这件事巧合。

我现在最怕提到姜绍炎了，总觉得他跟恶魔一样，我又拿出手机，翻开通讯录，找到姜绍炎的电话。

我很想给他打个电话质问一下，不过脑海中又出现另一个念头，告诉我一定要熬住。

我最后被这两股念头弄得脑袋快炸了，另外也真有点害怕了，握着手机的手都有点发抖。我一叹气，强忍着把手机揣回去。我又想起一件要紧事要办。

我也顾不上睡觉了，把小鼎带着，嗖嗖下了楼。我家有地下室，里面放着一辆自行车。

最早参加工作的时候，我还骑自行车上班呢，只是遇到刮风下雨啥的就很麻烦了，我就渐渐舍弃了它，但不管怎么说，它还能用。

我骑着它往郊区赶。我知道个地方，那里全是坟串子，也都是无人认领的荒坟。我想在那里挖个坑，把小鼎埋了。毕竟它太邪乎，不能留在家中。

夜里这种有坟串子的地方很吓人，放眼一看，全是墓碑。我把自行车停在外面，自己走进去时也很小心。我都不敢想，这时候要突然出现一个老头，蹲在坟前咔咔刻墓碑，我会有什么反应。

好在走这几步道，除了风吹得我身子有点冷以外，没有别的状况。

我找了个离马路不远不近的坟头，它旁边正好有一处空地，我就对着坟主拜了拜，又找个树枝，蹲在一旁挖起来。

这小鼎不大，我用不着挖多深的坑。估摸过了一刻钟吧，我把这坑弄好了，也累得有点冒汗，但这么一冒汗，反倒让身子暖和了。

我把小鼎小心翼翼地放进去，又四下看了看，找几个关键的参照物做了对比，把这里的位置精确下来，给以后取鼎留一手。

我又点根烟吸了两口，想动手埋土，这样就大功告成了。但这时候我手机响了，调的震动，嗡嗡地闹个不停。

我拿出来一看，上面显示的是无法显示，我记得有个国外的同学，他给我打电话就是这情形。

我还心说呢，难道同学找我了？我这边是半夜，他那边不正好是白天吗？只是他找我能干啥？

我又不能耽误，不然等他挂了，我没法打回去。我就暂停手里的活，接电话喂了一声。

那边静静的，过了几秒钟吧，有人笑了，随即发出了一个亲嘴的声音。

我愣了下，我同学很正经的，不可能这么逗我玩。我觉得不对劲儿了，又喂喂几声，可对方已挂了电话。

我望着电话稍微愣了一会儿，等回过神后我都想骂人了，我以为是姜绍炎呢。心说那个老不正经的，今晚遇到他时没把我杀了，咋现在用这种方式折磨我呢？

另外被这么一刺激，我又想起个事，也怪自己这一晚太糊涂了，竟把它给忘了。

姜绍炎也看过我爹，而且还说了一堆古怪的话，当时我还害怕有别人害我爹啥的呢，现在一想，最恐怖的不就是姜绍炎吗？

我也顾不上埋土了，赶紧撒丫子往外跑，找到自行车后，骑着就往五福精神病院赶。

我不想再拖了，就今晚，我要带着我爹逃跑。什么工作不工作的，中国这么大，我找个犄角旮旯儿一躲，反正自己也懂点医学的东西，随便去哪个小诊所找个工作，哪怕去宠物馆当个兽医也行吧？

我这一路蹬得飞快，最后赶到精神病院下车时，这两条腿还总想绕圈呢。

现在这时间，精神病院都关门了，只有值班的，原则上是不让外人进的，不过我也耍滑了，又用了警察证。

看门的老大爷好糊弄，一看我是警察，没管那么多，就放行了。

我也记得我爹住哪个房间，直奔而去的。只是当我刚推开房门时，发现这里除了我爹以外，还有一个中年男子。

别看他也穿的是病服，但一点有精神病的样子都没有。他也真机灵，我一推门他就醒了，还一下站起来，把我先挡在门前，用渐渐逼近的方式，把我又逼出病房了。

他问我："你是谁？"

我看他留了一个小寸头，方方正正的大脸盘。最让我印象深刻的，是他的脖子和胸口。他脖子真粗，几乎跟腮帮子一般齐了，另外他胸口上的肉鼓鼓囊囊的，把病服都撑起来了。

这是武把子的典型特征，而且论身手他肯定还是武把子中的精英。

我猜这人是姜绍炎请来的保镖，美其名曰，保护我爹安全的。

他看我不回答，又不客气地喂了一声。

我本来想撒谎，又觉得这武把子很精明，我这点小谎骗不过他，最后我心一横，索性说实话了。

我指了指病房，说那里躺的是我爹，我是他儿子冷诗杰，有急事找他。

武把子不信，又问了一句："你说你是他儿子，有什么凭证吗？"

我气得想笑，心说眼瞎是不？我特意指着自己脸问他："这就是凭证，我跟我爹长得不像吗？"

他又扭头看看，做了个对比，"啊"了一声，点头认可了。

我趁这工夫赶紧绕过他，走了进去。本来武把子也要跟进去，但我试探一下，故意拦着他，说我跟我爹有秘密事要谈，让他回避一下。

本来他要不同意，我也没办法，但武把子真给我面子，一摆手，自行出去了。

我赶紧把门反锁了，又把我爹摇醒了。我爹倒是一睁眼就把我认出来了，坐起来后还问呢："小冷，你这么晚来找我？"

我看他一言一行，觉得老爷子的病情貌似又好转了。我不想耽误，还走到窗户前，往下瞅瞅。

这里是三楼，我跟我爹从这里逃走，有点难度，我又四下看看，想别的招儿。

我的举动把我爹看笑了，问我："你到底来这儿干吗的？"

这时候我一瞥眼，发现武把子正透过门上的玻璃往里看呢，我知道一时间不能有啥行动了。

我又压着性子，在我爹旁边坐下来了。

我记起来，姜绍炎给我爹看过那个鬼坛子，我爹似乎也认识它。我突然有个想法，心说反正也不能急着逃了，不如先跟我爹说说那小鼎，看他有啥建议不。

我就把小鼎的外形连比画带说地描绘出来，又说这是一个朋友送的，问我爹能判断出是不是古董，有啥来历不。

我爹听完眼就直了，整个人状态又不咋好了，嘴里乱嘀嘀咕咕的。

我怕他突然犯病，又拽了拽，问他："没事吧？"

我爹稍微缓过来了，盯着我眼睛，异常严肃地说："小冷，你一定照我说的做，听明白没？"

我"啊"了一声点点头，又问让我做啥。

我爹说："现在你就回去，找个大锤子，把鼎砸到稀烂。记住，越碎越好。再用锡纸包裹着，记住，要密不透风，再找个地方埋了，记住，埋得越深越好，还有不要跟任何人再提及此事。"

我听得稀里糊涂，尤其他这一句话里，反复重复着记住的字眼，听得也别扭。

我记得电视里演的，和尚与道士，把妖怪和鬼抓住后，都用符箓贴上，代表镇住了，可我爹说用锡纸干吗？那玩意有啥讲究？吃烧烤倒用得上。

我忍不住问他："到底怎么个情况？"

我爹又不说啥了，反倒拽着我，使劲儿往外推。我本来不想走，但架不住他上来这股疯劲儿。

我跟他"争执"了一会儿，竟无奈地被他推了出来。等出门口时，我看那个武把子对我直笑，还做个无奈的动作问我："你跟你爹谈完了？"

我心说谈完个屁啊？我又想往里冲，但武把子不让了，他把我挡在门口，故意打个哈欠说："我也是病人，困了要休息，你要来探病，明天吧。"

我本来想跟他犟一犟，但武把子往病床上瞅了瞅，那里有呼叫器，只要一摁，医生和护士就能赶来。

他真要这么做了，我保准会被医护人员轰走。我真没招儿了，只能先行离开。

等出了精神病院，我一边推着车子一边想呢，要不今晚就在周围找个地方住下来，等明儿一早，只要逮住机会，就把我爹弄走。

但这时候，我电话又响了。我挺敏感，心说难道又是姜绍炎打过来的？等拿起来一看，我愣了，这次来电的人真让我意想不到！

第二十四章

师父的秘密

　　我师父给我打电话了。他又不在国外，这时间本该睡得正香，怎么想到找我了呢？

　　我把电话接了。师父直奔主题，说："你是不是去看你爹了？"

　　我第一反应是诧异，心说他咋知道了，但又回头看了看精神病院，明白了，一定是那武把子给我打"小报告"了，这么说来，师父跟姜绍炎是一起的。

　　我心跳得厉害。

　　师父看我好一会儿没吱声，也猜到了，又问我："小冷，你觉得我对你怎么样？"

　　我结巴上了，打心里也承认，师父对我是真好。我毕竟是个老爷们儿，在这种事上不能撒谎，最后点头承认，还特意说师父拿我当亲儿子一样对待。

　　师父笑了笑，我的回答也让他感慨了，说他这辈子就我这么一个徒弟，也只想有我这么一个徒弟。随后他一转话题，说他去省厅不是偶然，这里面有很多秘密，现在不能告诉我，但他强调，如果我信不过乌鸦，至少也要信他，不要在这么关键的时候添乱，从明天开始，该怎么生活就怎么生活，一切正常化。

　　我细细品味着，脑袋里突然冒出一个念头，心说难道姜绍炎不是坏人？而是省里还有什么案子要继续跟进？乌鸦跟我师父，都在打一个烟幕弹，先让活尸案结了，实际却在慢慢地顺藤摸瓜，钓大鱼？

我心痒痒，因为自己处在迷局之中，纯属两眼瞎，师父要是能再细说说，我稍微明白点了，就不会乱琢磨了。

但师父不想多说，又叮嘱我，乌鸦这几天送了我一个礼物，也不知道我收没收到，他希望我能好好研究下，如果我真扛不住的话，就用锡纸把它包裹住，偷偷保存起来就行了。

我知道这礼物指的是小鼎，真没想到，师父也提到了锡纸。

师父说他还在加班，没继续聊啥，把电话挂了。

我一时间心里既热得有点难受，也冷得有点想哆嗦。我也不推车子了，停靠在路边，我坐在马路牙子上，蜷成一团，这样能好受一些，又吸了根烟想一想。

我最后也没个准主意，不过觉得，师父都开口提醒了，我要是再"捣乱"也不好。尤其我和我爹肯定不会有生命危险，既然如此，拿出正常的生活态度，观望吧。

我抱着"乐观"的态度，骑个车子奔市郊坟串子去了，想把小鼎拿回来。

我埋鼎的时间不久，尤其还是大晚上的，没人偷。可等我赶到指定地点一看，愣了，有一个意外出现了。

鼎是静静地放在那个坑里了，但在坑外，围了好几只大蜈蚣。我用小手电照着看，最大那头估摸着得有二十厘米长，还肥乎乎的。

它们不是静止的，暴躁地绕圈乱爬，似乎想冲到坑里去。我可不想让它们这么做，不然怎么取鼎？

我穿的是厚底皮鞋，管那个！突然跑过去，对着这些毒虫一顿猛踩。用鞋底将它们瞬间压成肉饼。

这些蜈蚣死后都流出"水"来，估计是毒液，我也不想碰到，就用鞋底扫了一些土，把它们埋上了，之后我蹲在坑旁，对着小鼎照照。

小鼎上没毒虫，我暗自松了口气，又伸手过去，想把它捧出来。

不能怪我马虎，就在捧鼎的时候，突然有个小蜈蚣从鼎里爬出来了，它速度真快，嗖嗖的，绕着鼎口转悠一圈，又缩回去了。

我这时用嘴咬着手电呢，借着照亮。我看得清清楚楚，这蜈蚣浑身黑紫色，跟鼎内部颜色差不多，它刚才一定是缩在角落里，骗过我的眼睛。

我被吓了一大跳，这么一激动，差点儿把手电吞进去，但我也明白，这种与众不同的蜈蚣一定很毒，之前那几个大蜈蚣不敢进来，就是怕它呢。它是没咬我，我却条件反射般地松了手，让小鼎又落回坑里。

我头疼上了，有这黑紫蜈蚣在，不敢贸然捧鼎了。我想来想去有个笨招儿，把袜子脱下来一只，揉成个团，猛地塞到鼎口上了，这样那个黑紫蜈蚣算被困在里面了。

我又迅速带鼎走人，把它放到自行车的车筐里，就这么带着它回家了。

这一路上，我也有个很大胆的猜测，是关于锡纸的。我家也正好留有一些锡纸，是有次跟同事吃野外烧烤时，没用完的。

我上楼后，用锡纸把小鼎外面足足裹了两圈，又找了些土、小石块和落叶，铺在养过蚕的玻璃缸里，把小鼎半埋在其中。

因为我知道，蜈蚣这种毒虫喜欢这种环境，我打算通过这个方式，先观察紫蜈蚣和小鼎一段时间再说。当然了，我趁空也把袜子拽出来了，不然总堵在小鼎上，黑紫蜈蚣保准被闷死。

收拾完这些，我回卧室睡觉去了。这一觉睡得很不好，一方面想着孙佳的死，另一方面，我偶尔会爬起来，跑到玻璃缸前看看。

我发现有锡纸裹着，这鼎竟然失去了引虫子的能力，我家也没出现过那些蟑螂了。

这让我有些不明白，为何锡纸会有这种离奇的用途，不过我也相信，答案早晚会清楚。

第二天我没上班，在家养身子。其实所谓的养，很简单，就是闲待着，看看电视啥的。等到了晚上，小凡找我来了，还带着打包的饭菜。

我俩当然不用客套，就在客厅随意吃喝起来。小凡跟我说了今天的一些事。

这次我不在，刘哥也死了，法医严重缺人，张队跟省里打报告了，上午赶来一名姓李的法医，对孙佳的尸体做了检查。

小凡是负责记录的，从尸检结果来看，在孙佳胃里发现大量酒精和少许安定片的成分，体表没啥致命伤。结合这些征象，李法医下结论，孙佳是中毒身亡的，另外因药物刺激，她死前也精神失常了。

要在平时，我肯定会这个结论不满意，因为自己也见过孙佳死前的状况，但现在我没啥表示了，只是对小凡嗯一声，示意知道了。

小凡肯把孙佳的事说出来，其实也是有点想法的，他不可思议地看着我，反问："冷哥，你就没啥想说的？"

我摇摇头，岔开话题聊起别的来。

小凡又说了一个事，其实他是真没把它当啥重要事，权当讲笑话一样。他说今天警局里好几个同事，包括他、张队和寅寅在内，都收到一个古怪的电话，没来电显示，接通后对方亲了一下就撂了。

我心里震惊得不得了，也突然觉得这电话不一般了。

当然了，这顿饭除了谈这两件事之外，其他时间我跟小凡闲扯得还是挺开心的。之后小凡安慰了我几句，都是让我看开之类的话，就离开了。

我又好好睡了一晚上，醒来后用"正常"状态上班去了。

接下来一个月，李法医没走，跟我搭起班子，一起负责乌州市的法医工作。这期间也没啥怪案子了，我心里压着的那些事，也在慢慢淡化。

工作上，我看似是回到以往的轨迹上了，家里却变化不小。

我捉住的那个黑紫蜈蚣没想到是个母的，本来就带着卵呢，它可真行，就在小鼎里把卵孵化了，让玻璃缸里多了一堆蜈蚣崽子。

我以前就是被师父影响的，瞎养养山蚕，虽然跟专业养虫的比起来是个门外汉，但也知道一些常识性的东西。

我记得蜈蚣从产卵到孵化，得用一个半月的时间，怎么在小鼎里，黑紫蜈蚣也就用一个月，就把这些崽子全弄出来了呢？

另外，蜈蚣崽应该是乳白色的，长得跟蛆虫一样。眼前这些蜈蚣崽，有几只竟然带着别的颜色，有纯黑的，也有赤红的。

我冒出一种念头，这些蜈蚣崽变异了，而能刺激并辅助它们变异的，就该是这个小鼎。

这才多久，我就发现小鼎这两个用途了。师父是指名让我多研究研究小鼎。我本来有种应付的感觉，现在却来瘾了。

这小鼎有名字，叫X。我觉得太难听，索性改口，把它叫魔鼎了。

我记得师父在乌州也有房子，还在郊区，我就给他打个电话，让他把钥匙借我，也明说了，想用他的房子方便逮虫子和养虫子，毕竟离野外近。

师父是一口应了下来，还说找一个叫铁驴的人，把他家钥匙给我。

我本以为不认识铁驴呢，有一天晚上，铁驴敲我家门，把钥匙送来时，我发现铁驴就是保护我爹的武把子。

我俩是第二次见面了，师父也一定跟他说啥了，他对我客气多了，还笑了笑。

人家大老远送东西，我也不能收到东西就哄人家走，又问他要不要进来喝点东西。铁驴摇摇头，说要马上回去，这一阵子可能不太平。

这句不太平让我敏感了，以为我爹有事呢。但他让我放心，又比画出一套古怪的手势。

他好像在摆阵，用手指头当旗这类的。

我看不明白他啥意思，他不具体解释啥，留下这个谜团后，扭头离开了。

第二十五章

矛
盾

　　我没太较真铁驴的手势，毕竟太复杂，想也想不明白。既然拿到钥匙了，我趁空去了师父家一趟。

　　我以前来过这个农家大院，当时纯是以客人的身份，这次带着主人入住的想法，我惊喜地发现，这院子真好，又敞亮又安静，没有市区那种噪音。

　　我很快就把魔鼎和黑紫蜈蚣转移了，另外也拿过去一套行李。我给虫子专门腾出一个房间，自己住了另一间。一有机会，就带着魔鼎去郊外乱跑。

　　我发现在不同的地方用鼎能收集到不同类型的虫子，很快我家里的成员多了很多，蜘蛛、蝎子和蛐蛐之类的，它们也都是精品，要么个头大，要么颜色怪异，估计都是某一区域里的"一哥"吧。

　　不过我也有心血来潮的时候，有一次骑个自行车去了较远的山区，钻到一片老林里想试试运气。我事先也没踩点，谁知道这里有马蜂窝？当听到密集的嗡嗡声传来后，我吓得揣着鼎就跑，那速度，当时是没有秒表来测，不过绝不比赛跑的百米运动员差到哪儿去。最后鞋都跑丢一只，才勉强没被蜇。

　　从这事上我明白一个道理，自己主业是法医，养虫子就是个兴趣爱好，没必要拼死拼活的，我也就变得老老实实，专门养现有这些虫子了。

　　这天晚上我回家后就去了"虫室"，给这些虫宝宝喂食，我发现，久而久之，它们把我当主人了，尤其黑紫蜈蚣，还让我摸它。我能逗它们挺长时间的。

等出来时，正巧有人砰砰敲门。自打搬到农家院，还没有来过客人呢，我挺纳闷，来的会是谁。

我急忙跑去开门，吃惊地发现，外面站的是张队。

他挺轻松，本来正打量这个农家院呢，门一开他就先进来了。可我心里只犯蒙，心说这可是领导大驾光临，老话说，我这农家院不都得沾光般蓬荜生辉了？

张队还塞给我一条烟，说是他朋友从国外送来的，他觉得不错，就转送给我了。

我更紧张了，因为逢年过节啥的，都是下属给领导送礼，咋今晚上邪门，领导给我送礼了呢？

我本来不敢要，但张队硬塞过来，我要不接着，那不掉地上了吗？没法子，我把烟拿到手，又看张队摸了摸喉咙，咳嗽一声。

我不知道他是不是故意的，但我觉得要弄点啥喝的。我赶忙让张队坐，又屁颠屁颠跑厨房去了。

家里没啥饮料，就有点很一般的茶，我把茶和暖壶拿出来，当着张队的面沏起来。

张队挺有兴趣，看着我沏茶，还凑近闻一闻，只是他反应很大，突然皱了皱鼻子，说他还不渴。

我看张队盯着我手一直看着，我也把手举起来闻一闻。上面有种很浓的腥腥、涩涩的味道，说白了是虫子味。

我寻思解释一下，就指着虫室说："张队，我刚才……"

没等我说完，张队急忙摆手把我拦住了，嘿嘿笑了，说他都懂，年轻人又没女友，这不很正常吗？随后又跟我说，他在市里认识一些小丫头，要是我真寂寞了，找他，他帮我联系几个去。

我也不笨，一下知道张队误会了，本来还想再解释解释，但张队后面话一说出来，我觉得不对劲儿了，心说头儿对我这个下属咋出奇地热情呢？

我不想找啥话题了，就光听他说。这样"聊"了几句，张队谈上正事了，说今天得到消息，我要被调到省厅去，他代表市局，问问我有啥想法没？

这说白了就是升职前的领导谈话了，但我很纳闷，因为去省厅当法医，跟在我们乌州市当法医绝不是一个概念。

我们乌州市太小，跟县城差不到哪儿去，我也才干不到两年的法医，要不是我师父升到省里，我到现在还可能干法医助理呢，经验方面几乎就那么一丢丢。这种大跨度的升职，估计别的市的法医听到，也会不敢相信的。

我都忍不住挠头了，跟张队说："我这么调过去不妥吧？"

张队说："怎么可能？"还一顿鼓励。我发现汉语言真是一门学问，张队想捧我，就算我火候不足，他也能找到恰当的用词，把我吹上天。

最后我都被他说得有点飘了，但也懂了，心说弄不好是姜绍炎和我师父有动作了。

我听得出来，这次调岗是板上钉钉的事了，我想推也没用，另外张队只是个传话的，他也做不了别的主。

我索性拿出开心的样子，跟张队说，去省里一定会好好表现的，也借机捧了张队几句。

张队很欣慰，甚至都忘了我手"脏"的事了，拿起茶喝了一口，又叹气道："咱们乌州市警局的人才真多，细算算从我工作以来，有多少去省里的了，小冷，你还是最年轻的一位。但你看看，同样这个年龄，卫寅寅就不行，天天跟吃了火药似的，啥事也干不好。"

我倒有所耳闻，下午那会儿，寅寅又跟张队在办公室吵起来了，而且听说张队都拍桌子了，吓得其他当刑警的同事一下午全志忑着。

既然张队当我面提起寅寅了，我想了想，跟张队说寅寅这人心直口快，有时候说话不走大脑，让张队担着点，另外我也会找找寅寅，跟她侧面说两句。

张队笑了，点了点我，其实他刚才那么说，也有让我去调节的意思，毕竟警局里都知道，我跟寅寅关系铁。

这样聊了会儿，张队不多待。我赶紧送他，一直送出院门口。

等自行回到屋里了，我一合计，这就给寅寅打个电话吧。

电话没两下接通了，但那边很怪，呼呼的全是风声。我奇怪，问："寅寅，你在哪儿呢？"寅寅说："在海边，今天心里不痛快，吹吹海风来。"

现在可是深秋的季节了，海边也蛮冷的。我劝寅寅快点回去，又问她："是不是因为跟张队的事？"

寅寅生气了，跟我吐槽说："最近市里扫黄，主要针对那些KTV，本来通过调查与蹲点，已经把那些黄窝的情况摸得一清二楚了，也抓了好一批人了，但有个老板很滑头，私下跟张队谈了两次，张队竟然睁一只眼闭一只眼，把那家漏过去了。我不服气！"

我算明白来龙去脉了，但我是充当和事佬的，也不能埋汰张队，索性想个折中的理由，给张队个台阶下，说他马上退休了，反正扫黄也不是啥大案子，他借机捞点小油水，也可以理解。

寅寅脾气真暴，估计是压抑久了，这下好，被我这么一说，她反倒把矛头对准我了，说："冷诗杰你一个当法医的懂个什么？老张头本来对案子就不咋在意了，现在要搞歪风邪气开始贪污，以后乌州市岂不是完蛋了？他这个队长，既然这么不称职，不当也罢。"

说完她还把电话撂了。我看着手机直苦笑，我也知道，寅寅再多骂几次，火气没准就消了，但我不会再打过去了，张队就塞给我一条烟，"礼"太轻，我犯不着这时候给他顶骂。

我心说得了，还是先睡觉吧，等明天上班了，看情况再决定安不安慰寅寅吧。

我又洗个澡爬床上去了。这么一觉到了第二天早晨六点多。

我手机嗡嗡响了。其实这种时候来电话，都算是家常便饭了，很多凶案是夜里发生的，而黎明前和早晨，就是报案的一个小高峰期。

我急忙拿起电话一看，但出乎意料，来电显示提示是副局长。

我只存了副局长的电话，平时跟他说话的机会都少，毕竟这是领导的领导，我心说他咋这时候给我打电话呢？我一激灵彻底醒了，一下坐在床上。

倒不能说我这人太爱溜须拍马，只是一想到跟大领导说话，心里有种很紧张的感觉，我接电话很客气，先喊了句："局长好。"

副局是根本不在乎我说啥，只是冷冷地告诉我，最快时间赶到警局后院，有大事发生了。

等撂下电话，我脑子里合计上了，心说警局后院有啥大事？这可是警察办公的地方，借小偷恶人一个胆儿，也不敢乱来呀。

我又想，难道张队昨晚刚说完调岗，今天就让我走吗？我还没准备呢！

我稀里糊涂上了自行车，玩命地往市局蹬，等来到后院，发现这里聚集了不少人，都在一辆车前。

这车我认识，是张队的私家车。我当时想偏了，心说好嘛！大家这是给我送行来的吧？难道是张队亲自开车送我到省里吗？

我都不知道一会儿跟大家告别时，我要怎么说了，就带着这种复杂的心态，慢吞吞地往那边走。

可有几个人看到我来了，包括副局长，他还对我这种动作不满意，使劲摆手说："小冷你快点的！"

　　我觉得不对劲儿了，又赶忙跑过去。当钻到人群里一看时，我脑袋里连续打起大雷了，而且整个心都快蹦出嗓子眼了。

　　张队坐在驾驶位上，他脑袋跟个血葫芦似的，大睁着双眼，眼珠子也通红，另外最刺激人的是，他脖子上有一个小孩嘴巴那么大的伤口。

　　现在的张队，根本不是一个活人，而是一具死得不能再透的尸体了。

意 想 不 到 的 嫌 犯

我真不敢相信，这才多长时间没见，张队就已经跟我们阴阳两隔了。我打心眼儿里觉得，张队或许不是一个很称职的警察，但他人不坏，不该有这种下场。

我心里受到冲击，这么干站着发起呆。

副局想跟我说话，咳嗽了一声，可我没听到也没反应。小凡也在现场，拽了我一下，让我回过神来。

副局指着张队，很痛苦地闭了闭眼睛，又对大家说："这是你们领导！他被凶手用这么残忍的手法弄死了，没说的，我要你们拿出全部精力，最快时间将凶手绳之以法，为老张报仇。"

大家都应声，情绪一时间很高涨。我也懂，既然副局下这个命令了，我跟小凡作为法医要最先行动。

我稳了稳心态，带好手套，叫上小凡开工，我们先做现场检查。

我把张队推起来，想把他脑袋抬正了。只是他已经死了，身子很重，我推得很费劲，另外张队那对红眼珠子一直瞪着我，让我觉得特别阴森，也有点心惊肉跳的。

我回避不去看它，只把目光放在他脖颈上。

伤口很深，稍微扒开发现气管和食管都断了，甚至都能看到颈椎了。

光凭下手这么狠，就能把自杀彻底排除了，另外伤口（切创）周围没有试切创，也就是说没有其他与此平行、大小不一的创口，说明凶手老练，很可能是个职业杀手。

我真怀疑张队惹谁了，怎么对方派这么狠的人物来对付他。另外他除了脑袋血淋淋之外，身上并没血迹喷溅，皮鞋也是崭新的。小凡检查车里，同样没发现打斗或挣扎的痕迹。

我很肯定地下了结论，这里不是案发现场，张队是死后被人塞到车里来的。

大家议论纷纷，副局还让人把门卫找来了，因为后院的车想开进来，要先经过警局大门。

副局问门卫："老张的车什么时候过来的？"

门卫对于张队的死也有点不自在，他一边说一边扭着身子，用这种方式解压。他告诉我们，今早五点多钟，张队的车进警局了，只是他车上有黑贴膜，门卫看不清，以为没啥事呢，就敬礼放行了。

谁知道等六点钟他到后院巡逻时，发现车门开着，还有只手套拉在外面，他好奇之下凑近看看，刚好看见张队的惨状，结果吓得嗷一声喊。

这期间我四下看了看，警局后院的墙不算高，很明显凶手把张队送来后，又跳墙走了，另外这里没有监控，也没法调取视频。

门卫说的这些并没啥有用的，副局铁青着脸，看得出来，他不满意门卫的"马虎"，不过门卫也没做错啥，领导开车过来，他有啥权力搜车？

正巧这时候，李法医也赶了过来。副局给我们分了任务，让我和小凡带着老张的尸体去殡仪馆尸检，让李法医跟痕检员一起，对车和后院做更细致的检查，看能不能套取指纹，发现足迹。

我们应了一声，赶紧行动，我跟小凡合力把张队尸体抬出来，放在担架上，又有个同事把运尸车开过来，我们飞快地赶往殡仪馆。

等把张队的尸体放到解剖台上，脱去衣服后，我发现他的身体真让人不寒而栗。

除了脖颈上的伤口外，他肚子上全是红斑，乍一看有几十个。我知道每个人都多多少少有点密集恐惧症，我不那么严重，不然这些红斑带来的视觉冲击，绝对能让我呕吐。另外张队的两个脚脖上都有大片的血印。

我先按照正常流程，把死亡时间估算出来，是在昨晚四点左右，距现在有四个小时了。这时候尸体上已经开始陆续出现尸斑了，但不应该太多。我又压了压他肚子上的红斑，发现不褪色，这说明，红斑是血斑而不是尸斑，说白了，是一处处的皮下出血。

小凡想不明白，问道："怎么会这样？难道张队的肠子有啥异常，中毒了吗？"

我摇头否定了小凡的设想，找来尺子，对这些小红斑做了测量。它们的直径都在2.5—3cm之间，而且还有个相似之处，中间红得厉害，往外就渐渐消散了。

我把右手的手套脱了，看着自己的手指，跟小凡说："没猜错的话，这些红斑是被人用指头戳出来的。"

小凡"啊"了一声，一脸诧异，有些不信。

我解释说："我当法医助理的时候，听师父说了一些当地的奇闻，咱们乌州市地处辽西，这里练武的大部分是少林旁支，尤其酷爱铁砂掌和点穴。他们练的点穴不像电视里演得那么神，一伸指头能射出激光啥的，但他们的指头比一般人的短、粗、硬，只要戳在人的要害部位，能让对手身子局部发麻。"

我又指着张队的肚子："我看过师父拍的一些照片，是点穴戳在人身上后的反应，跟张队肚子上的红斑几乎一模一样，另外红斑直径也符合手指戳出来的特点。"

小凡点头表示明白了。接下来我们又看着张队的脚脖，这地方难不住小凡。

他研究一番，抢先说："被绳子勒出来的，很明显张队死前被人头下脚上地吊过。"

我赞同地应一声。等小凡记录完，我们又看了张队尸体的其他部位。

我发现他头部后枕的地方有个肿块，细摸之下并无骨折的迹象，但这肿块面积很大，一般人遇到这种打击，保准当场昏迷。

至于张队脖子上的伤口，细瞧之下也有一个新发现，伤口左面的创角淤血很严重，周围也都有大量干枯的血迹，而其他部分，尤其右面创角上，几乎没流出什么血来。

乍一看这种现场很怪，但我结合其他尸检情况，有点明白了。

我有点累，让小凡继续看看张队的指甲，看能不能发现皮屑啥的，那很可能是凶手的。我们只要有所发现，就能找到DNA，就算一时没法比对，也能通过性染色体，确定凶手性别。

我出了解剖室，在门口抽烟，没等吸完呢，副局和李法医赶来了。我很在乎李法医的工作进展情况，先问了句。

李法医摇摇头，说凶手很狡猾，没套取到指纹，痕检员也没发现任何可疑足迹。

这让我诧异，心说凶手就算是个高手，也不可能一点儿蛛丝马迹都没留下吧。除非他对警局后院的布局一清二楚，连门卫巡逻的时间都了然于胸。

副局让我把烟掐了，一起去解剖室。我们进去后，小凡已经做完我交代的工作

第二十六章 · 意想不到的嫌犯

了。我问道："怎么样？"

小凡泄气地摇摇头，说："张队指甲里干净得不得了。"

这也在我意料之中，凶手不可能在小阴沟里翻船。但副局有些不耐烦了，目前为止他所听到的，全是这个没发现那个没发现的，他指着我，说："说结论，尸检完你有什么判断？"

我在大领导面前也不能藏着掖着，就说我的判断，把当时情况还原了一下。

"凶手先是击打张队后脑，让其昏迷，又把他带到隐蔽处倒着吊起来。这凶手的手段很残忍，先在张队脖子上割了一个口子放血，所以张队的脸上全是血，也因为控血，让他眼珠子都是红的。凶手还会点穴的功夫，是个武把子，用手指戳张队的肚子，我分析可能是在折磨张队，又或许在逼问什么事情，最后凶手对着张队脖子来了一刀，将其杀害。这一刀极准，跟之前放血的伤口是完全重合的，而且割这一刀时，新伤口上并没流出血来，我觉得当时的张队，早就血流光了死掉了。"

副局听到这儿，都开始控制不住咬牙了，我离他近，能隐隐听到他嘴里咔吧咔吧的声响。

李法医在听我分析的同时，也在检查张队的尸体，他倒是对脑后的肿块有兴趣，还找来一个小刀，把肿块附近的头发剃下来一些。

我看李法医一副若有所思的样子，估计对肿块有一定想法。他的资格老，跟我师父差不多了，还是省里下来的，好不容易有学习经验的机会，我当然不放过，就直接问他："是有什么新发现吗？"

李法医的结论，让我们都诧异了。他说："把凶手的范围缩一缩，应该是北虎部队在役或退役的特种兵。"

我跟小凡都凑在他旁边，我是想不明白这结论怎么来的，这肿块上也没刻着特种兵到此一游的字样啊。

副局也让李法医多解释下。李法医又说："小冷刚才分析得很对，凶手会点穴。另外，根据我的经验分析，这肿块是被连续击打两下造成的。北虎部队的特种兵都习惯开双枪毙敌，也就是两发子弹打在相近的部位，这样有叠加伤害的效果，他们也因此有了衍生的习惯，用冷兵器也爱连续击打两下。这伤口暴露了他的身份。"

我都想竖大拇指了，暗中佩服李法医，姜还是老的辣。

副局倒是想得很多，突然来了一句："这么说来，卫寅寅的嫌疑很大了！"

压

抑

我怀疑副局怎么得出这种结论的，寅寅只是个女警，并没在北虎部队当过兵，也不懂点穴功夫。

没等我们问，副局又多说一句："卫寅寅的前男友是北虎部队因伤退役的特种兵。"

这下我懂了，如果寅寅跟这个所谓的前男友有联系，她知道警局内部什么样，前男友有身手，一起谋杀张队的话，也不是难事。尤其寅寅跟张队吵架的事，全警局都知道了，犯罪动机与犯罪条件全具备了。

问题是打死我都不信这种猜测。我太了解寅寅了，她脾气火暴归火暴，发泄出来就好了，绝不能这么心狠手辣。

副局沉着脸，一言不发地离开了。我想替寅寅说两句，觉得场合不对，也没开口。

我跟李法医、小凡继续尸检，只是再没什么有用的发现了，这尸体太"干净"了，过一个多钟头，我们忙活完也收工了。

回到警局工作后，我心里想的全是张队和寅寅的事，我估计其他同事也都是这个想法，张队被害，绝对是近段时间警局的头条。

法医门诊在警局大楼后面，我这边的消息有点闭塞。小凡耐不住，这一上午总找点由头往大楼里跑，侧面打听下消息。

这一次小凡回来，偷偷跟我说："冷哥，有同事在跟寅寅问话呢。"

小凡明显说轻了，什么叫问话？要我说就是在审问，只是碍于同事的情分，不像审犯人那么严罢了。

我特想去看看什么情况，但强压着性子，怕受不了那个场面。

这样一晃到了吃饭时间。

我们这些人全奔向食堂。警局食堂的饭菜一直就那样子，每顿一荤两素一汤，我本来端好餐盘要找位置，却突然发现个怪现象。

食堂本来就不大，寅寅独自坐在一边，其他同事全在另一边，乍一看挤得跟罐头似的。我望向他们的时候，还有同事对我使眼色呢，那意思是快过来。

我有些不满意，心说这帮人行不行？寅寅是有嫌疑，但没有证据指出她就是凶犯呢，怎么都急着跟她划清界限呢？

我上来犟劲了，不理会同事的目光，直接走到寅寅旁边坐下来。

寅寅胃口不咋好，无聊地低着头，一小口一小口地吃米饭呢，看我支持她，勉强笑了笑。

她不想跟我说啥，但我觉得，她肚子里已经很窝火了，要是饭量跟不上去，这人不就完了吗？

我想了个招儿，把手机拿出来，找了几个笑话网站，纯属往下硬扒段子，就这么念着，哄寅寅开心。

没一会儿，小凡也坐了过来。他是吃完饭了，或许被我这股劲儿打动了吧，也仗义了一把，说："寅姐，冷哥说过一句话，这世上没有完美的犯罪，再狡猾的凶犯，也会留下线索的。就算千难万难，冷哥和我一定会把线索挖出来，还你清白。"

我偷偷对小凡使个眼色，那意思他真行，其实这句名言是我师父说的，我有次对小凡引用了，没想到他记住了。

寅寅看了看我俩，尤其看着我，点点头。

小凡这句话，真就是说得容易。等到了下午，我跟小凡抽出很多时间研究张队死亡案，也完完全全把尸体的资料又查了一遍，还是一无所获。另外警局也派人去张队家里做调查，按痕检员给的报告，张队家确实来过人，但打扫得很干净，也没留下任何有用的痕迹。另外问了张队家周围的邻居，也翻看了张队最近的通话记录，没有值得注意的地方。

我对这个案子太在意，研究这么久，却依旧是这么个结果，一下子压抑得不行了，太阳穴一直突突乱跳。

我跟小凡和李法医打声招呼，自行去外面溜达一会儿，散散心。

我出了警局大院，在四周转悠了一圈，只是天太冷，过了半个小时，我又不得不走回来。而这期间我有个直觉——有人跟踪我。我回头偷偷瞧了好几次，却没发现异常。

在回去后，经过警局办公大厅时，我看到有个女孩正跟一名女警谈话呢。这女孩长得那叫一个美，尖下巴大眼睛，个子虽然不高，却给人一种娇小、萌萌的感觉，估计拍个照片发网上去，肯定会成为很多男人心中的女神。

我不认识她，因为她长得好看，多看一眼罢了。我跟她擦肩而过，想快点回到法医诊室。

谁知道她看着我背影，突然喊了句："喂！"

我停下来了，四下瞅瞅，确定她喊的是我。我挺纳闷，反问："有事？"

女孩捂嘴笑了，凑过来，压低声音问我："帅哥，你是不是养虫子？"

我脑袋嗡了一下，心说她咋知道的？我还特意退后看了看，确定自己身上没爬啥虫子。

女孩被我这囧样弄得更笑出声了，又说她也养过虫子，我身上有一股特别的味，她一闻就知道了。

我想起昨晚张队的态度了，也急忙把上衣拽起来，使劲嗅了嗅。我是真不觉得有啥味，但一个素未见面的女孩能这么说，那可太严重了，这味道还特容易让人误解，要是我天天傻乎乎地带着这股味，还咋在警局混啊？

我都有点尴尬了，不想跟她多说什么，想快点回法医诊室，哪怕借一瓶香水喷喷呢。

可我刚转身，女警喊道："霍梦你回来，你说张队去你那儿，然后怎么了？"

我耳朵跟兔子一样，都快竖起来了，因为张队的字眼刺激到我了，这里一定有情况。

我跟女警都认识，都是同事，没什么不好意思的，赶紧凑过去旁听。

霍梦没理会我，继续跟女警做记录，我趁这个时间把之前记录看完了。

原来这个霍梦是一个按摩中心的老板，张队跟一些警局同事经常光顾。昨晚十一点多，张队去她那儿做了一套保健，她那儿的休息大厅也能听戏和过夜，按她说的，张队昨天心情不好，本想在那里过夜的，但凌晨三点多，张队接了个电话，就走了。

第二十七章 · 压抑

她本来没觉得异常，直到听说张队死了，这才来局里说说她知道的情况。

我一合计，凌晨三点多，这跟张队死亡时间很接近了，很可能张队去见的人就是凶手。

我记得警局也调查了张队最近的通话记录，赶忙离开，找到记录。

那个电话是个陌生号，我问了同事，同事说特意查过，但是个黑卡。

这么一来，这个线索算断了，我不死心，觉得从霍梦这个女子口中，绝对能问出什么来。

但等我回到警局大厅时，霍梦走了，我又跟女警套近乎，要霍梦的电话。反正那个女警是误会我了，以为我看上霍梦，想约会呢，不过我可不在乎她怎么想。

弄到电话后，我立刻给霍梦打过去。我也太急了，霍梦接电话问我干啥，我琢磨着，自己总不能直接跟问案情吧，那样显得太生硬，容易被拒绝。

她不是说也养过虫子吗？我就拿这事作为理由，想跟她一起吃个饭，请教一些养虫子的事。

霍梦很爽快地答应了，但在电话里突然嘻嘻笑了笑，我觉得挺古怪，她这笑算什么意思？

晚上六点，我们忙活完手头工作了，小凡的意思，今晚加班，一起研究张队的案子。

要没有霍梦的事，都不用小凡说，我反倒会叫着他一起加班的，但我要去吃饭，只是现在还没发现呢，不好跟他多说什么，就告诉他，先放一放案子，各自回家好好想想再说。

小凡挺不理解地看着我，那意思是这不像我风格了，我却随便说两句，先撤了。

霍梦是个挺潮的人，非说一起吃西餐，我长这么大，除了肯德基也没正经吃过西餐那玩意儿。

但为了陪霍梦，也只好硬着头皮一起去了格兰西点，这是当地一个比较大的西餐厅。

我们选个无人的角落坐了下来，点了意大利面、牛排，还要了一瓶红酒。

我心里还合计呢，怎么找个虫子方面的话题，能把我和霍梦的关系迅速拉近，这样我也能好好问问张队的事。

但没等我想好呢，霍梦给我俩各倒了一杯酒，又做出一个让我几乎惊呆了的举动。

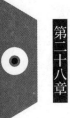

食虫妖女

霍梦本来背着一个小包，她把包从身后拿出来。我对背包没研究，但一看就是个高档货，弄不好是LV什么的。

她翻着包，从里面拿出一个玻璃瓶来。这玻璃瓶很精致，一个指头那么长，不是封闭的，有能拧的瓶盖，里面装着一只很肥的黑蜈蚣。光凭这个，我算明白了，她跟我真是同道中人，只是我就在家随便养养，她可好，把毒虫随身揣着。

霍梦打开瓶盖，把蜈蚣拿出来。这蜈蚣或许被闷久的缘故，半死不活的，她倒一点儿都不害怕，还很熟练地把蜈蚣脑袋揪了下来。

蜈蚣疼得乱扭身子，尤其那一排排的爪子无规律地乱动着。霍梦不管，继续挤着蜈蚣身子，把黄黄的虫汁挤进红酒里。

我简直惊呆了，酒水碰到虫汁，瞬间发黑。霍梦拿捏尺度，只挤了一半，留下半截鼓鼓囊囊的蜈蚣身子，又对我打手势，让我把酒杯递给她。

我看得出来，她想让我喝蜈蚣汁。我肯定不干，不仅不配合，还一伸手把酒杯口捂上了。同时呵呵笑了笑，表示我的态度。

霍梦挺奇怪，盯着我突然叹了口气说："你不知道吧，我是苗女，看来你对苗族的文化不了解。"

我心说不对劲啊，我跟她吃饭，主要目的是想打听张队死前消息的，怎么现在

第二十八章 · 食虫妖女

反倒被她牵着鼻子走，谈论苗女的事了？

另外苗族相关文化，我在电视和书上有所了解，知道那里人爱养虫子，却没听说谁这么吃虫子玩的。

看我没接话，霍梦又问我："听说过五毒教吗？"

我总不能继续当闷葫芦，点点头，说知道。

霍梦继续说："五毒教在现实中是没有的，不过毒虫对苗人的帮助很大，时不时饮用一些带毒的虫汁，也能改善人的体质。"

她还特意当我面做个例子，把那杯黑色酒水端起来，一饮而尽。

我本来看她喝毒酒，脑子里就冒出个念头，这是个疯子，绝对不想活了。而等她喝完酒时，我又发现，她脖颈上的青筋和血管全凸出来了，让人瞧得清清楚楚，有点像树杈那种交叉纵横地分布着。

这现象很短暂，很快她又恢复到正常状态了。

我想不明白这是什么原因造成的，或许跟那杯毒酒有关吧，但不管怎么说，我做了决定，以后都不跟霍梦接触了，她就是个怪物，变态！还问什么案子，我找机会赶紧走人吧。

我想了个笨招，惊讶地咦了一声，又把手机拿出来，说警局有事，我得回去工作了。

霍梦有些不信，还指着餐桌，说东西都没咋吃呢。

我摆手说不饿，这几天胃胀，这就起身。

但霍梦喊了句冷哥，还故意把椅子往前拽了拽，这样离我近一些。

一般只有熟人这么叫我，她这么一喊，我挺敏感。我看她还变得特别严肃，心说咋回事？我俩真是头次见面，以前没交集啊。

霍梦说了句让我不懂的话："每个人的机遇是不一样的，既然得到老天眷恋，何不加以利用呢？"

我是蒙了，她这话听起来跟名人名言似的，我怀疑她喝多了，弄不好蜈蚣汁的劲儿上头了，让她胡言乱语起来。

她还突然把脚伸了过来，对着我的小腿蹭了蹭。我懂，这有点勾搭我的意思了。

要在平时，被这种美女勾搭，那是我的荣幸，可现在的我很清醒，知道对面坐的，绝对就一"毒"女！

我急忙把椅子往后推了推，避开她的腿，喊服务员结账。

霍梦知道留不住我了，她嘻嘻笑着，还想抢着买单，我觉得自己一个大老爷们儿，怎么能让女人买单呢？就跟她争了争。

霍梦也挺固执，我俩争着买单时，她幅度有点大，把红酒碰洒了，淋了我一身。

我心说这个点背啊，有啥法子？最后上衣一片红，我本想把它脱了，但外面太冷，又不得不硬着头皮穿着，跟霍梦分道扬镳了。

这里离警局不太远，我步行往回走，想取了自行车回家。但等回到警局大院时，我发现大楼一层有个办公室的灯还亮着。

我一数，是刑警的办公室，谁这个时候还在加班呢？

我好奇，走到墙角下往里看看，发现是寅寅，她正坐在电脑前，不过不像办公，好像一边抽烟一边玩游戏呢。

我敲了敲窗户，引起寅寅的注意了，我跟她点头打了个招呼，又从侧门进楼，来到她办公室。

我其实找寅寅没啥事，就是想闲扯。见到她第一句话就问："咋不回家？"

寅寅显得没心情，把游戏退了，把烟盒抛给我，让我自便，又回答说："回家我能干什么？副局把我的工作都交接出去了，让我最近休息，但别出远门。"

我正点烟呢，被这话弄得差点儿呛到了。副局的意思很明白了，要开始调查寅寅了，不过不管怎么说，也对寅寅够意思，没把她监禁起来。

这里没外人，我索性直接问："你跟前男友到底怎么个情况？"

寅寅有些自嘲地呵了一声，也没瞒我，说她前男友确实当过侦察兵，不过他俩早分了，也没联系了，听说前男友一年前就去当海员了，现在都不知道在哪个海域里躲着呢，怎么可能跟张队被害有关呢？

我看寅寅说得都有点烦躁了，也没法再问了。我俩一起闷声抽了会儿烟，我是一口接一口，这烟吸得比寅寅快。

寅寅留意到我上衣脏了，又指着问："怎么搞的？"

我说："跟别人吃饭，不小心洒上酒了。"

寅寅把烟掐了，说让我快点回去洗洗衣服，不然拖久了，污渍很容易洗不掉，而且还说她有空，不如送我回去。

我一合计也行，今天风不小，自己搭个顺风车也能省事，另外让寅寅开车权当散散心了。

我俩这就要离开，但我突然想尿尿了，估计刚才在外面走得太急，另外上衣湿了，让自己冻到了，我让寅寅先提车，自己去趟厕所。

本来上个厕所也没啥，嘘嘘一下就完事。但我正撒尿呢，手机响了。

我掏出来 看，是姜绍炎的电话。我对姜绍炎很敏感，虽然师父跟我漏了点消息，但在心中我还是把他列为一个危险人物。

我一下子没尿意了，只保持一个尿尿的姿势，就这么接了电话。

我先是啥都没说，拿着话筒听着。姜绍炎打了声招呼，直入正题，说他知道张队被害的事了，他刚处理完别的案子，现在跟省里申请，想调到乌州来帮忙。

顿了顿他又叹口气说："没想到这案子还没完，我们把这事都想得简单了。"

我琢磨着，他口中说的这案子，绝不是张队死亡案，反倒应该是之前那个活尸案。我很惊讶，难道说，这两个案子也有联系吗？

姜绍炎看我一直不回话，他试探地问了句："小冷，你在听吗？"

我赶忙嗯了一声。姜绍炎问我干吗呢，人怎么这么死板。我说正撒尿呢，怕他不信，我又特意挤出点尿来，把手机对着下面，让他听听尿尿声。

姜绍炎哈哈笑了，也被我恶心到了，说不多聊了，过几天见，但挂电话前，他特意嘱咐一句，说这几天我要是遇到危险了，赶紧往五福精神病院跑。

我怀疑姜绍炎有点小题大做了，我能有什么危险？另外他让我去五福精神病院干吗？我想了想，他的意思是让我找铁驴吧。

铁驴一个武把子，确实有保护我的资本。

我真没太把姜绍炎说的当回事，等出了厕所，上寅寅的车后，也没把打电话的事告诉她。

我跟寅寅一路时不时扯上几句，这样很快就到市郊了。远处有个十字路口，过了之后再一路直行，就到我家了。

我发现今晚十字路口挺怪，本来绿灯还有十多秒呢，我们快到路口时，瞬间变红灯了。

寅寅不得不来个急刹车，我也跟着骂了一句，说明天得找交警队的哥们儿说道说道，这路口太危险，很容易出车祸。

我们耐心地等起来。左右两边的路口，本来是绿灯通行的状态，奇怪的是，竟然有两辆吉普车，分别从两个路口出现了。

都是越野型的，没车牌，但明显比寅寅的车要好很多，大了一圈、高了一截，另外还带着很粗的保险杠。

奇怪的是，那两辆车不急着通过路口，离路口老远还降速了，慢悠悠地向停车线上靠去。

我还当稀奇事看呢，跟寅寅说："这俩越野吉普的司机一定都认识，玩啥'游戏'呢吧。"

寅寅眉头皱起来了，她盯着这两辆车，来回地看了看，否定我说："没这么简单，咱们可能有大麻烦了。"

我一下明白了，又问："难道他们想收拾咱俩？是不是你仇家来了？"

寅寅冷笑一声，回答我："我当警察是惹了一些人，但都是小混混级别的，仇家哪有这么大本事，能把咱俩路线算得这么准，还事先把红绿灯都动了手脚？"

搏命夜

　　我这下理解寅寅说的了，我们确实遇到大麻烦了。两辆越野吉普，很可能是杀张队凶手的同伙，今晚他们把枪头对准我跟寅寅了。

　　我不知道这帮杀手为何对我俩感兴趣，但隐隐觉得，一定跟活尸案有联系。

　　这时候交通灯又变了，我们的车可以直行了。寅寅却没急着启动，依旧盯着那俩越野吉普。我们车后面还跟着一个出租车，他不明白啥情况，在那儿疯狂地摁喇叭。我真想摇下窗户骂这个蠢货，心说鬼投胎都没他那么积极的。

　　寅寅想到个法子，让我坐好，她急忙给油、换挡、拧方向盘，几乎一气呵成，让我们的车迅速甩出一个一百八十度的大弯来，一下到对面车道上了。

　　寅寅不停歇，开车就逃。我这下能看到出租车司机了，也对他使劲摆摆手。

　　我的意思也让他快逃，虽然越野吉普不针对他，但谁也说不好会不会有误伤。这司机却误会我了，以为挑衅他呢。

　　他竖个中指，嘴里骂骂咧咧的，我听不到，但肯定不是啥好话。

　　两个越野吉普没想到寅寅车技这么棒，对到嘴的肥肉，他们不可能放弃，于是先后起车，还管什么红灯，奔着我们冲过来。

　　先到的越野吉普挺仁义，直接追我们，而第二辆吉普，在经过出租车时，故意蹭了一下。

135

面上看，它蹭的力道不大，但也咣的一声，让出租车一侧的车门凹进去一大块，玻璃碎了一地。我估计现在那出租车司机的表情肯定很丰富多彩。

寅寅带着我继续逃命。她是迅速换挡，很快就挂上五挡了，我看表盘显示，车速都到一百六了。

这里不是高速，这种车速很快了。我本来心都落底了，以为那俩越野吉普是跟不上来了呢，谁知道他们的车好，司机车技也不错，不仅跟上了，还一点点地接近。

这下我跟寅寅都急了。

我发现两个越野吉普一定是商量好了，突然间，有一辆再次提速，想从侧面超过我们，这样等一前一后把我们的车卡住时，我们就在劫难逃了。

寅寅不可能给他们机会，她观察倒车镜，等这辆越野吉普接近后，我们的车突然往左面一偏。

寅寅把尺度算得太好了，这一下子，我们的车尾巴顶在越野吉普的前面了。我明显感觉到我们的车一顿，等有空看那辆越野吉普时，都跑偏停下来了。

不过越野车也不泄气，又急忙起车加速，但这么一耽误，被我们甩出去挺远。

另一辆吉普车见同伴被欺负了，直线加速冲过来，还管什么超车不超车的，拿出一副死磕的架势，想从后往前撞我们。

我忍不住乐了一下，对寅寅说："这做法就是变相的追尾，我们车屁股受损能怎么样？要是撞正了，后车司机当场就得完蛋。"

寅寅不这么认为，说："这车保险杠看着邪乎，估计是异常地抗撞，我们现在好比是一头野牛，敌人的吉普就是一个披了盔甲的犀牛，敌我双方绝不在一个等量级上。"

我这才明白过来，顿时有点悲观。

这越野吉普越来越近，在即将撞到我们时，寅寅又耍起手段了，她把车向对面车道移过去，用这种S形的做法，跟对手周旋起来。

我觉得寅寅太了不起了，光凭今天超乎寻常的车技，就让我对她刮目相看。我觉得自己也不能干坐着，就给她鼓鼓劲儿。

寅寅不领情，还对我喊："冷哥，别光说不练，想办法祸害祸害那辆吉普车。"

我心说对，自己的劳动力不能浪费。我把副驾驶的座位降了下去，又顺着爬到后面，坐在后车座上。

我先把窗户摇下来，探头往外看了看。

现在车速太快，我的头发被吹得狂舞，另外空气的压力也让我几欲窒息。

我知道，现在的场合，骂街的做法是行不通了。

第二十九章 · 搏命夜

我又四下看看，发现车座下面有半箱子矿泉水，这都是平时用来喝的。

我也不在乎浪不浪费了，赶紧拿出一瓶矿泉水来。拧开了，对着后车撒过去。

这要是一瓶结冰的水，我铆足了劲儿，弄不好能把越野吉普的车玻璃砸碎了，但现在的矿泉水瓶，稍微有点软，我撒出去好几个，只是让越野吉普的车玻璃弄花了。

饶是如此，越野吉普也有点受不了了，故意回避我，还试图减速。想想也是，他要是还敢盲开，一旦出现意外，就这车速，能让他的车在马路上立刻滚土豆子。

我是得了便宜不知足，还有点不满意，问寅寅："车里有铅球没？给我整俩。"

寅寅知道我要贫嘴呢，她盯着GPS，没正面回答，反倒说："冷哥，快到市里了，前面有个小路，能最快速地赶到警局，咱们就走这条路，把杀手引过去！"

我觉得计划可行，虽说现在是下班时间，但警局也有门卫，到时我们合起伙来，不信搞不定他们。

我也不撒瓶子了，赶紧坐好了，寅寅突然一个急转弯，把车开进小路了。

本来寅寅是故意拿捏车速，稍微慢一点，让这两辆吉普车跟过来，可没多久，我们就不是故意的，而是被迫停了车。

远方有个卡车，挡在路中间了，这车还射出很强的车灯，照着我们。

我一边难受地遮眼睛，一边借着这灯光，看到卡车上面坐了两个人，他们很悠闲，正吸着烟呢。这说明啥？他们是有备而来的，算准了等着围堵我俩呢。

我们一停车，等想倒车也来不及了，后面俩越野吉普跟上了，还并排停下了。

这路两旁都是小树林，我觉得我跟寅寅一下陷入到尴尬局面，前有虎后有狼的。

我心里急坏了，心说一会儿下车打起来可咋办？对方人里面要有杀张队的凶手，我俩不更废了？他那点穴功夫，谁能拦住？

寅寅脑门也有点冒汗，但她很固执，把车门反锁了，打定主意不下车，又催促我："冷哥，快想想办法！"

我哪有好招儿啊？但真是赶上这场合了，我是硬生生憋的，一下灵光一现。

我记得姜绍炎说过，有危险去五福。我就跟寅寅提了句："信我的，现在要是有机会逃出去，奔着精神病院走，一定能化险为夷。"

寅寅不明白我为啥这么说，还反问："确定去精神病院能逃过一劫？"

我再次毅然地点点头，这时我也从倒车镜看到，卡车和越野吉普又动了，一起奔着我们慢慢开来。

寅寅盯着路两旁的小树林看了看，突然脸上一露狠色，喊了句："走着！"又挂挡打方向盘了。

我发现这丫头是真疯狂，我们的吉普竟奔着小树林冲了过去。

我看着两棵树离我越来越近，这不是马上要撞得车毁人亡的节奏了吗？我吓得哇了一声，都闭上眼睛了。

可等我再睁眼时，发现寅寅精确地计算着角度，让车从这两棵树中间蹿过去了，当然了，我们的车也被刮得挺惨，一个倒车镜没了。

寅寅就这么死磕上了，让车跟个泥鳅一样，左一扭右一扭的，最后竟带着我活着出了这片树林，上到正道上了。

敌方的卡车不用说了，根本进不了林子，那两个越野吉普也想试，只是车身大，反倒卡在两棵树中间了。

寅寅打定主意，虽然有逃命的机会，也不想就此放过敌人，她故意把车开了回来，拿出挑衅的意思按喇叭。

我也得帮忙啊，就把车窗摇下来，这次我是弄了一手骂街的做法，反正把自认要多难听有多难听的话，全从嘴里吼出去了。

敌方的人太不耐刺激，一下子全火了，卡车里的两个爷们儿也跳下来了，奔着越野吉普跑去，大有跟同伙合兵一路，继续追我们的意思。而且有个爷们儿还从卡车里拿下一把左轮枪来。

他对着我们的车砰砰打了好几枪。

我跟寅寅都惊到了。寅寅也不敢大意了，赶紧慢悠悠地开车"逃"。

我们一路又这么斗上了，我是不敢露头，因为时不时就有枪声从后面传来。

我怕我俩这么贸然地去找铁驴，他没准备好，就想打个电话。但我没铁驴号码，也不想找姜绍炎，只好打给我师父。

接通后，我师父那边挺吵，听筒里面全是嗡嗡的机械声，我还合计呢，我师父最近家里缺钱了？咋业余时间去工厂兼职了呢？

师父也知道他那边的情况，让我等等，很快，听筒里就静了下来，估计师父是躲进哪个小屋了，但不得不说，这小屋隔音效果真好。

我没时间跟师父扯别的，把眼前情况说了说。师父让我别慌，只管奔着五福去就行了，另外一会儿多注意随机应变。

我对随机应变的意思理解不透，但没管那么多，撂下电话就开始留意导航，等离五福还有五里地远时，我们的车爬了一个上坡。

等寅寅这就要把车往下坡开时，我俩全愣了。因为远处百米开外的地方，真有点吓人！

鼠
军

我们望着下坡，远处路两旁是很高的灌木丛，在灌木丛旁边站着一个人。他披着一件黑袍子，还把脑袋遮上了，看不清什么长相，背后背着一口大弓。

这让我很怀疑，他到底是现代人还是古代穿越来的？怎么会有这种离奇的打扮呢？

另外在他旁边，有两三米长的路段上，黑乎乎一片，乍一看就好像这段路被黑漆涂过一样。

寅寅把车灯调成远光，这么照了过去。她视力比我好，把"黑漆"看清楚了，跟我说："冷哥，这全是老鼠！"

我的心脏抖了一下，心说能把这段路封上，得有多少老鼠？百十来只肯定下不来。

寅寅还多说一句，只是这句话有点自言自语："老鼠？三年前的案子！"

我冷不丁没懂，什么三年前？但又想起寅寅见刘哥那次，说的三年前的跳楼案了。我觉得这里面有猫腻。

现在场合不对，我没多问，把精力全放在怪人和老鼠大军上了。直觉告诉我这是敌人一伙的，他在拦路。

本来一群老鼠而已，我们可是开着车的，要直冲过去，绝对能把老鼠碾死，问

139

题是，谁知道这附近有没有其他陷阱，盲目冲过去，很可能中招！

寅寅有她的想法，现在我们也没退路，她又把车速降低，让车慢慢往下滑。我俩也配合着，寅寅注意远处，我留意眼前的地面。

这期间那两辆越野吉普也出现在坡上了，我看着倒车镜，他们发现远处的怪人后，竟也停了下来，过了好一会儿，也学着我们，把车速降下来，一点点跟过来。

他们的举动分明告诉我，他们事先并不知道这怪人会出现，貌似也不认识他。

我一时间迷茫了，不知道怪人到底是哪边的，是敌是友？

这样等我们的车离怪人只有二三十米远的时候，他有动作了，把头缓缓抬起来。

我看得倒吸一口冷气，怪人的脸森白一片，有的地方都起褶子了，双眼呆呆无神。我可是专门跟尸体打交道的人，他的面容分明告诉我，这是一具死得不能再透的尸体。

可也有矛盾的地方，这要是尸体，怎么可能活着站在我们面前呢？

他嘴里还咬着一个东西，有点鼓鼓囊囊的感觉，我一时间认不出来。

寅寅也有点怕了，急忙刹车，我们坐在车里，跟这个怪人对视着。怪人率先又有动作，把背后的大弓慢吞吞拿下来，从腰间拿出一支箭来，对着我俩拉弦。

我看这弓绷得紧紧的，心都快从嗓子眼里跳出来了。

我也不笨，赶紧让身子顺车座往下一滑，只稍微露出小脑袋来。这样一旦怪人开弓，我也能最快时间躲避。寅寅是低伏着身子，尽量贴在方向盘上，借此做掩护。

我没时间掐表，估计僵持了几秒钟吧。那怪人突然把身子一扭，让弓对准我们身后的一辆越野吉普了。

他没犹豫地射出一箭。这箭的威力很大，几乎一眨眼间就到了越野吉普车的挡风玻璃前了，劲儿也大，啪的一声把挡风玻璃射出个洞，里面还立马喷出一股血雾，把玻璃都染红了。

我估计这一箭结束了一个司机的性命，这辆吉普车也一下瘫痪了，失控地往下继续滑行。

怪人趁机又拿出一支箭来，搭在弓上，对准剩下那辆越野吉普。

这辆车的敌人不会坐以待毙，司机赶紧刹车，一低头躲下去，而副驾驶的车门打开了，跳出一个爷们儿来，就是拿着左轮手枪的那个人。他隔着车门，要对怪人开枪。

怪人也不急着射箭了，竟然身子一软，整个人躺到了地上。

他要是站着，保准是个活靶，但这么一躺着，隔这么远，尤其大晚上的，想把他打中，太难了。

第三十章 · 鼠军

怪人又吹出怪声来，很刺耳，也没什么节奏。但地上那些老鼠却跟炸了锅一样，整体涌动起来，像潮水一般，奔着越野吉普冲去了。

我明白了，他嘴里的怪东西应该是一种"乐器"，响声就是用它发出来。另外老鼠大军这么一动，让我看得手心都冒汗。

我们的车安然无恙，老鼠大军经过时，分别从两旁绕过去的，但我们身后的敌人就惨了。

拿枪的爷们，急忙对着老鼠砰砰打了几枪，只是一个左轮枪，就那么点威力，能打死几只老鼠？

很快，这些老鼠把他们包围了，还陆续往上扑。

我稍微松了口气，意识到这怪人是跟我们一伙的。

我跟寅寅说："把车往前开，咱们见见这个怪人。"

寅寅有些犹豫，因为这怪人给我们的见面礼太震撼了，其实我也是强撑着的。

寅寅把车开到他旁边，我俩下了车，等离近了，我留意到，这怪人的嘴巴上，从里往外流着哈喇子。

他这德行让我想起活尸，想起孙佳了。只是孙佳当时是乱咬人，疯疯癫癫的，眼前这活尸明显有理智。

我心说这怪人不能总这么躺着吧，我就招呼寅寅，说一起过去，把怪人扶起来。

寅寅没听我的，她一直躲在我后面，既害怕又警惕。

这么一耽误，怪人自己爬了起来，他也不理会我俩，仍然一副行尸走肉的架势，奔着越野吉普车的方向走过去了。

我跟寅寅一起望着他，我忍不住又问一句："这怪人和老鼠跟三年前案子有关吗？到底怎么回事？"

寅寅有点纠结，说那案子不能公开，结案后，上头下来文件，除了当时参与破案的人员，对其他人要严密封存。

我知道，警局里有些档案是不能提的，我没法子，也不问了，心说以后再找机会挖内幕吧。

就在这时，周围的灌木丛发出窸窸窣窣的声响。现在没风，却发出声响，很明显里面有东西。

我俩被吓住了，背靠背地留意着。我隐隐猜出来了，这里面躲的是老鼠，但没想到个头会那么大。

突然间，十多个黑影从灌木丛跑出来，它们也就没长耳朵吧，不然跟黑兔子一样了。

这些大老鼠的牙很长，都合不上嘴地外露着，尤其眼珠子里还有点绿光。我跟寅寅都有点瘆得慌。

这绝大多数是老鼠大军里的鼠王，它们都盯着我俩瞧了瞧，大部分一扭头，奔向远处，加入战斗之中。另外有三只大老鼠，慢慢向我俩围了过来。

要在平时，我能惯着它们？早就找东西开打了，这叫先下手为强。但这些鼠王一定是怪人的宝贝，我更怕一旦对三只鼠王动粗，会激怒它们的同伴。老鼠大军要是冲过来对付我跟寅寅，我俩保准凶多吉少。

我看寅寅有点"暴躁"，赶紧伸手把她搂住了，还安慰她别怕，说这三只老鼠只是对咱俩好奇而已。

但说是这么说，突然的，有个鼠王先有动作了，它一下扑到我裤腿上，顺着往上爬。

它的爪子也真锋利，死死抓着我裤子，我能感觉到，它每走一步，我腿上就疼一下，一定是它爪子把我肉刺破了。

我心说坏了，自己这条裤子报废了不说，等事后还得找点药抹一抹，万一这鼠王爪子上带菌呢？

但这都不算什么了，我拳头握得紧紧的，就怕鼠王对我偷袭。实际上这种悲剧并没发生，鼠王爬到我腰间的位置就停下来，又把脑袋伸到我衣兜里，也不知道它想啥呢，反正一顿拱来拱去的，最后叼着一个东西出来了。

它把这东西撇到地上，又迅速顺着我裤腿爬下去。之后三只鼠王不管我和寅寅，跟同伴会合去了。

我望着它叼出来的东西，就是个打火机，只是这打火机根本不是我的。

现在也没老鼠在我身上爬了，我也没那么害怕了，松开寅寅，蹲在地上，把打火机捡起来。

这上面还有鼠王留下的口水呢，我不在乎，摆弄它，心里寻思上了，难道是今晚跟霍梦吃饭时，西餐店送的赠品？但什么时候送给我的，我一点儿印象没有。

寅寅专门搞刑侦的，比较识货，她望着打火机咦了一声，又抢过去摔在地上，还使劲踩了两脚。

这打火机就是个塑料货，禁不住这踩，一下子碎了，哧地喷出不少气来。

等气没了，寅寅又把它的壳子掰开。我看到里面附着一个小芯片，估计也有半个指甲盖那么大吧，上面还有一个针眼一般的小灯，正微弱地一闪一闪呢。

寅寅把这芯片抠下来，捏着它对我说："冷哥，我该问你了，惹到谁了？怎么被人跟踪呢？"

我也明白了，但更迷糊上了，这绝不会是西餐店的赠品了，难道是霍梦？我记得结账时，她不小心把酒碰洒了，还歉意地给我擦身子呢，会不会是她在那时候偷偷把打火机塞给我的？

我把这事记下来了，心说等回去了，好好查查这个霍梦。

接下来我还想问问寅寅芯片的事，但远处一声惨叫，让我和寅寅都激灵一下，一起望了过去。

那些越野吉普车上下来的敌人，几乎都死了，只有拿枪的爷们儿还留一口气，苦苦挣扎着。

他们都躺在地上，身上全是老鼠，这些小畜生正贪婪地大口撕咬。

我心说坏了，这帮人可是重要线索，都被弄死了，我们还怎么破张队被害的案子？

第三十二章

「消极」待命

　　我的底线，至少拿枪的爷们儿不能死，他也是目前我唯一找到的活口了。

　　我对着远处喂了一声，想引起怪人的注意。但怪人没理会我，反倒那些正吃人的老鼠全停了下来，默契地望着我。

　　这帮老鼠没有灵智，本来也就是被怪人用特殊方法驱使着，现在它们见到血、吃到肉了，已经有点狂暴了。

　　或许在它们眼里，都有这么一种意识，快看！那边还有俩活人。

　　我这喊声，也刺激到一批老鼠了，它们突然成群结队往这边跑。

　　我跟寅寅全吓毛了，还想要留什么活口？我怕再耽误下去，我俩就成了老鼠的盘中餐了。

　　寅寅叫我赶紧上车，她拿出最快的速度开车逃了。这期间我还希望那拿枪的爷们儿再抖抖腿呢，把这些老鼠吸引回去。

　　我们没再停留，一路奔着五福精神病院去。我趁机把为什么来五福避难的原因跟寅寅说了。

　　我其实知道的不多，也这么告诉寅寅，姜绍炎知道张队被害的事了，他在跟省里申请，尽快赶过来帮忙，也嘱咐过我，遇到危险就往五福精神病院跑。

　　寅寅点点头算是回应，但她怎么想，我就不知道了。

第三十一章 · "消极"待命

本来这么晚了，五福的大门都关了，但我跟寅寅都带着警察证，我们亮了亮"招牌"，享受一把特殊待遇。

我们开着破烂的吉普车，停在B区楼下，然后一起来到我爹的病房。

我以为这下能见到铁驴了呢，谁知道他不在，只有我爹，他也没睡觉，坐在病床上，不知道瞎琢磨啥呢。

我对我爹笑了笑，算是打招呼了，又把寅寅介绍给他。我跟我爹虽不亲，但也不跟他客套。

我这次不想跟他聊啥，毕竟心里压着事呢，就招呼寅寅坐在铁驴的病床上先歇一会儿。

我爹很奇怪，他不仅没理会我的打招呼，还突然嗅了嗅鼻子，下床奔着我来了。

寅寅知道我有个精神病的爹，她是见怪不怪，我却心里纳闷，心说老爷子咋这么反常呢？

老爹凑到我身边，对着我身上猛嗅几下，突然脸色变了，指着我说："你是魔鬼！身上有魔鬼的气息！"

我愣了下，心说啥魔鬼？难道他指的是我身上的虫子味吗？再说这味道有这么明显吗？

还没等我辩解呢，我爹把铁驴的枕头抓了起来，一边喊着打死你，一边对我穷追猛打。

这枕头很软，没啥杀伤力，但问题是，它里面全是鹅毛，这么狠力一拍，惨了，简直是鹅毛满天飞。

他不仅打我，还对寅寅下手了。我俩终归是晚辈，也不能还手！没办法，硬抗几下后，实在受不了了，全退出病房，赶紧把房门关上。

我爹倒没赶尽杀绝，他隔着门盯着我俩瞧了瞧，木然地转身回去了。我暗自松了口气，又跟寅寅互相看看。

我不知道自己脸上啥样了，但寅寅真惨，浑身上下都是毛不说，头发里也挂着几根，尤其鼻尖上还粘了一根。

我俩想把这身毛摘干净，发现办不到。最后我俩放弃了，又找个走廊的椅子坐下来。

我是想等等铁驴，我猜他要么上厕所了，要么打热水去了，不久后就能回来。

但我错了，足足等了半个多小时，铁驴才急三火四地从远处出现。他没穿病服，一定外出了，等来到我身边时，他身上还飘过来好冷的一股寒气。

我跟寅寅的外貌太有个性了，铁驴瞅瞅病房，又瞧瞧我俩，咯咯笑了。

他的笑声很特别，尤其这种笑法，让人觉得是从里往外地"羞辱"人。我摆摆手让他别笑了，心说自己不就一身鸟毛嘛。

寅寅跟铁驴不熟，但也不认生，直接问了正事，想让铁驴解释下，路上怪人怎么回事？跟姜绍炎有啥关系？

铁驴倒是对寅寅挺敏感，还看了看我，那意思是这女的谁呀。

我赶紧介绍下。铁驴哦了一声，说对寅寅有印象，乌鸦提过。不过他又一耸肩，说自己就是一个打工的，只负责管老爷子，其他事跟他没关系。我们要想知道更多的情况，还是问乌鸦吧。

我算看明白了，铁驴摆明了不想说啥，但他心里一定知道秘密。

铁驴又故意打着哈欠，说困了，要回病房睡觉，也提醒我俩："外面没危险了，你们可以回去了，等过几天乌鸦来了，一切会好转的。"

这话有言外之意，他这么肯定外面没危险了，说明他不仅跟那怪人认识，也很清楚那里的一举一动。

我跟寅寅肯定不想这么放铁驴走，寅寅起身拦在他面前。铁驴有些不乐意了，从兜里拿出一张纸，摊开了让我们看，还说："我可是正儿八经的精神病人，有证明的，你们拦我干吗？再说你们没证明，小心护士过来轰人。"

我看这纸上用特大号的字写着"证明"两字，底下竟然还有公章，我算服他了，心说这年头，去精神病院蹭吃蹭喝也得有单位介绍信才行，而且他又拿出老办法了，拿医护人员当挡箭牌。

我也没招儿，拽着寅寅离开了。寅寅是不服气，边走路还边学铁驴的样子，傻兮兮地说："嘿，我有证，我是精神病！"

我们开车往回走。我跟寅寅商量，一会儿赶到下坡那里，先看看形势，再决定要不要找同事赶过来处理现场。

我没抱乐观态度，估计那些杀手都被老鼠咬死了，而等到了现场，实际情况远出乎我意料。

这里别说尸体了，血迹都少，星星点点的。怪人和老鼠全不见了。在那两辆越野吉普旁边，停着一辆警车，上面印着两个很鲜明的白色大字——特警。

四个身穿特警服的男子，正围在越野吉普旁做检查，这两辆车好像出故障了，他们准备修好之后开走。

等我跟寅寅的车开过来，有个特警抬头看了看，他不认识我俩，却认识寅寅的车牌，对我们敬了个军礼，大步走过来。

其实这时候我也在留意那辆特警车的车牌，不是本地的。

我们跟特警也算一家子，人家走过来了，寅寅不可能不给面子，连招呼都不打，她把车窗摇下来了。

特警没多说啥，只告诉我们，这里由他们接手，我俩别管了，也不要跟市局汇报，以免打草惊蛇，一切都等乌鸦来处理。

这一晚上我听多少人念叨姜绍炎了，也真意料不到，这省里的专员，竟然在乌州市留了这么多的后手。

看我和寅寅都没接话，特警特意强调一句："听懂了没？"

我肯定不懂这里面的猫腻，较真地说，从活尸案开始，自己就稀里糊涂的，但我率先点点头，表示接受特警的建议。

他又敬了军礼，打着手势，要"指挥"我们离开现场。

我跟寅寅想留也没法留了。我俩开车走了一段，又一商量，外面不太平，今晚先回警局住吧，别的等明天再说。

接下来这一路，我们没再遇到危险。等到了警局，我俩找到那间小会议室，拿来行李，头顶头地躺椅子上睡起来。

我实在太累了，有种身心俱疲的感觉，几乎一沾枕头就睡着了，甚至我都怀疑，这不是睡觉，而是一种半昏迷。

这样过了很久，迷迷糊糊间，我突然来个意识，也惊得一下坐了起来。

我纯属后返劲儿，杀手他们是在去我家路上伏击我们的，这说明什么？他们一定知道我家在哪儿，这样打火机跟踪器一暴露我的行进路线，他们才能一看就明白，知道我要回家，提前设下伏击地点。

我那个农家院本身没啥可偷的，但不是有魔鼎吗？虽然我一直把魔鼎当成玩物，没太重视，只用它吸引个虫子，培养个虫子啥的，但其他人，可都把它当宝贝了。

魔鼎也是姜绍炎特意留给我的，真要被偷了，我怎么交代？

我看了看时间，已经早晨六点多了，我一合计，这时候大家都起来了，村民也下地干活了。

我现在回趟家，杀手他们应该不会有动作了。我赶紧扭头找寅寅，想让她带我回趟家。

但我头上方的椅子全空了，寅寅和行李都不见了，她偷偷起来竟然没告诉我。

我心说她干吗去了？又一琢磨，她的吉普车昨晚上撞得挺严重，车屁股凹进去一大块，车身也被刮了。她一定是修车去了，不然等同事都上班了，看着寅寅的破车，肯定又说三道四。

我又想除了寅寅外，还有没有其他人选能跟我走一趟的，毕竟我不想单独回家。

我脑海中浮现出一个人来，许松，就是我们警局的保安。他有辆摩托车，业余时间也是个不错的车手。

我都顾不上洗脸了，换了件外套，急忙往门卫那里赶去。

农家院被盗

　　赶得很巧，这时候许松刚跟其他门卫交完班，骑在摩托上准备走了。我离老远喊了一嗓子，让他等等我。

　　许松性子有点憨，大家都给他起个外号叫傻根。他不知道我为啥喊他，但也等我一会儿，等我俩离近了，他问了句："冷哥，叫我干吗？"

　　我跑得急了，累得直喘气。我也不急着回答啥，先一屁股坐到他后座上，这样他想把我甩掉也不可能了。

　　我又倒腾了两口气，等呼吸平稳了，告诉他，我要回家取点东西，让他带我一趟。

　　许松当时脸就沉了，嘴角往下撇，其实想想也是，我突然提这种要求，有点无厘头。

　　他没直接反驳，盯着大马路，正巧过来一辆出租车，他就目送出租车一路远去。

　　我明白，他是想让我自己打车回家得了。我也不能再跟他解释啥，索性又开了个"条件"，跟他说："你带我回去一趟，咱们警局周边这些餐馆、涮锅、烤肉啥的，随你选，咋样？"

　　许松肯定打心里合计了，他一个摩托，来回来去能费啥劲儿？但我请他狠撮一顿，明显他占大便宜了。

这小子傻根的劲儿上来了，嘿一声，说妥了，又一下子把摩托开出去。

我防他这一手呢，也没被这么突然的起车吓住。只是他又是护板又是车服的，裹得那叫一个厚实，我穿得略显单薄，被冻得够呛。

我只好紧紧搂着他的腰，贴在他后背上取暖，饶是如此，等来到农家院门前，我还是被冻得身子发僵。

我下车后急忙活动一下，原地跑跑跳跳，让自己尽快活活血。许松不打算跟我进屋了，他说坐在摩托上等我。

我急忙走到院门前，但看着大门，心里一紧。

我家院门本来是锁着的，现在的锁头没挂在门上，反倒掉在地上了。我蹲下一看，锁把手儿被老虎钳子之类的东西夹断了。

这说明我家真进来人了。我心里特别不自在，不过也不断安慰自己。

我每次走之前都把魔鼎藏起来。虫室里有三张大桌子，上面放着养虫的玻璃缸，但桌下方的墙面被我动手脚了。我用螺丝刀撬下一个砖头，弄掉半截，这样墙里就有空隙了。我把魔鼎包好锡纸放在那里。

我现在纯属抱着一种侥幸的心理，心说魔鼎被藏得那么隐蔽，杀手他们未必能找得到。

看我一直蹲在门口没动弹，许松挺纳闷，他喊着问了句："冷哥你咋不进去呢？"

说实话，我是觉得大白天的杀手都该走了，但万一他们没走，这院子还有人呢？我看着许松，对他摆手。

许松下了摩托，凑过来问我咋了？

我把门锁举起来，让他看看，又说："看到没？我家好像进贼了。"

许松以前当过兵，虽然现在只在警局当个门卫，但这小子有股子血气劲儿。他一听有贼，一下子急了。

他也带着胶皮棍呢，一把抻出来，跟我说："谁这么大胆，敢打冷哥家主意，我进去看看。"

他一手把门推开就往里走。不过这门刚开，他迈进去一步，有个东西从门檐上落了下来，吧嗒一下挂在他脑袋上了。

许松本来没觉得有啥，把东西抓下来随便看了看，随后他哇了一声，吓得别说进门了，紧倒腾双腿往外退，没留意脚下，一屁股摔到了地上。

我被他弄得挺紧张，但还是先看看院里啥情况，静悄悄的，连个人影都没有，屋里也没啥动静。

我放下心，又瞧着许松，不知道他发生啥状况了。

许松已经把那东西撇到地上了。我看到这是半截蜈蚣，而且还认识，就是我养的那个黑紫蜈蚣。

我对它有点感情，但也纳闷，它怎么死到这儿了？

另外它刚才落在许松脑门上，弄得许松额头全是黄油油的虫汁，这玩意儿有毒，我看许松还想乱摸，急忙制止他，不然落到眼睛里就糟了。

我没找纸巾和纱布之类的东西，索性不管那么多了，用衣袖对着他额头擦了擦。

我又细细观察一看，他额头上没伤口，这毒汁也只停留在皮表了，没啥大碍。

我赶紧把许松拽起来，许松骂骂咧咧的，说这玩意太恶心了。

我没接话，带着他进了院子。我发现这里有点小狼狈，有死蜘蛛和死蝎子，都是我养的。

许松不知道我养虫子，看着这些虫尸，全愣住了。

我的心情不比他好多少，因为我看出来了，这里发生过打斗。我这些虫宝宝，不知道为啥，竟全出了虫室，跟人或许其他什么东西在这儿搏斗起来了。

我没侥幸的心思了，隐隐意识到不好。许松还想跟我一起去屋里看看呢，我把他拦住了，让他等我，我有事会喊他。

我自行走进去，发现屋里比外面还要激烈，出现死蟑螂和死蛐蛐了，它们本身不是太厉害的虫子，纯属提前被解决了。

等我来到虫室后，发现这里飘着很浓的杀虫剂的味道，那些玻璃缸里的情况简直惨不忍睹。

不管怎么说，这些虫子也是我用一个月时间收集起来的心血，看着它们全死了，我心里有点刀绞的感觉。

但我压着这股难受劲儿，找了把螺丝刀，蹲在桌子旁边，把那块砖抠了下来。

看着这里面空空如也，我脑袋终于扛不住地嗡了一声，魔鼎还是丢了！

我有种想撕头发的冲动，脑袋里一直反复响起一句话，这可这么办？

我琢磨一小会儿，把手机拿出来了，我想给师父打个电话，跟他说说这事，但电话拨过去了，提示我关机。

这种情况很少见，师父作为省级法医，不该关机才对。我又试了一次，还是不行。

我又翻到姜绍炎的号码，犹豫着，给他打了一个电话。

姜绍炎倒是很快接了，我硬着头皮，拿出一副挨骂的心思跟他汇报这件事。他一直默默听着，等我说完，没想到他竟无所谓地回了句，知道了，就把电话挂了。

这让我摸不清他怎么想的了，难道这鼎没我想象的那么宝贝，还是说他生气到一定程度，反倒淡定了？

我看着手机屏幕，又不敢再给他打回去。

我心说反正他知道这事了，具体怎么处理，由他决定吧。尤其这里面牵扯的东西太多了，虽然农家院被盗了，我却不能报警，不能让当地警方来处理。

我沉着脸出了屋子。许松看我这德行，还问我呢："家丢啥东西没？"

我谎称丢了点小钱，没太大损失，又让许松带我回警局了。

这一来一回都八点多钟了，警局也上班了，我虽然还有点困，却强忍着回到法医门诊。

寅寅修车的事，我觉得挺保密的，但小凡知道了，还跟我说，大家都在谈论寅寅昨晚去哪儿了，车咋成了那德行？

我能说什么？只是打了声哈哈就把这事带过去了。

我发现李法医有点古怪，他私下拍了拍我肩膀，带着一种鼓励的意思说："过两天就好了。"我猜他一定也是姜绍炎的手下，是省里特意"挑选"后派下来的。

这一上午，我忙活工作的同时，脑袋里也在合计着，其实我心里还是压着一块石头，我总想起霍梦。

昨天她找我吃饭，她还吃虫子，等饭局结束了，我跟寅寅就被追杀，我的魔鼎也丢了，这一切哪有那么巧的？

我太窝火，想在姜绍炎来之前，自己能不能用点手段调查下霍梦。但这种事不是我的强项，还得让寅寅帮忙才行。

到了中午，我吃完饭，打着小主意，偷偷去了刑警的办公室。

午休期间，很多同事都在办公室里歇着，我总不能当着他们面跟寅寅讨论霍梦，于是悄悄把寅寅叫了出去，找个旮旯，一起吸根烟。

我问道："知道霍梦这个人不？"

其实我也就是随便问问，想借着她继续往下引话题，没想到寅寅点点头，说怎么能不记得这妞？她开KTV的，也就是她私下找张队说两句，张队就给她开绿灯了。

我听完有点纳闷，心说霍梦不是按摩中心的老板吗？咋又开KTV了？但一转念，我明白了，霍梦产业做得够大，按摩中心和KTV都有她的份。

　　这下我更加肯定霍梦有猫腻了，除了没提魔鼎以外，我把自己想到的可疑的地方都跟寅寅念叨一遍，问她能不能调查。

　　寅寅听完来脾气了，说她早就看这妞不顺眼了，这次就新账旧账一起算吧，她也让我放心，她那边有靠谱的线人，能把霍梦死死地跟踪住。

　　我知道寅寅是出了名的务实，也真把心放肚子里了，还跟她说，有消息一定通知我，然后聊点别的就散伙了。

　　这样一晃晚上下班了，我还寻思问问寅寅，要不要一起叫外卖对付一口。赶巧的是，没等我找她，她反倒找我来了。

　　她从调度那里借了一辆警局的"私家车"，强行把我拽到车里。

　　我看她开车要出发，忍不住问了句："这是去哪儿？"

　　寅寅一边准备起车，一边回答说："按线人汇报，霍梦正在市里一个饭店谈生意呢，咱们不是要调查她吗？今天带你出趟警，把她抓来'录录'口供！"

变
—
数

　　我一听有点急了，这跟我之前的计划不一样，霍梦是有嫌疑，但我们没找到证据，怎么抓人？我拦着寅寅别开车，还实打实地说了："这么做不妥吧？"

　　我现在的样子很严肃，没什么可笑的地方，但寅寅还是被我逗笑了，接着说："冷哥，你对警察办案里的事是一点都不了解，咱们是没证据，但霍梦她一个开KTV和按摩中心的，想抓把柄，太多了。我拿这事作理由，跟她'聊聊'，她也说不出啥来。哎呀，你就放心吧。"

　　我心里仔细琢磨着，这么一说，问题确实不大，而且现在正值晚高峰，我们出去一趟，也没什么危险。

　　寅寅又鼓动我几句，我终于点头同意了。她把车开走，我们一路来到一家火锅店的门外。

　　这火锅店挺大，足足有一个大酒店的规模。我们把车停到路边，寅寅顺着一个地方指了指。

　　这是靠窗的一桌，我发现霍梦和一个男子正面对面坐着用餐呢。我又私下瞅瞅。

　　寅寅猜出我想什么，她把车灯打开了，这么连续晃了两下，停在我们前面的一辆黑轿车有反应了，司机踩了三下刹车，算是前后呼应了。我明白了，这就是寅寅的线人。

第三十三章 · 变数

寅寅跟我说了具体计划，一会儿她去火锅店把霍梦带出来，再一起上线人的黑轿车，而我开着私家车在后面跟着就行。我们一前一后离开，找一个偏僻点的地方，她在车里问话，也把手机打开，让我能通过手机听到这次问话的内容，一旦我觉得有什么遗漏和不妥的，也能及时提问。

我觉得寅寅够细心，她这么做，无疑不用让我露面。随后她行动了，我也从副驾驶爬到驾驶座上了，观察着火锅店里的一举一动。

寅寅在进门时，被服务员拦了一下。服务员肯定把她当客人了，但她偷偷对着服务员说几句，又亮了一下衣怀，服务员立刻退开了。

寅寅直奔霍梦那桌去了，一屁股坐在男子的旁边。

突然多了一位陌生人，霍梦和男子都一愣，但寅寅不管这个，又跟男子耳语一番，亮了亮证件。这男子脸色变了，饭也不吃了，赶紧起身走人。

霍梦也明白过劲儿了，不过这女人一定见过不少大风大浪，她倒是一点惊慌的神情都没有，反倒"悠闲"地喝着酒，跟寅寅说了些什么。

我也没顺风耳，只能这么干等着，但我猜用不了多久，霍梦就得被带出来。

我趁空点根烟，吸着提提神，也准备随时起车尾随。我是真没太留意，有个人不知道从哪儿冒出来的，走到我车旁边，打开副驾驶的车门，嗖的一下坐进来了。

我被他带进来的凉气刺激得一激灵，脑袋里有个想法，这哥们儿谁啊？认错车了吧？

我扭头刚想问，但看清这人长相后，话又咽了回去。

张队死后，刑警队选了一个临时的代队长，叫王亚琪，我跟他不太熟，也对他印象不好，因为这人出了名的装逼与张扬。

看我愣愣没说话。王亚琪点了根烟，靠在椅子上，很舒服地对着我吐个烟圈说："冷诗杰，咱们私下是朋友哈，但现在公事公办，当哥的劝你一句，你只是法医，职责是为侦查提供线索，为审判提供证据，别直接参与破案。"

随后他又指了指霍梦和寅寅："霍梦昨天来警局给张队的案子提供不少线索，你看寅寅今天就找她麻烦，这里问题大了！你如果不想摊事，就赶紧开车回警局，老老实实做本行，别瞎搅和！"

他说话的语气挺气人，我却没太在乎，反倒想的是他怎么这么了解我们的计划？还把时间、地点把握这么准呢？

王亚琪腰间还别着对讲机呢，他也不避讳，拿出来对着喊话，让其他人动手，把寅寅带走。

我前面那个黑轿车有动静了，从里面下来三个人，其中一个想必是线人，他对另外两个人还有王亚琪摆了摆手，扭头走了，另外两个都是我同事，嗖嗖地进了火锅店。

这下不用说我也明白了，我跟寅寅被线人卖了。

王亚琪拍了拍我肩膀，那意思让我识相点，他又下车了。这时火锅店里，也稍微有点乱套了。

寅寅看到同事来了后，她有点耍脾气不想走，最后被同事硬拽出去的。

我看到霍梦依旧很淡定地坐在饭桌旁，扭头望着窗外发生的一切，还顺带看了看我。

我的车有车膜，她肯定看不到，但我被这目光弄得不自在，总觉得这里带着一股很浓的怨气。

王亚琪他们没乱来，直接把寅寅带回警局了，还给关在审讯室里了。这举动很明显地告诉我，他们对待寅寅，连同事的面子都不给了。

我不想寅寅被这样对待，也试着说说好话，但王亚琪不买账，让两个同事刻意守在审讯室前，他自己一转身离开了。

这俩同事分明是针对我呢，而且看这架势，我要再敢胡来，他们也跟我翻脸。

我没招儿了，突然觉得，自打霍梦出现后，我就搞得一团糟，赔了朋友又丢鼎。现在唯一能做的也就是等姜绍炎了。

我拖着疲倦的身子回了小会议室，趴在凳子上，这样压着胸口能让我好受些，不然肚子里的气太顶人。

我保持这个姿势迷迷糊糊睡着了，等到了半夜，走廊里突然传来了动静。

这是很异常的情况，我好奇之下，赶忙爬起来，跑出去看看。

动静是从审讯室那边传来的，王亚琪又回来了，拿着一份资料夹，又带来两名同事，看那意思还想往审讯室里走。

我也不笨，他这么晚来审讯室能干啥？

我也顾不上形象了，嗖嗖地往审讯室赶去。王亚琪也看到我了，他站住了，等我过去。

我是明知故问的，也很客气地来了一句："王队，这么晚了，你要干吗？"

王亚琪一定烦我了，他皱着眉，伸手对着我脑袋上拍了拍。我最烦别人这么摸我头了。

他把资料夹塞给我，让我看看，还说："冷诗杰，这都是寅寅干的好事，刚收到的消息，寅寅在前阵子扫黄期间，对几个老板敲诈勒索，现在被人举报了，这真是警局的败类，我也怀疑张队发现了寅寅的秘密，这才被她担心之余，杀人灭口了。"

王亚琪说的我肯定不信，我也立刻快速翻资料看看，有一个人名迅速出现在我眼里，霍梦！

我心说又是这臭娘们，她明显是诬陷。另外王亚琪怎么搞的，这种话也能信？

没等我说啥，王亚琪一把将资料夹拽回去了，对我冷笑一声，摆摆手，那意思快走快走，随后他又招呼三个同事一起进审讯室，还有一名同事挡在外面。

我也想进去，问题是，没这机会。没一会儿，王亚琪还把窗帘拉下来，对外摄影机等也都停了。

我的心一下凉了。按照惯例，他这么做，很可能会用刑。

我知道，他要想使坏，阴招儿多了去了，就算我去验伤，也未必能有啥发现。

这名看门的同事，一直死死盯着我。我孤零零站在审讯室外面，这时我真被逼急了，脑袋里也想歪招了，有什么办法能让审讯工作停掉呢？

我只是想想，并没有啥行动，但突然间，我眼前一黑，整个楼竟然停电了。

看门的同事被吓住了，呀了一声。王亚琪很快从审讯室里冲了出来，他手里还拿着一个电筒。

他倒是小心眼儿了，照着我问："冷诗杰，是不是你搞的鬼？"

我心里呸了他一口，也不管他是不是代队长了，吼道："你开玩笑呢？我在这儿一动不动，能搞什么鬼？难道我会法术？"

王亚琪瞪我一眼，又四下看看，跟手下说："留个人，其他的跟我走，一起看看怎么回事？"

我不承认自己是他的手下，但也跟着过去了。

我们来到配电室，发现问题所在了，这里的屋门大开着，电闸被人拉下来了。

王亚琪又是一顿跺脚骂，说："这里不就内勤有钥匙吗？内勤都下班了，谁过来拉的电闸？"

他偶尔也瞅瞅我，但我压根不接话。其实我还记着呢，这小子对我这么不客气，等有机会，我保准十倍地还回去。

王亚琪又叫手下去把电闸拉上去，也不知道咋搞的，电闸是上去了，却还是没电。

这下可好，这里彻底停电了。

我是一点难受的感觉都没有，反倒觉得，这么一来黑灯瞎火的，王亚琪不会审讯了吧？

谁知道这个代队长真邪乎，让手下联系保安，找电工过来看看，又带着手下赶回审讯室，那意思举着电筒也要继续。

我心说他吃错药了吧？凭我对他的印象，平时干活不这么积极啊。

我们一行人回到审讯室前，王亚琪这就想推门呢，但我们发现，楼下的楼梯上有亮光出现，好像有人打着手电筒要上楼。

负责联系保安的同事还纳闷呢，说大半夜的，保安这么快就找到电工了？

王亚琪也不急着进去了，我们一起等着。没一会儿，有两个人出现了，我看着当头那人，心里一喜，心说寅寅肯定没事了！

第三十四章

新发现

来的是姜绍炎和李法医。只是李法医故意落后半步，全然拿出一副当下属的架势。

姜绍炎看着有种风尘仆仆的样子，估计是刚赶到警局，都顾不上歇着了，但他上楼这几步路走的，让人觉得，还是那么溜溜达达。

王亚琪也认识姜绍炎，他本来对我凶巴巴的嘴脸，现在却笑逐颜开的，主动迎到楼梯边上，对姜绍炎说："哎呀，您咋这时候来了？又有啥任务了？"

姜绍炎根本不接话，反倒对我点了点头，算是打招呼了。

我急忙应了一声。王亚琪脸一沉，我还留意到，他龇了下牙。这让我想起恶狗，咬人前也都有这动作。

姜绍炎来到走廊后，指着审讯室的门问："这里什么情况？"

不等我说啥，王亚琪抢先接话，说要对寅寅审讯，她跟一桩凶案有关。

姜绍炎拿出一副恍然大悟的样子，"啊"了一声说："是张队被害的案子吧？我有所了解，但这事跟寅寅没关系，快点放人吧。"

王亚琪不敢相信地反问句："啥？"

我看他也没放人的意思，急忙往审讯室门前靠，想把门打开。但这举动，立刻被王亚琪手下拦住了。

姜绍炎看着现在的形势，突然笑了，对着王亚琪这些人说："怎么，我说话不好使吗？"

那些手下都看着王亚琪，王亚琪本来瞪着姜绍炎，又看了看我。他突然也拿出一副恍然大悟的样子，"啊"了一声，又呵呵笑了，走近一步，凑到姜绍炎身边。

他真是狂得可以，一伸手拍在姜绍炎的肩膀上说："专员……哈！上头的意思，这案子让我接手，您大老远来，对它不了解。我看您一定找副局有别的事，这样吧，现在没到上班时间，我找个兄弟陪你吃点东西，找个地方歇歇脚，等解过乏了，明天您好忙正事。"

他刚说完，有个同事也凑过来，就势要带姜绍炎走。他们这举动，面上看着客气，其实有点压人了。

姜绍炎一点面子都不给，皱着眉看着王亚琪，甩手就来了个嘴巴。啪的一声还挺响，我离这么远听着，就感觉王亚琪脸上跟放了鞭炮一样。

那些手下全愣住了，没人敢过来了。王亚琪眼珠子也鼓了，估计是气的，想想也是，他肯定没想到，姜绍炎能这么硬。

王亚琪纯属在我们这一群人面前丢人，他忍不住了，脸很快变成猪肝色，嗷了一嗓子，骂了句妈的。他现在是代队长，平时能随便配枪，他就势想把枪掏出来。

我心里的震慑程度其实一点不比王亚琪弱，说白了，我们这群人全是警察，姜绍炎这么一出手，突然有种内讧的感觉。

我一时间没反应过来，姜绍炎本来没动，任由王亚琪掏枪，但真等他掏出来了，姜绍炎又提前出手了。

他用手指对着王亚琪的胳膊戳了一下，王亚琪的胳膊一下就软了，握枪的手也提不起来了。

王亚琪是惊到了，还对手下喊："姜绍炎会点穴，快抓人！"

我懂王亚琪的意思，杀张队的凶手，点穴功夫就很棒。但李法医往前一凑，护在姜绍炎旁边，而姜绍炎不耽误，又一伸手扣在王亚琪的脖子上了。

姜绍炎突然来了怒意，狠狠地说道："妈了个巴子的，我要你们把审讯室打开，怎么这么费劲！"

他使上力道，举着王亚琪往审讯室走去。王亚琪是不胖，但也得有个七八十公斤，在姜绍炎面前，竟跟个孩子似的。

等来到门口，姜绍炎一把将王亚琪推在门上。我听到砰的一声响，这门都被撞开了。

姜绍炎不停歇，又举着他往里走。

寅寅本来坐在椅子上，无精打采的，她根本不知道外面发生啥事了，突然看到这一幕，有点愣。

等姜绍炎把王亚琪举着摔到桌子上时，寅寅吓得还站起来往后退了退，只是她退得匆忙，差点儿被椅子绊倒。

李法医这时对着那些手下喊，说省厅专员办案，让他们都配合。其实这也是在提个醒，让这些人识相别乱来。

这些人也不是愣头青，他们知道姜绍炎的身份，谁管他会不会点穴？有没有可疑呢？全都站定旁观了。

王亚琪扭着身子，试图挣脱，也挤着嗓子喊了句："姓姜的，你是凶手，跑不掉的！"

姜绍炎哼了一声，用另一只手对准王亚琪的嘴巴狠狠扇了一下，这有点掌嘴的意思了。

姜绍炎把脸凑过去，用眼睛盯着王亚琪。

我一直用手电照亮，这时很清楚地看到，姜绍炎的目光变了，本来挺随和，现在却从里往外散发出一种兽光，这让我觉得，姜绍炎像一头草原狼，能让人从骨子里感到害怕。

王亚琪也不敢胡咧咧了。姜绍炎盯着王亚琪，一句一句地强调："小崽子，反了你了！我知道你叔叔是省厅一个科长，但那又怎么样？他看到我还得客客气气，你这鸟毛都没长全的东西，敢这么嚣张？"

王亚琪来回翻着小眼珠，不知道想啥呢。我就是无意间四下一看，发现有个同事把手机拿出来，偷偷拨号呢。

我估计他没干好事，急忙吆喝一声，李法医更直接，凑过去把电话抢了过来。

李法医看着电话，对姜绍炎说："给副局打的，已经通了。"

姜绍炎突然嘿嘿笑了，看了看那同事。那同事吓得不敢迎接他的目光。

姜绍炎松开王亚琪，走过去，把电话接过来，对着话筒来了一句："我是姜绍炎！"

他就说了这么一句，接下来副局说些什么，我不清楚，但马上姜绍炎又把电话丢给王亚琪。

王亚琪已经从桌子上坐起来了，他接电话后，就一直在那"明白"、"明白"地念叨，最后挂电话了，他看着姜绍炎直赔笑，又招呼手下往外走。

我本来还担心副局会说啥呢，现在一看，形势全往姜绍炎这边一面倒。姜绍炎又背着手，恢复成休闲的样子，对王亚琪他们喝一声："站住，这是要去哪儿呀？"

王亚琪身体一顿，慢慢转过头，挤着笑说："副局说这案子您来接手，我们都下班了！"

"扯淡！"姜绍炎损了王亚琪一句，又指着小会议室的方向，"你们现在是我手下，都坐在会议室里等着去，一会儿开会讨论案情！"

王亚琪他们表情很丰富，不过表达的全是愁眉苦脸的意思。

姜绍炎还对我和李法医下命令："小冷，带他们去会议室。老李，局里停电，去搞一搞！"

我跟李法医很痛快地应下来。我还立刻带路。

王亚琪他们走得很慢，很不情愿，但我不管这个，先去了小会议室，把我的被褥全收拾一下，给他们腾地方。

等他们进来后，还坐成一排。现在姜绍炎不在场，王亚琪自言自语般地念叨一句："小子，行啊！"

我知道他跟我说的，我也没理他。

这会议室黑咕隆咚的，他们这些人有一把电筒，我觉得不够用，也把我的电筒留了下来，然后抱着被褥往外走。

赶巧的是，突然间来电了。整个会议室的灯全亮了。会议室靠门的墙旁边有一面镜子，这么一亮灯，我透过镜子看到，王亚琪有小动作。

他盯着我，用手比画一个打枪的手势，而且他目光很冷。

我绝不是胆小，只是他的动作真让我心惊了一下。或许是潜意识里有个想法吧，我总觉得自己发现了什么一样。

王亚琪也知道灯亮了，这小动作很快收了，我回头看一眼时，他根本就是闷头坐着了。

我又出了小会议室，没走多远，李法医赶来了。

他手里拿着一套小设备，我认识，这是屏蔽器。只要通了电，周围有手机啥的，全接收不到信号。

李法医对我很客气，说他现在去会议室待着，让我快点找姜绍炎，有任务给我！

我应了一声跟他擦肩而过，不过想起了一件事。刚才局里停电，难道都是李法医的手笔？那他够强的，竟懂电工的手艺，能在配电箱上做手脚，让王亚琪他们刚才摆弄老半天也没弄明白。

　　我为了尽快见到姜绍炎，索性抱着被褥，直接来到审讯室了。

　　姜绍炎和寅寅都在里面，不过不是对寅寅的审讯了，姜绍炎跷个二郎腿，坐在椅子上，正翻看王亚琪拿来的那份资料呢。

　　我没敢打扰，也找个椅子，捧着被褥坐下来。

　　过了好一会儿，姜绍炎哈哈笑了，拍着资料夹说："荒唐，这叫什么口供？纯属乱扣屎盆子呢，另外这个叫霍梦的是谁？怎么总在资料里出现呢？"

　　寅寅拿出手机，她之前调查霍梦时，也让线人偷拍过照片。她翻到一张，把手机递过来，给姜绍炎看。

　　姜绍炎看着照片，本来是皱着眉，明显不认识的态度，但没一会儿呢，他哦了一声，又点了根烟，吧嗒吧嗒抽上了，嘿嘿怪笑着念叨一句："原来是她！"

乌鸦计划

我被姜绍炎弄迷糊了，心说他到底认不认识霍梦啊？我忍不住问了句。

姜绍炎把手机还给寅寅，一副头疼的样子，靠在椅子上，说："霍梦？是假名字！你们应该叫她陈诗雨才对。这个'妖精'也是我的老对手了。"

老对手这三个字刺激到我了，我觉得，能当姜绍炎的对手，说明陈诗雨有两把刷子，我跟寅寅这两天栽在她手里，不冤枉！另外话说回来，既然姜绍炎有这种表示了，我想陈诗雨就算不是杀死张队的凶手，也该是主谋之一。

我跟姜绍炎提议，赶早不赶晚，我们这就找人，把陈诗雨绑回来再说吧。

姜绍炎反应很激烈，喊了句不要，还一下从椅子上站了起来，看着我，又看看寅寅，敲桌子强调："陈诗雨是个好人，大大的好人，你们一定别打她主意。"

我跟寅寅都显得很迷茫。我觉得姜绍炎话里有话，却一直不明白他到底啥意思。

姜绍炎岔开话题了，又问我："小冷，听说你家被盗了？"

这问得太狠了，把我闷住了，一时间我觉得脑袋好沉，没啥劲头地低个头看着怀里的被褥。

寅寅不知道这事，还关心地问了一句："冷哥，你家怎么了？"

我没回话，也没抬头。姜绍炎忍不住笑了，问我咋这德行了，跟做了坏事的小学生一样。

第三十五章 · 乌鸦计划

他过来碰碰我，那意思让我别这么低迷，接着说："老李这两天一直抽空研究张队的尸体，试图能发现与第一案发现场有关的线索，但很可惜，一无所获。"

他又把手机拿出来看看时间，叹口气说："现在凌晨两点多了，离张队死后马上48小时了，这不是一个吉利的数字，要是再不能发现第一案发现场，我们会很被动。"

我明白姜绍炎的意思，因为这个案发现场很可能在户外，隔了两天，很多线索都会被破坏掉。但我也有个疑问，凶手很明显是个武把子，这其实也是重要方向，我们揪着这条线不松口，未必没有收获。

我隐隐感觉到一件事，姜绍炎不是糊涂人，他比谁都精，不可能想不到这一点，但他这么在意第一案发现场，绝对有我不知道的说法。

姜绍炎又给我跟寅寅分工了，他的意思，想跟寅寅一起去趟我家，看看被盗现场啥样，另外让我别跟去了，赶紧回法医门诊，研究下张队的案子。张队尸体是没什么疑点了，但还有他的衣物，看我能不能从这方面下手，短期内有所突破。

我其实挺想跟姜绍炎一起去农家院，却也明白找线索更加重要。我不多待了，这就离开。

姜绍炎在我出门的一刹那，把我叫住了。他想了想说："把小凡叫来配合你，那小子人不错！"

能被姜绍炎这个省级专员看好，我挺为小凡高兴的，在回去的路上，我就给小凡打了电话了。

小凡肯定在睡觉，接电话时迷迷糊糊的。

我没提姜绍炎，只跟他说，我想研究下张队的衣物，问他来不来？

他真挺够意思，说半小时内必到。这又把我小小感动一下，觉得这哥们儿，没白交！

我趁这段时间准备一下，因为张队的衣物都锁在警局档案室里，我也有钥匙，就特意过去一趟取了回来，又在法医门诊里腾出个地方，为一会儿研究衣物用。

小凡没用半个小时就到了。我俩急忙换了衣服，连口罩都戴上了，一起聚在张队的衣物旁。

小凡有个想法，说这些衣物虽然是死后换上去的，但咱们可以用鲁米诺试一下，看能不能找出可疑的血迹来。

我觉得这想法不错，问题是，就算我们找到可疑血迹也没啥大用处，我们现在要找的，是能提供案发现场的线索，血迹只能确定凶手的DNA。

我俩都琢磨了好半天。我望着这些衣服直头疼，最后也突然想起一个事来，是我以前当法医助理时，看我师父找疑点用过的一个手段，说白了，就是用胶布粘衣物。把一些肉眼看不到的东西全粘下来，再看能有啥线索。

我把想法说给小凡听。小凡点头赞同。法医门诊里的胶布不少，我跟小凡分工了，我负责粘衣服，小凡负责对粘下来的东西做初步排除。

这听起来没啥，做起来就费劲了。我俩整整折腾两个多小时，把张队衣物全都检查个遍。

小凡最后收集了一沓子的胶布，说这上面的东西都可以进一步检查。

我们法医门诊就一个显微镜，我俩轮番上阵，把这些胶布全放在镜下细看。这很考验眼力，因为胶布放大了，它上面胶之类的东西就很明显了，另外我们粘下来的东西也五花八门，有灰尘、毛线，甚至烟灰，这都是很强的干扰物。

我俩只能撑半个小时，再久了，眼睛就花了。

这样一直到了早晨七点钟，又轮到小凡上阵了，我肚子有点饿，问他吃啥，我出去买。

小凡点了面包和牛奶，我一合计，买双份吧，我俩对付一口。我就这么走出去了，找个超市买东西。

但等进警局大门时，我发现门卫拦着一个人。这人骑个摩托，还拎着一袋子盒饭，又是面又是卤子的。

我知道，警局旁边有个徐家面馆，24小时营业，我还纳闷呢，谁叫的快餐？还一下订这么多？

我本来没想多事，打旁边走过去了，等走挺老远了，听到门卫争执呢，说这快餐不能送进去，谁订的，给他打电话，让他过来取。

摩托司机也争辩，说这是王队长订的，电话现在接不通，怎么让他过来拿？

门卫挺热心，知道摩托司机说的是王亚琪，他试着打了个电话，也接不通。

我猜王亚琪他们还在小会议室呢，李法医把那里弄屏蔽了，当然电话不通。另外不得不说，王亚琪真多事，姜绍炎的意图很明显了，是变着法关他们禁闭，他们怎么还不老实？想吃想喝的，还跟李法医"求情"，临时打电话订了餐。

我本来不想多管闲事，尤其能让王亚琪饿一顿，我心里很爽，但我觉得李法医很辛苦，一直"监视"这哥儿五个。送来的盒饭，一定有他的份儿，再怎么也不能让他饿着。

我又转身回去了，跟摩托司机说："把盒饭给我吧，我给他们带过去。"当然了，我也挺冤大头的，给王亚琪这畜生垫了饭钱。

我先直奔小会议室，但我没进去，只是敲了敲门。

李法医出来的，看着我拎的盒饭，他笑着摇摇头，说我对那五个畜生太好了。

我听得一愣，觉得有点不对劲儿，也问李法医："不是王亚琪订的吗？"

李法医的表情告诉我，他不知道这事，不过他反应很快，突然说了句不好。

我意识到这里有事，虽然不明白啥事，但那摩托司机肯定有问题，我立刻丢下盒饭想追回去。

李法医把我拦住了。我愣愣地看着他。他又笑着说没事了，让我回去接着弄我的任务。

我稀里糊涂的，也感觉出来了，李法医笑得很牵强，我真帮不上啥忙，想了想只好又回到法医门诊。

这时候的小凡也挺怪，我看他靠在椅子上，望着天，一副心事重重的样子。

我走过去碰了碰他，问："咋了？"

小凡让我先看显微镜。我就凑过去看一眼。镜头里的东西很怪，有脉络，像是叶子的一小部分，再用肉眼观察，它真小，拿针尖麦芒来形容都不过分。

小凡跟我解释，说这玩意可能是线索，跟案发现场有关，极有可能是凶手给张队换衣服时不小心吸附上去的。

我点头赞同，但光看脉络，我俩也瞧不出个啥来，甚至要我说，哪个植物的叶子都有脉络，看起来都那个样。

不过这是我俩奋斗一晚上的唯一收获了，不能就此放弃。

我顺带想起一个人来，是我大学认识的一哥们儿，我大学的哥们儿几乎分布天南海北，干啥的都有，而这小子是个植物学家，在北京一个研究所上班。

我想请他帮帮忙，要是他能看出这是什么树的叶子，我们或许真能从这上面挖出点说道来。

我也顾不上那么多了，赶紧找他电话，立刻打过去。

这小子刚起床，我倒是没太扰民，只是他很不理解，我这么突然找他干吗。

我跟他说，手头有个很重要的案子，很紧急，需要他帮忙。

他当时就蒙了，也真是跟我关系不错，索性这么说："冷哥，我一研究植物的，能帮你啥呀？"

我没时间跟他开玩笑，回答他："我马上用微信给你传个图片，你看看能认出是什么植物的叶子吗？"

他回答行，我立刻拍了个照片，发过去了。

我是挺心急，眼巴巴握着手机等着，可五分钟、十分钟过去了，微信上一点儿反应没有。

我有点不解，心说这哥们咋了，把我忘了？真这样，我可急眼了，保准坐火车去北京削他去！

我忍不住又给他打个电话。他倒是很快接了。我也不绕弯子，问他："看没看啊？"

他还有脾气了，跟我说："别闹，正翻书呢。"

我算无语了，心说他这个植物学家当得也太逊了吧。我也没法子，只得继续等着。

这样过了一刻钟，微信有反应了，这哥们发来消息，说他知道这是什么叶子了，但他很辛苦、很劳累，翻箱倒柜老半天，让我有点表示。

我知道这小子耍无赖呢，心说这年头求人办事真难啊。我又回复了，等以后有机会见面了，请他撮一顿。

其实发出这消息时，我心里拔凉拔凉的，细算算，我这不到一天的时间，请几个人吃饭了？许松那儿欠一顿，又给王亚琪垫了钱，现在连外地的也承诺出一份了。

我哥们儿肯定不知道我的郁闷，他哈哈笑了，回答行。

我盯着手机屏幕，这一刻心都在抖，真怕他发来杨树两个字。那我可栽大发了，杨树这东西，乌州遍地都是，还找个屁线索啊。

但他给我的答案很满意，他发的是"国槐"这两个字！

第三十六章

凶案现场

我反复念叨着国槐，只是肚里真没这方面的墨水，不知道具体长什么样。但我有招儿，赶紧上百度找图片去了。

我这么一搜，还真有几张国槐的清晰图。这下我认出来了。

之前我爱去郊区收集虫子，有次还被马蜂追了，虽然这不是什么好的记忆，但我清楚记得，有马蜂的那片林子里，就有国槐树。

我一时间特高兴，心说偏僻的郊区果真是理想的杀人地方。我激动地一拍桌子，还喊了句好！

小凡正啃面包呢，被我这么一闹，他应了一声，居然一下子被卡住了。

我又不得不捶胸口、拍后背的，好不容易把他这口气弄顺了。

小凡苦着脸看我，说冷哥你这一嗓子忒吓人了。

我笑笑，也不在乎，还把我的猜测说给小凡听。他也眼睛亮了，觉得靠谱。

我又给姜绍炎打电话，本来我想一上来就说正事的，但接通时，我听到那边传来女子的哭声，抽抽搭搭的。

我心说能跟姜绍炎在一起的，除了寅寅没别人了。她咋了？难道看到我那些虫宝宝的尸体，她替我感到难过吗？这也不大可能啊。

我问了句："寅寅啥情况？"

姜绍炎沉闷几秒钟，回答说："她在洗涤心灵。"

我被这词雷到了，而且也太抽象了，我想不明白。姜绍炎倒是不想继续跟我讨论这个，他问我找他干什么。

我把寅寅哭的事放到一边，说了我的分析。

姜绍炎很高兴，还跟我说："你跟小凡等着，我这边走不开，但这就找人跟你们会合，一起去趟郊区。"

现在已经八点多了，同事都上班了，姜绍炎找人也快，不出十分钟，就有三个同事结伴过来了。两个刑警，一个痕检员。

我们也不耽误了，赶紧找辆车出发。

现在是深秋，郊区的林场全被落叶遮盖着，如果想全面搜一搜，难度很大，毕竟地表都看不到了，很难发现线索。

可我们针对性很强。这个林场的树很杂，但只有三棵国槐树，还聚在一块了。

我们直奔向三棵树，当然了，这期间我也跟大家说了："都机灵点，小心马蜂。"

我们没遇到什么危险，等来到国槐树下时，我们先看到了一个异常。有一棵国槐树的好几处树皮都没了。如果把国槐比作人，很明显他穿了一身衣服，唯独裤腿缺了好几块。

我跟小凡先凑向一块没树皮的地方，我仔细观察后，跟大家说："切口很整齐，一看就是被刀削下来的。"

随后我又跟小凡分析，为啥会有这种现象，我俩真有默契，想到一块去了。

这里的树皮很可能沾有血迹，凶手为了掩盖才这么做的。

小凡带着法医勘察箱呢，他从里面拿出联苯胺试剂，又找个纱布沾了沾，对着秃树皮的地方抹了过去。

很快有反应了，纱布上出现轻微的翠蓝色变化，这是阳性反应，说明真有血迹。

这期间有个刑警也有其他发现，在另一棵国槐树的树干上，发现一处被砍的刀痕。

我跟过去瞧了瞧，这处刀痕边缘整齐，创壁光滑。我都有点被吓住了，倒吸了一口冷气。

这可是树干，木头做的，不是人肉，看似随随便便的一刀，就能砍出这种效果，可想而知，刀有多锋利。

光凭这两处疑点，我们几乎能确定了，这里就是第一凶案现场。

我们急忙分工，在四周转悠转悠，看还能有啥发现。

我跟小凡的任务，是把这三棵国槐附近的地表清理出来。但我们根本没带扫把之类的东西，也不能用鞋去扫。

小凡四下看看，指着一个老杨树跟我说："冷哥瞧到没？离地三米高的地方，有个树杈子，咱们把它弄下来咋样？"

这树杈不是很粗，但也不细，我心里一合计，用它当扫把，也能凑合。

我点点头，但也发愁："这么高，怎么弄？"

小凡说他有办法。这小子活动下身子，又抱着老杨树爬起来。他身子轻，真有点猴的本事，没一会儿就爬到树杈旁边了。

他先紧紧搂着树干，腾出一只手来，要掰那个树杈。只是他使的劲儿有点小，树杈动都不动。

小凡来脾气了，也冒了把险，把另一只手也伸过去，这么一来，他整个人吊在空中，想用身子的重量把树杈压断了。

我看他这体格，晃来晃去像在荡秋千，树杈也只是稍微动了动，真任由他自己干，这得等到猴年马月才能得手啊？

我赶紧过去帮忙，拽着他脚踝，喊着一二一，这么一起使劲。但我俩初次这么配合，有点疏忽，最后树杈断了，小凡也被我一下拽下来了，坐了个大屁蹲。

我们为了找点线索，也真是豁出去了。接下来我俩举着树杈，这么扫了一会儿，还别说，真就有发现。

地表上有一个很清晰的脚印。估计当时地表湿，这脚印踩得实，等后来天冷了，又把这脚印冻上了。

这里几乎没人来，这个脚印很可能是凶手留下的，我大喊着痕检员的名字，把他叫了过来。

我们几个围着蹲在脚印的旁边，痕检员看着脚印，我看着痕检员。我知道，别看这只是一个简单的脚印，但里面大有学问。它能告诉我们凶手的体重、身高，甚至看鞋印的磨损程度，还能发现他的一些习惯。

辨认是个很长的过程，我以为痕检员会这么看上十分八分的呢，谁知道也就过了十几秒钟吧，痕检员一副明白的样子点点头，念叨说："原来是他！"

我跟小凡都纳闷，心说到底是谁？咋听着这意思，是我们老熟人呢。

小凡抢先问了句，痕检员说了个名字："麻驴！"

这一定是外号，我也想起铁驴了，但此驴非彼驴，两者没啥联系。

痕检员又解释，说这个麻驴摔断过腿，走路一瘸一瘸的，所以他的鞋印有点往外偏。另外麻驴这个人，不是啥好鸟，十五岁就开始干坏事，十八岁成年后，就总被拘留。他啥都干，赌钱当老千、贩卖白粉、当皮条客揽活等，只要有来钱快的买卖，保准都有他的影子。他也是张队心头的一块石头，这些年也一直反复地抓他、放他。

按痕检员的猜测，麻驴肯定跟张队被害有关，这显然也是一起仇杀案。

我听到这儿有个疑问，麻驴就一盲流子，十五岁就不学好，能会啥身手？可张队是被武把子弄死的，难道麻驴这种人，能认识到高人？

我没法问在场其他人，他们肯定都不懂，我把问题压在心里，又跟他们商量，当务之急，是尽快找到麻驴，抓去警局问话。

有个同事说他知道麻驴家在哪儿。我们又急忙开车奔过去。

他家也在郊区，在一个村子里。我们到了后，痕检员守着前门，小凡守在后面，剩下我和两个刑警，我们悄悄翻墙进去，来一手突袭。

这俩刑警都带着枪呢，其中一人举枪当先踹门，我们先后冲进屋子。只是这里压根没人，而且有点乱。

抽屉和衣柜都半开着，床上的被也没叠。

他俩经验足，有人说了句："坏了，看样子这小子跑路了。"

我心里紧了一下，这情况很糟，但我伸手往被窝里摸了摸，还有点温乎，说明麻驴没走多久。

有个同事赶紧打电话，让火车站和汽车站那边都留意下。我其实对这种做法不抱啥希望。

乌州这地方，说大不大、说小不小的，要是有人想逃出去，方法多了去了，最笨的，备点干粮，从野树林里往外走，用不上一天工夫，就溜之大吉了。

我一琢磨，还是给姜绍炎打了个电话。接通后，我没听到寅寅的哭声了，反倒有刷刷扫地的声音。

我心里奇怪了，心说乌鸦和寅寅到底干啥呢？咋还给我家收拾屋子呢？

姜绍炎看我没说话，问我："怎么了？"

我把麻驴的情况说了说。姜绍炎对麻驴很感兴趣，还说这就跟副局联系，看能有啥办法。

但他刚说完，寅寅的声音传来了："师父，你们说麻驴？这人我知道，电话能给我吗？我或许能帮上忙。"

师父俩字让我彻底蒙了，心说寅寅咋给姜绍炎叫师父呢？他们以前不熟吧。

姜绍炎也痛快，把电话交给寅寅。也就场合不对，不然我都得逗寅寅一句，你都叫师父了，那你是悟空还是八戒啊？

寅寅是一点开玩笑的意思都没有，她问我啥情况，我又把跟姜绍炎说的话重复一遍。

寅寅让我把免提打开，让其他同事都过来。

寅寅跟那两个刑警说："我知道一个线人，是张队专门派来监视麻驴的，你们记他号码，打过去问问吧。"

两个刑警赶紧行动。其实之前寅寅有嫌疑时，这俩人对寅寅是避而远之的，但现在知道寅寅没事了，尤其还受专员赏识，他俩口风也变了。

我发现他们好滑头，记完号码都跟寅寅说："寅姐不愧是老同志，经验足。"

寅寅随便笑了笑，把电话挂了。

我们接下来又要联系这个线人了，我只是旁观，看着同事打电话，但这时也有另一个感觉，寅寅说话口气是没变，却就是让人觉得，她跟以前不太一样了。

第三十七章

乌鸦的手段（一）

寅寅介绍的这个线人，还真对我们有帮助，他跟我同事通电话时，告诉我们一个猛料。

最近几个月，麻驴跟一个小姐好上了，而且凭线人观察，他隔三岔五就在小姐家过夜。这次麻驴是逃了，但他一定不会舍弃小姐，会去找她。

线人也把小姐家的地址发给了我们。我们赶紧再次动身。

这小姐住的不是什么好地方，在一个很破很旧的小区里，我们进了小区就把车停在路边，然后下车，小心翼翼地往单元门那里走，其实是怕警车太显眼，别事先露馅。

小姐家在四楼，赶巧了，我们刚来到她家门口，她家门就开了。有个矮胖的中年男子，正要带一个女人离开。

两个刑警全把他认出来了，喊了句："麻驴！"

麻驴意识到不好，都被我们堵在家门口了，他还不认输，更不知道咋想的，他还要把门关上。

有个刑警当先扑过去，只是运气不好，门这么一关，把他手指头夹住了。这把他疼的，直哼哼。

我们四个没干站着，赶紧过去帮忙。也得说人多好办事，我们一起抠门缝往外掰，麻驴扛不住了。

门被打开的一刹那，麻驴也被顺带甩出来了。

被夹手的刑警一肚子火气，嗷一声喊，对着麻驴扑过去，抱紧他又一起往旁边一倒。

旁边是楼梯，麻驴在下，刑警在上。刑警压制着麻驴，还就势要拿手铐，另一个刑警赶紧上去帮忙。

楼道上没那么大地方，剩下我们仨只能旁观。我也觉得，有这两个专业擒贼的人士下手，真不需要我们干啥了。

但我们都忽略那个小姐了，她还是个孕妇，肚子稍微有点鼓，看着有三四个月那么大了吧。

她看自己男人被抓，忍不住了，也不知道从哪儿找来一根擀面杖，对着我们仨砸过来。

小凡首当其冲，这时候他手里没拿东西，想找家伙也来不及了，只好举起胳膊硬抗。

当的一声后，小凡疼得一哆嗦。我都有点担心，这一下子，别把小凡臂骨打折了。

小凡也怒了，赶紧去抢擀面杖。他毕竟是男子，力气大，争执几下就把擀面杖弄过来了。

我看小凡把擀面杖举起来，要收拾那女的，赶紧劝了一句。

小凡反应过来了，其实我也为他好。他真要打上了，保准摊上麻烦，这属于故意伤人。

小凡看着那小姐，气得把擀面杖一甩，狠狠丢在地上。可这小姐来劲儿了，又伸手想挠小凡。

小凡忍不住了，喝一声："臭娘们儿，给我站住，再耍贱的话，老子踹肚子啦，小心流胎！"

每个女人怀孕后都怕流产，她一下老实了，还吓得捂着肚子往后退了退。

这么一来，这"两口子"算被抓个正着。我、小凡和一个刑警，我们仨压着他俩下楼，另外那个刑警和痕检员，对小姐家做个检查。

麻驴还随身带着一个大背包，上警车后，我把它打开看了看。好家伙，里面全是钱，估计有百八十万。

这让我一下子有个疑惑，之前对付刀疤脸时，我跟寅寅在他家也翻到了数额差不多的一笔钱，难道说，给麻驴和刀疤脸钱的会是同一人吗？

当然了，目前没证据，没法作进一步的判断。

等回到警局，我们立刻对麻驴进行审讯。小凡没参与，他要回法医门诊顶岗。

我趁空给姜绍炎打个电话，汇报下情况。姜绍炎也说，让我们先问着话，他马上赶回来。

我算是凑个数，跟刑警同事一起去审讯室了。

我发现麻驴真是老油条，他一口咬定，他去过市郊那片林子，但就是随便走走，而且那里不是禁区，他一个正经市民，难道去走走也犯法吗？

最后刑警同事都来气了，想用点手段，麻驴一看有这趋势，还扯着嗓子喊："你别过来，这里都有录像，要敢殴打我，我保准跟你打官司。"

这同事倒没管这些，只是他也不敢玩大的。麻驴也是一副难啃的老骨头，我们熬了半个多小时，也没有啥新进展。

这时有人敲门，我去开门一看，是姜绍炎和寅寅。

审讯室的椅子就有四把，现在五个人，我一合计，自己不坐了，给姜绍炎和寅寅腾地方。

但姜绍炎摆摆手，让那名刑警同事出去，这里交给我们仨。

刑警同事不多说啥，赶紧转身走了，只是在出门的时候，特意瞪了瞪麻驴。

麻驴也不甘示弱，跟这刑警用眼神较量一番。

我是觉得现在气氛不咋对，咋被麻驴喧宾夺主了？！

寅寅真看不惯麻驴这一出，尤其看完麻驴给的笔录，她脸都沉下来了，让我和姜绍炎坐着，她要去麻驴身边待着，那意思用用她的手段。

姜绍炎没同意寅寅这么做，他还嘿嘿笑笑，说今儿天好，他心情不错，这次审讯，由他来吧。

我不认可姜绍炎这话，今天可是阴天，什么天不错？估计一会儿都能下雨夹雪。不过我也知道，姜绍炎只是随便说说，我倒想看看，这省里的专员，有啥狠手段。

姜绍炎让我跟寅寅坐在他旁边。他又望着麻驴，还时不时用手压压额头上的头发。

这都算是他一个招牌发型了，总把额头挡起来。我就是控制力好，不然真想把他头发掀起来，看看额头上有啥东西。

麻驴是头次见姜绍炎，也被他这么怪的发型雷住了。麻驴突然咧嘴笑了笑，大有轻视姜绍炎的意思。

姜绍炎不在乎，隔了好一会儿，他打破沉默说："看年纪，你跟我差不多大，那我叫你一声老哥吧，你肯定跟张队的案子有关，这是推不掉的，既然如此何必隐瞒呢，少吃点苦头，早点招了吧。"

麻驴又往下撇了撇嘴角。

我看了看姜绍炎，心说这就是他审讯的手段？太软了吧？麻驴一看就是欺软怕硬的人，这么弄能好使才怪呢！

我也对寅寅使眼色，那意思还是你上吧。但寅寅对姜绍炎很放心，还拿出一副乖徒弟的样子，在旁边老老实实等着，根本不理我这茬。

姜绍炎又一摸兜，拿出一包烟，他也没抽，对麻驴那边的桌面丢了过去，说："老哥，这是别人特意从美国带给我的烟，你尝尝，算我请你的，等吸吸烟思路捋顺了，咱们再谈。"

麻驴也不客气，估计真是烟瘾犯了，拿起来就抽。我其实也眼馋，但姜绍炎都没吸，我只能忍着。

姜绍炎不理会麻驴了，这时他手机响了，拿出来一看，有人给他发了一组图片。

他靠在椅子上，专心看起图片来。

我顺带着也瞧瞧。这图片我都熟悉，是那三棵国槐树和案发现场的。当时痕检员拍过照片，我估计是他传给姜绍炎的。

姜绍炎看得很仔细，一张张翻着，等看到那张树干有刀痕的图片时，他停下了，没一会儿还嘿嘿地笑了。

他这笑绝不是装出来的，估计在麻驴眼里，一定以为姜绍炎在看笑话呢，我却脑袋里一堆问号。

姜绍炎还忍不住，特意让我和寅寅看着这张照片，连连称赞说："好！太好了！"

我发现寅寅也怪，竟点头赞同了。

我心说好什么？我们不应该警惕才对吗？这说明凶手很厉害！

姜绍炎没多解释，这期间麻驴吸完两根烟了，最后说了句话，把我们注意力都吸引过去。

他呸一口，念叨说："不是啥好烟，地瓜叶子味太浓了。还不如国内旱烟有劲儿呢。"

姜绍炎显得挺珍惜，反驳一句说："国外烟都这味，而且老哥你都抽了我的好烟了，咱们算有交情了，你要说点啥吗？"

麻驴呵呵笑了，指着寅寅面前的笔录回复："老弟，我该说的都说了，你不会自己看吗？"

我发现姜绍炎脸色变了，又特意问了句："你是确定不说了？"

麻驴拿出一副无所谓的样子，又点根烟抽。

姜绍炎叹口气，抬起头把眼睛闭上了。他像是自言自语，瞎念叨几句："我以前也是个暴脾气，但年纪大了，见得多了，真觉得人这辈子活着不容易。自从那件事失手之后，我发过誓要善待每一个生命。可老天爷你见到了，我今天该做的都做了，没法子，还得用老办法才行。"

我都被说迷糊了，心说哪件事？姜绍炎以前干了什么？

姜绍炎慢慢把头低下了，我知道不是时候问他啥，就仔细观察看，我发现在他睁开眼睛的一刹那，他跟变了个人一样，又出现那种可怕的野兽目光了。

他啪地拍了下桌子，忒响了，甚至连麻驴都被吓到，失手把烟扔地上了。

姜绍炎带着一股怪笑，稍微歪着头，盯着麻驴说："老兄，好戏要开始了。"

麻驴也觉得不对劲儿了，他不敢看姜绍炎，指着我俩说："你们敢打人？"

姜绍炎啧啧几声，对我跟寅寅一摆手："把录像停了，窗帘拉上，我今天，要开荤！"

第三十八章

乌鸦的手段（二）

我不知道开荤是啥意思，但也跟寅寅一起行动起来。寅寅负责把监控摄像头的开关关了；我负责拉窗帘。

等我弄好一转身时，发现姜绍炎从兜里摸出一个很精致的小盒子，打开后，我看到里面放着一把解剖刀。

我倒吸一口冷气，因为自己对这刀太了解了，别看它小，但异常锋利，用它割人肉，都能把一个大活人变成一副完美的骨头架子。

再者说，这刀只有法医才有，我又没给过姜绍炎，我猜一定是李法医搞的小动作。

姜绍炎握着解剖刀，先对着桌子狠狠来了一下。一条很深的划痕展现在我们面前。

麻驴呼吸都重了。看得出来，他想站起来，只是双手被铐在椅子上，只能无助地扭了扭身子。

姜绍炎盯着麻驴，突然站起来往桌子上一跳。他的动作太敏捷，身子也跟弹簧似的。我就觉得眼前黑影一闪，他就蹲在桌子上了。

他又手脚并用，几下爬到麻驴桌前，对着他扑了过去。

这下好，姜绍炎骑在麻驴身上，椅子被这股惯性一带，往后倒了。

麻驴急得直蹬腿，但有什么用？姜绍炎全完压制着他，还一手握刀，一手把麻驴的左眼皮扒开了。

我跟寅寅都围过去旁观。我发现被姜绍炎这么一弄，麻驴的左眼珠子太显眼了，绝对是一个溜圆的大球。

姜绍炎把解剖刀慢慢向麻驴左眼靠过去，嘴里念叨："我最喜欢吃的就是眼珠子，像猪、牛、羊的，有时在山间，运气好了还能吃到狼或者鹿的眼珠子。知道为什么吗？因为眼珠是活肉，嚼起来有劲儿，嘎巴嘎巴的。但唯一的遗憾是，动物不吃盐，眼珠子没啥味儿，今天遇到你了，我终于能尝到人眼了，得谢谢你。"

麻驴想扭脑袋，只是他这么一动，牵扯眼珠很疼，他也对姜绍炎吼："别胡来，老子瞎了的话，就算告到中央，也要把你扳倒了。"

姜绍炎嘿嘿笑了，说："你可以试试去，我也让你有条件去试试。"

随后他把解剖刀刺下去。我看到这儿，心里咯噔一下，心说玩大了，这么一来，麻驴眼珠子不得爆了啊？

但姜绍炎有分寸，这一刀刺在左边眼角上了，只是把眼皮和眼眶划了个口子。

这一瞬间，麻驴眼角就呼呼往外冒血。姜绍炎又用解剖刀背面对准伤口划了一下，让血滴都粘在解剖刀上。

他又举起解剖刀，对准麻驴的左眼球狠狠一顿，让两滴血准确无误地滴落在眼睛上。

这什么感觉，麻驴眼珠全是血了，估计看东西都得红红一片。麻驴也不知道这血是滴进来的，他以为眼珠子真被戳破了呢，吓得哇一声干嚎，用杀猪声吼着："我瞎了！我他妈真瞎了啊！"

姜绍炎不管麻驴的喊叫，又转移阵地，把他右眼珠扒开了，饶有兴趣地看着说："嘘嘘，别瞎扯淡，你没瞎，这不还有右眼吗？再说你知道瞎子的痛苦吗？他们眼前一片漆黑，只能用耳朵听，如果这瞎子是个善人，那还好说，一旦做过坏事，他会时刻提防着，走近他的脚步声会不会是仇人的。我估计你这头麻驴子，没少干坏事，那我就让你真瞎一把，体验下每时每刻都有恐惧的感觉。"

姜绍炎这次换了个套路，把解剖刀慢慢向麻驴右眼靠过去。

麻驴是想回避都回避不了的，盯着刀越来越近。这么隔了一小会儿，他熬不住了，喊着说："我全招了。"

我听得心里一喜，心说还得是乌鸦，这手段太狠了。

但出乎我意料，姜绍炎像根本没听到一样，继续把刀往他眼珠子上靠近。任由麻驴哭喊，最后把握距离，在只差几毫米的地方停了下来。

我看麻驴下体都有反应了，有点往外鼓，这说明他都快尿失禁了。另外不得不说，我都不忍心扭头闭眼了，因为把解剖刀放在离活人眼睛这么近的地方，我看着都替麻驴恐惧。

姜绍炎又问了一次："你说不说！"

麻驴几乎在崩溃的边缘，他嗷嗷喊着："全说！我啥秘密都不要了！"

姜绍炎一把将解剖刀撤回来，又把麻驴的椅子扶了起来，招呼我跟寅寅各回各位。

在往回走的时候，姜绍炎深吸几口气，等坐在椅子上时，他恢复到常态了。

麻驴左眼是看不到东西了，血流了一眼睛，还都反着往外冒。他有些低迷，但真没脾气了，噼里啪啦跟竹筒倒豆子一样，全说了。

按他交代，前一阵王亚琪找过他，让他选两条路，一是王亚琪找人天天收拾他，直到整死他为止；二是让他高调地犯罪，卖卖粉面子，卖卖管制刀具啥的，但王亚琪会保证他安然无恙，事后还会给他一大笔钱。

麻驴也不傻，知道王亚琪不好惹，他选了第二条路。王亚琪也真护着他，反正张队抓他好几次，都是王亚琪提前通风报信，让麻驴逃了。

三天前，王亚琪又找麻驴，让他在凌晨的时候，去霍梦的按摩中心转一转，但只要露个面就行，然后就往市郊的林子里逃。

麻驴照做了，等他逃到林子里后，没多久还发现来了一辆警车，张队和王亚琪一起下的车。他慌了，不知道接下来咋办，但有个陌生电话打过来，说是王亚琪的朋友，让麻驴啥也不管，闷头逃开。

他也不想被张队抓住，不然老仇人见面，张队更因为他最近高调犯罪的事，免不得扒他一层皮呢。他就急忙溜了，等绕一大圈离开林子的时候，他还恍惚看到，有别人往林子里走。

接下来的事，他啥也不知道了，等到今天早晨，有个摩托司机到他家，给他钱，让他立刻远走高飞，永远不回来。

麻驴还有女人，尤其这女的都怀孕了，他舍不下，又去女人家，没想到就因为这个，被警方擒住了。

他说完后，我们仨谁也没接话。姜绍炎走过去，拿出一条手帕，给麻驴止血，寅寅专心记着笔记，而我，几乎惊呆了。

麻驴的话分明告诉我，王亚琪是凶手之一。但王亚琪为什么要害张队呢？我只知道，张队死了，王亚琪当了代队长，他也跟霍梦，也就是陈诗雨的关系绝不一般。

我突然意识到，这里面水太深了，牵扯的也太广了。

我是呆得太严重了，姜绍炎什么时候走到我身边的，我都没留意。他拍了我一下，这把我吓了一跳。

我看着姜绍炎，姜绍炎对我笑笑，大有给我解压的意思，又跟寅寅说："小寅，麻驴都招了，咱们立刻换人，把王亚琪这兔崽子提过来。"

寅寅应了一声，转身去小会议室。

姜绍炎又跟我说："小冷，法医门诊没你不行，一会儿的审问，你不用参与了，忙正事吧。"

我"啊"了一声，脑子混乱地离开了。

我都不知道自己怎么回法医门诊的，等一屁股坐到凳子上了，心里才稍微缓过来一些。

小凡本来忙得焦头烂额，但他也好奇，知道我去审讯室了，就硬抽出时间问我："冷哥，那边咋样了。"

我把小凡当哥们儿，当然没啥隐瞒的，把麻驴的话全说了。

小凡听完也愣了，嘴巴都不自觉地张开了。我推了推他说："小子，看你还年轻，这几句话就把你弄成这样，你得多练练啊。"

其实我刚才也未必比小凡好到哪儿去。

小凡缓过来后骂了句脏话，说："冷哥，这事也忒大了，咱们是不是……"

别看他没说完，我也明白，这种事，我俩不能大嘴巴，我对他点点头，又做了个封嘴的手势。

我俩谁也不说了，一起忙活工作。

在快到中午的时候，警局派了一辆车，把王亚琪和麻驴都押到省里去了，听说王亚琪的叔叔，也被省厅带进审讯室问话了。

另外王亚琪那四个手下，被姜绍炎安排人手一对一地录口供，只是这四个手下能知道啥？都拍马屁那伙儿的，纯属跟在王亚琪身边稀里糊涂中枪。

当天下午，寅寅也带着几个同事去抓陈诗雨了，只是陈诗雨的按摩中心和KTV大门紧闭，压根不营业了。寅寅找个小工问话。

这小工回答，老板跟他们交代了，说她老公跟小三儿跑了，她很气愤，决定这两天出远门，把自家老爷们儿追回来。

这帮小工为此还感到很愤慨，让老板放心追，他们少挣几天工钱都无所谓。

其实谁还不明白？小工都被陈诗雨忽悠了。

我对陈诗雨一点好印象没有，当听到她跑了的时候，也找过寅寅，让她一定不辞辛苦，把陈诗雨抓到。

寅寅让我放心，这事她会办。

我是真听话，真放心了，可接下来两天时间，寅寅不仅不提陈诗雨的事，反倒跟李法医一样，竟性格大变了！

第三十九章

魔

鼎

重

现

寅寅跟李法医全成了大嘴巴，遇到人就说张队和王队的事。

按他俩所说，王亚琪利用职务之便受贿，行贿者之一就是霍梦，这样霍梦能私下做些黑买卖。可他们的勾当被张队知道了。王亚琪担心张队会把这事捅出去，索性一不做二不休，跟霍梦一起雇杀手，把张队解决了。

打心里说，我觉得这消息倒应该是真的，但寅寅和李法医都是老同志了，这么大嘴巴就一点儿顾忌都没有？甚至这话题还越传越广，越传越变味，连我一个警局外的朋友都知道了。

这朋友给我打电话，他是这么说的："阿冷，听说你们警局有个叫王亚琪的，很厉害，是个练气功的高手，他有次跟张队长有矛盾，就把张队长带到郊区，用手指发动气功，把对方戳死了？"

我听朋友说完，有种哭笑不得的感觉，我也没跟他多聊啥，不过打心里想不明白寅寅到底怎么回事，难道抓不到陈诗雨，她真一点儿不着急？

我趁空又找过寅寅，问过这件事，不过寅寅跟我打马虎眼，故意岔开话题。尤其当时我俩还是私聊的，周围没人，她故意往我身上贴，弄得挺亲密的。

我被她打败了，要在平时，我偷偷占占小便宜，心里确实有点小爽，但要来真格的，我受不了，因为我俩是同事，不适合谈恋爱。

我最后实在问不出啥，自己也没法子抓陈诗雨，只能把这事放一放了。

这天晚上，我还在加班工作呢，姜绍炎的电话打过来了。他先问我吃没吃饭，我说还没呢，他又说买了好吃的，让我去小会议室找他。

我一直想找姜绍炎，问问张队的案子到底咋了，但也有种直觉，他跟寅寅一样，不会告诉我。正巧这次他主动找我，我觉得或许是个机会，就急忙应了下来。

我把手头工作临时结个尾，屁颠屁颠跑过去了。其实我对吃的倒真没抱多大希望，心说跟姜绍炎吃兔不得又是果冻啥的小零食。

实际出乎我意料，在推门的一刹那，我看桌子上摆了四瓶啤酒，还有一盒酱牛肉和两盘菜。姜绍炎招手让我赶紧进去。我四下看看，发现除了他没别人。

我先问了一句："就咱俩？寅寅他们呢？"

姜绍炎又一挥手说："叫寅寅干吗？今天咱哥俩谈谈心，不让寅寅掺和了。"

我觉得有点不对劲儿，姜绍炎明显反常。看我没急着动弹，姜绍炎又催着说："咋，你是不是喜欢我那徒弟？没她在，我这个老男人就不受待见了？"

姜绍炎这句真毒，纯属给我乱扣帽子，我急忙澄清一下，也凑到他身边坐下来。

姜绍炎挺高兴，也露了一手，用手指扣着啤酒瓶盖，一用力，哧哧两声，竟这么开了两瓶酒。他给我倒上，我们一起喝起来。

我也真饿了，尤其牛肉和两盘菜都是我爱吃的，我打定主意，先填饱肚子。

姜绍炎倒没怎么吃，趁空跟我胡扯。他也真会找话题，都说解剖、重案的事，我感兴趣，被他带的，最后一直没机会说我心里想的正事。

等把四瓶啤酒喝光，姜绍炎看我都有点腆肚子了，对着拍了拍问："酒足饭饱了吧。"

我应了一声，只是他眼神有点怪，让我觉得，这顿饭怎么有点像行刑前最后的晚餐呢。我反应过来，心说他不会要找我做啥事吧？这顿饭就算是犒劳了？我瞥眼睛瞅他，等他后话。

姜绍炎跟我碰了碰目光，他又滑头地回避开，从另一个椅子上拿出一个礼品盒。

这椅子本来推到会议桌下面去了，我一直没留意，这时他把礼品盒递给我，还让我打开看看。

今天不是我生日，突然收礼，我也纳闷。不过有啥招儿？姜绍炎几乎守着我，让我拆包装，我就照做了。

在打开盒盖的一刹那，我脑袋里嗡了一下，还忍不住站了起来。但我刚吃饱，外加站得急了，有点供血不足，头晕，又一下坐回来，轻轻拍了拍脑门。

这礼盒中放的竟然是魔鼎。

我忍不住先问姜绍炎："你怎么找到的？"

姜绍炎一耸肩，说这事要归功于铁驴。

我回忆起来了，那晚我跟寅寅被杀手偷袭，躲到精神病院后，铁驴是比我们后回来的，一定是那时候，他把魔鼎取到手了。

我倒不认为我家那个德行是铁驴搞的鬼，一定是铁驴有先见之明，赶在敌人之前取魔鼎，而敌人去我家后，什么都没得到，还跟虫宝宝们大战了一场。

说实话，魔鼎丢了都快成我心病了，这次找回来，我一下子松了好大一口气。

我也老实地跟姜绍炎承认，说自己不适合保管鼎。看架势他是想把鼎送给我，我却想推回去。

姜绍炎一副无所谓的样子，还一摸兜，从里面拿出四个很古怪的东西，说也是送我的。这四个东西有一拃长，怎么形容呢，好像一根筷子，一头被削尖了，另一头插了一个小橘子大小的铁球。铁球是空心的，我同时拿着四个，也不觉得沉。

我好奇，问姜绍炎这都是什么东西。顶端的铁球要是再小一些，我都怀疑是不是用来敲木鱼的。

姜绍炎没直接回答，反问道："听过摆阵吗？"还做了几个手势。

我被他说愣了，一方面摆阵我确实知道，像古代小说《封神榜》里，就出现过各种神仙大阵。另一方面他做的这几个手势跟铁驴以前做的很像。

我都不知道自己该点头还是摇头了。姜绍炎把魔鼎拿出来，又指着四个角说："把这四个铁幡摆在这里，会有意想不到的事出现。"

我稍微有点明白了，也顺着这话问他："咱们现在就在小会议室试试？"

姜绍炎摇头，说反正咱俩吃饱喝足了，不如带着鼎和铁幡溜达溜达去。

我心说得了，自己真是被喂饱后要开工了。姜绍炎也不等我回答，拽着我就走。

我们一起下楼，来到警局后院，这里停着一辆摩托车。姜绍炎带我坐车，我发现这不是他之前骑的那辆摩托。

他带我去了一个小超市。这不是卖日杂的那种超市，而是专门卖宠物粮的。

姜绍炎没进去，他让我去里面问问有没有虫粮卖。

我以前养虫子的时候，也对乌州市"调查"过。倒是有几家都卖宠物粮的，但根本没卖虫粮的，因为没人有我这种嗜好，爱养虫子。

我对这家超市也没看好，而且进去一问，店主就直摇头。

我又转身出来了，离老远对姜绍炎摆手。我发现姜绍炎貌似不在乎有没有虫粮，他让我快点上车，又直奔郊区，看路线，是我家的方向。

我不知道他到底玩的哪一出了，而且最终目的地是离我家不远处的那片坟串子。

今晚本来有雾，这坟串子附近的雾气更大，要我说能见度也就三十米吧。

姜绍炎靠边把车停了，又指了指坟串子说："按照我说的，去里面放好小鼎摆个阵。"

我细品话里话外的意思，又问姜绍炎："你去吗？"

姜绍炎笑了，说他不去，就在这儿等着我。

我倒不是怕鬼、怕坟地啥的，之前我也来过这里，问题是，他让我自己去摆阵干吗？我总觉得会有危险。

姜绍炎安慰道，说他就在这里等我，我去摆阵后，出现啥异常了，我们及时通电话。

最后他还拍了我一下屁股，大有催促我快走的意思。

我拧不过他，只好老老实实这么做了。他还说别离外面太近，让我多深入一些。

我真没少走，足足走了一里地。这期间我电话响了，我本以为是姜绍炎，拿起来一看是陌生号，接通后，我喂几声，对方啥也不说，只是发出一个亲嘴的声音，就把电话挂了。

这情景我遇到过，也一直没想明白是谁，甚至一度怀疑是姜绍炎，但他现在就在外面，也刚跟我分开，没必要亲我啊。

我又觉得或许就是一个骚扰电话吧。这时四周全是一些老坟了，也有一处空地，我决定就在这儿了。

等把小鼎和铁幡都弄好。我又给姜绍炎打了个电话，汇报下情况。我也纯属多嘴，觉得小鼎被这么一摆，真有点玄乎乎的感觉了。我就问姜绍炎："这么摆阵，还有啥咒语要念吗？"

姜绍炎顿了顿，恍然大悟地哦了一声，说我不提他还忘了，确实有咒语。

我一听真有，头大了，觉得那玩意儿不得老复杂了？甚至也会特别拗口，我就让姜绍炎发短信，把咒语内容传过来。

姜绍炎说不用发短信了，这咒语特别简单易学，让我一会儿盯着小鼎，一只羊、两只羊这么数下去就行了。

我一听数羊，心说这不是治疗失眠的吗？咋跟咒语挂钩了？但姜绍炎说得很严肃，也不像开玩笑。

我就认真记下来，撂下电话，我蹲在不远处，心里默念。

我真没少数，等数到三百多只羊的时候，小鼎周围有动静了。

第四十章

坟串子里的诡异

这一下子，爬出来两只蜈蚣。我对此见怪不怪，因为小鼎本身就有这个功能。我觉得这情况也不用跟姜绍炎汇报了，不算"异常"。

我不想跟蜈蚣待在一起，更不想养它们，就找个长树枝，都给戳死了。

我脑子没那么好使，这么一打岔，刚才数到第几只羊都忘了。我懒得在这上面纠结，索性又从头开始数上了。

这次数到三百多个，小鼎周围没反应，但我没停，又继续往下数，等到了五百整，我有点累了，想歇一歇。

我刚深深喘一口气，发现从周围草丛里传来沙沙的声音。这动静我很熟悉，是虫子爬草留下的，问题是，这次的声音怎么这么大？

我心里一紧，声大说明什么？这虫子的个头绝对不小。我一下想起新白娘子传奇了，那里面不就有个蜈蚣精么？长得比人还大，还专吸人血。

我把自己吓到了，急忙握紧树枝，敏感地四下乱瞅。

最让我害怕的事倒没发生，但没多久，有片草动了动，这东西露出真身了。确实是蜈蚣，但个头不小，要我说就算没成精，也离成精不远了。

估计得有一尺长，两根指头那么粗细，浑身赤红。这只蜈蚣很不友善，虎视眈眈地望着我。

我被它强大的气场打败了，站起来往后退了退，又掏出手机。我实在太紧张了，手机拨号时，差点儿掉了。

我给姜绍炎打电话，接通后急忙汇报异常。

本来姜绍炎挺兴奋，还催促我快说，但听到只是一个大蜈蚣时，他失望了，呸了我一口说："咋这么胆小呢，不就一个虫子吗？"

我心说瞧他说的，这就是虫子？也就是我心理素质强，换成一般人，弄不好都吓尿了。

但没等我说啥呢，姜绍炎又开始给我鼓劲了，说把这大蜈蚣消灭了，继续等异常。

他还特意强调一句："我看好你哦。"就把电话挂了。

我被他气到了，本想再拨回去理论，但赤红大蜈蚣不给我机会，突然奔我爬过来，准备发起攻击。

这看起来很刺激眼球，它就跟一条红线一样。我逃也逃不了，毕竟不能舍弃小鼎。

我本想拿树枝跟它周旋，但等它离近后，我心里一激动，竟舍弃树枝不用了。

有句话叫泰山压顶，我这次来个冷哥压蜈蚣。我一撇树枝，嗖的一下蹦起来，用双脚狠狠踩到蜈蚣身上了。

一下子，蜈蚣成了两头鼓，中间瘪了。它还不甘心，想在死前咬我一口，只是我穿着厚裤子和皮鞋，它扭头试了试，一点机会都没有。

它最终熬不住，喷出一股白烟，倒地气绝。

我冷不丁被白烟吓住了，心说难不成是妖气？我赶紧往旁边跑，等淡定下来后，我又琢磨着，觉得这赤红蜈蚣体内有毒，应该是强酸性的，这白烟就是酸雾吧。

我不管那么多了，赶紧回到小鼎旁边。我回忆刚才的一切，意识到这次能把快成精的蜈蚣引过来，很可能是摆阵的功劳。

我真搞不懂，这四个铁幡到底是什么做的，怎么会有这种功能。但再往深了想，现在引过来的毒虫是越来越厉害。

我也甭傻乎乎被姜绍炎忽悠了，还等什么异常？保命要紧。再说他就请我一顿盒饭，我就玩命？

我把四个铁幡都撤了，也用锡纸把小鼎包起来，想收拾一下就收工。

但这时候我无意地一瞅，发现远处站个人，被雾气笼罩着，显得有点朦朦胧胧的。

附近全是坟串子，突然出现人，我以为是姜绍炎呢。我心里还有点小波动，心说真要命，自己想偷工减料，还被他逮个现行。

我看这人并没直接冲我来，反倒四下乱看，貌似在找东西。我心说姜绍炎干吗呢？就嘘嘘几声，又轻声喊了句："乌鸦！"

他一定听到了，接下来的举动却出乎我意料。他显得很急，直奔向我，还一摸后腰，拿出一个东西。

我看不清他拿的啥，好像一把刀，又好像是一条绳子。

我突然意识到，这不是姜绍炎，倒像是鬼，不是有索命鬼吗？把人整死，再套着死者灵魂回地狱。

我心里骂了娘，心说难道姜绍炎要等的异常就是这个吗？他教我用小鼎摆阵，其实能把鬼吸过来？

我肯定不给这鬼走近的机会，吓得哇了一声，拿了小鼎转身就逃。

只是他看我起身一逃，也认准目标，加快脚步追我。他跑得还比我快。

这可太吓人了，眼见着我俩越来越近，我忍不住喊了几句救命。

我其实就是喊着试试，没抱多大希望。邪门的是，我话音刚落，身后的鬼一个踉跄，速度减下来了。

我有点愣，心说咋回事？难道自己天生是当法师的料？喊几嗓子就能驱鬼？

我特想再喊喊试试，但又跟自己说别扯那用不着的了，有这机会赶紧走人吧。

我又撒丫子跑，一刻不停地跑出了树林。可路边哪有姜绍炎的影子，我算被他坑死了。

我头疼上了，琢磨一会儿咋办才好。但一阵马达声引起了我的注意，姜绍炎骑着摩托从林子里冲出来了。

他显得很急，耍了个车技，等开到我身边时，一个急刹，甩出一个大角度，把车停到我旁边。拍着后座让我赶紧上车。

我望着姜绍炎，彻底迷糊了，心说他去林子里干什么了？姜绍炎又瞅瞅林子，说没时间了，他竟然一伸手拽住我衣领子，一下把我拽到后座上去了。

这什么感觉？我整个人面朝下地横在后座上。姜绍炎还立刻起车。

我就觉得太阳穴乱蹦，自己要一个不小心，失衡滚下去，后果不堪设想。我也不是杂技演员，哪会耍绝活把身子调整过来呢？

我只能尽量蜷着身子，让自己稳定住。另外看着眼前的路面飞速往后退，我都有种呕吐感了。

但我强忍住了。不然这么一吐成什么了？洒"水"车？

姜绍炎一直开了好几分钟，才把摩托停到路边。他一边留意倒车镜，一边催促我，快调整一下，坐好了。

其实这话不用他说，我都会照做的。只是刚才死扛这一会儿，我身子早就软了，坐好后有点无力地靠在姜绍炎背上。

他继续开摩托，这次车速比较快了。而我嘴里有点活跃，控制不住地往外流哈喇子。我是没忍着，一股股哈喇子全流到他肩膀上了。

我这么安慰自己的，谁让姜绍炎整我呢，我也算是反过来教训他一下吧。

我们直奔农家院去的，最后停在门口。

这是我家，我还跟姜绍炎说呢，自己找钥匙开门。但姜绍炎把我拦住了，又对着大门一长两短有节奏地敲起来。

我本来一愣，等姜绍炎敲完门，真有人开门时，我脑袋里第一反应是，我勒个去，家里又进贼了？

开门的是个小胡子，他倒跟姜绍炎挺熟，还拿出一副尊敬的样子，跟姜绍炎打了声招呼。

姜绍炎没多说，招呼我赶紧往里走。我俩进去后，小胡子还特意留意下门外才关门。

我也不笨，别看刚接触，但看着小胡子的身材和他几个举动，猜这是个武把子。

我挺累，想喝口水。姜绍炎却没进屋的意思，反倒在院子里跟小胡子聊了几句。

他先问："都准备好了吗？"

小胡子点点头，说院里四个人，院外埋伏两个人，只要对方赶来，保准把他们擒住。

姜绍炎嗯了一声。我有点缓过劲儿了，心说自己在坟串子里遇到的未必是鬼，弄不好是敌方的人，是杀手。

姜绍炎今晚算是把我给坑了。他在我家设了埋伏，又让我当了诱饵，把敌人引出来了。

只是我也有个疑问，敌人怎么会知道我在坟串子里玩鼎呢？

没等我想明白，姜绍炎又不多待了，对小胡子打了个手势。

小胡子招呼我俩去了院子后面。这里有个茅厕，这在农村很常见，都是自家盖的。

小胡子走到茅厕旁边，对着一处看似平地的地方摸了摸，再平着一推，竟打开一扇门，露出一个地洞来。

我被吓了一跳，心说自己在这农家院混了这么久，咋不知道还有这事呢？

小胡子间接替我解惑了，他跟姜绍炎说："这两天时间太紧，只能挖成这样了，一会儿走的时候，多弓着身子吧。"

姜绍炎摆手说这都是小事，又招呼我往里进。

他在先，我在后，不得不说，这挨着茅厕的地洞，很臭。我闻着肺都麻酥酥的了，想想也是，茅厕的屎常年沁着土地，让这里土地都变得"肥沃"有味了。

我也不知道我们去哪儿，就这么在后面跟着。

大约往前走了一百多米吧，我俩来到尽头了，这里也有个小铁门，是平推的。姜绍炎叫着我一起使劲，把铁门打开了。

等探出脑袋一看，这周围我都熟悉，心里也说，没想到我们来到这儿了！

活尸试验

这是我家后面的小树林，平时就很荒凉，没什么人来，现在这季节，更是显得毫无生气。

姜绍炎对我嘘了一声，那意思别说话，跟着他走就行了。

我俩一前一后地出来，把地洞门关上，又嗖嗖地深入。这样少说走了一里地，然后在一棵老树前停了下来。

老树底下停着姜绍炎的摩托，就是那个很神奇的军用摩托，只是上面全被枯叶和干树枝遮盖住了，这一看就不是天然形成的，反倒是人为做的一个伪装。

姜绍炎让我帮忙，伸手一顿扑棱，把摩托弄出来，他又带着我离开。

这摩托在林子里行驶也有点如履平地的意思。我觉得现在可以说话了，也就问了一句："小胡子到底干啥的，咋会打地洞呢？"

姜绍炎笑了，说他是个特警，以前的身份是贩子。

我默念贩子俩字，觉得不太对劲儿，贩子卖东西，不应该口才好才对吗？咋跟挖洞扯上了？

我摇头不信，姜绍炎嘘了我一下，说大千世界无奇不有，小胡子这种贩子很特殊，专门研究古玩和古文化的。

我一联系全明白了，也真想呸姜绍炎一口，心说什么贩子？那不就是盗墓刨坟

193

的吗？盗来古玩再往外面一卖。

我本来都有点犯膈应，因为刚才跟小胡子接触了，虽然他现在洗手从良了，却觉得他身上还有股古尸味。

但我又一想，自己是法医，也常年跟尸体打交道，就别嫌弃小胡子啥了，我俩半斤八两。

这次姜绍炎带我直接回的市里，但没回警局，在一个盲人按摩馆停下来，还绕到后门去了。

他又用一长两短的节奏敲门。开门的是我老熟人——李法医。

我当然不会笨到认为李法医兼职做盲人按摩，这一定又是姜绍炎的据点。

我们一起进了后院，姜绍炎把摩托停好后，就迫不及待地问了句："血清到了吗？"

李法医做了个OK的手势。

姜绍炎说句妥了，又一把拉着我说："走，小冷，我带你去馆里看电影去。"

我整个人都蒙了，这一晚上的疑问太多了，尤其像现在，刚说完血清又改口说电影，这两个事情明显挨不到一块儿。

我稀里糊涂进了馆，一起来到一个密室。

其实把它叫密室都轻了，看架势，跟个小科研室似的，里面有我不认识却看着很高端的设备，还有一些道具器材，在最里面的角落有一个白桌子，上面放个笼子，里面有只小白鼠。

姜绍炎和李法医很默契地率先走到小白鼠旁边，李法医开口说："它叫小宝，是这一批小白鼠里最乖的了。"

姜绍炎把手指放到笼子里，我看到，那小白鼠很友善地抱着姜绍炎的手指。

姜绍炎满意地点点头，又对李法医说："开始吧。"

李法医打开抽屉，拿出一个注射器来。这里全是偏红色的液体，也飘着一些很细碎的绿色粉末。

我知道，这一定就是所谓的血清了，问题是，血清是这样子吗？

姜绍炎配合李法医，把笼子打开，死死地摁住小白鼠。李法医对准小白鼠屁股打了一针。

不过李法医掌握一个尺度，这一管血清，他只推进去五分之一。

小白鼠很疼，不过它真是乖得可以，宁可难受地扭着身子，也不乱动乱咬人。

之后我们仨又去另一个角落了，这里有沙发，我们全坐在上面休息，没管小白鼠。

姜绍炎把他那盒美国烟拿出来，要分给大家尝尝。我是真没客气，一下拿了好几根。我是觉得自己拿得理所当然，这一晚上，老子都被他坑到啥程度了？不得来点补偿啊？

我发现麻驴说的根本不对，这烟很好抽，劲儿大，入口还不呛人。

我们仨都闷头吸着，这样过了一会儿，李法医独自皱起眉头来。姜绍炎眼睛多贼啊？这举动被他捕捉到了。他问："老李，有啥烦心事了？"

李法医嗯了一声，也不避讳我，直说道："铁驴那边刚来过电话，说今天五福精神病出现两个可疑人物，看样子来者不善。"

姜绍炎来兴趣了，追问说："谁的人？陈诗雨？"

李法医也咬不准，只回答说可能是吧。

我听到这儿急了，因为我爹在精神病院呢，要出啥岔子，老爷子岂不是危险了。

我欲言又止地咳嗽几声。姜绍炎明白我的担忧，安慰说："不用担心，一切稳妥。"

他也就是这么说，随后靠在沙发上，用手不断地压额头上的头发。这动作表明，他心里也有点烦躁了。

李法医跟姜绍炎是老朋友了，当然更了解姜绍炎，他补充一句，说有铁驴和大帝在，陈诗雨这算盘打不起来。

姜绍炎无奈地笑一声，摇摇头说："大帝的鼠军确实强大，只是老话说，双拳难敌四手，我们还是留一手比较妥当。"

他又拿出手机，翻了一个号码，念叨说："我跟黑虎小队打个招呼，让他们随时待命。"

李法医点头说好。我快听醉了，能猜到，之前我跟寅寅看到那个能控制一群老鼠的怪人，他应该叫大帝，这名气也很霸气，但黑虎小队又是啥？

没等我问，也没等姜绍炎打电话呢，一声尖叫把我们的注意力全吸引过去了。

小白鼠变得不乖了，它在笼子里来回乱撞，显得很狂暴，甚至还忍不住直咧嘴，把那两颗尖牙露了出来。

我不知道这是咋了，很诧异，但姜绍炎和李法医却很兴奋。

我们仨又凑到小白桌前，李法医观察了小白鼠一会儿，说道："好！这次成了！"

姜绍炎倒没这么着急下结论，他试探地把手指伸进去，小白鼠几乎拿出闪电的速度要往上扑。

姜绍炎又急忙把手指撤回来，小白鼠扑到笼子上，虽然被挡着，但还是对姜绍炎的手指直挠爪，大有不甘心的意思。

姜绍炎问李法医："有镜子吗？"

李法医说有，又找来一个。这镜子很常见，就是超市卖的那种能随身携带的小镜子。

姜绍炎把镜子打开，贴在笼子上，这样小白鼠能看到镜子里的自己。

小白鼠对这个"自己"充满敌意，一瞬间，它全身的鼠毛几乎都竖起来了，看着毛茸茸又异常恐怖。我也盯着它呢，更被这个现象吓得退了一步。

小白鼠吱一声扑上去，对着镜面一顿乱啃。

姜绍炎叹了一口气，把镜子收回来，望着李法医说："功亏一篑。"

李法医也没刚才的高兴劲儿了，又找了一个注射器，对着小白鼠打一针。我看小白鼠很快昏迷了。

一时间气氛有点尴尬，我想说点什么调节一下，但又不知道咋说，总不能讲个荤段子吧？

隔了一会儿，姜绍炎跟李法医告别，也让他继续跟狼娃联系，再研究研究。

狼娃这个名字，我都快忘了，被姜绍炎一说，它又重新浮现在我脑海中。

只是姜绍炎没再说什么，我也没机会深入了解狼娃。他带着我离开了。这次我俩回到了警局。

我发现今晚警局挺"热闹"，好些同事都没走，全躲在各个会议室里睡觉，但小会议室一直空着。

姜绍炎的意思，让我也去小会议室，陪他睡。

我点头应了，只是他这种说法，让我稍微不自在。我心说什么叫陪睡？那叫一起休息才对，但我这么说貌似也有点不恰当。

我也不能在措辞上太较真。我把被褥拿来，铺好后，跟他头顶头躺下来。

姜绍炎的睡眠质量真高，几乎躺下就呼呼上了，我本来慢半拍，也快入睡了，谁知道这个乌鸦睡觉打呼噜。

这呼噜声是不大，但有点刺耳，偶尔还来一个高潮。我彻底醒了，心里也有点烦躁。

我心说真是点背啊，这一晚上可咋过啊。我没法子，只好趴在椅子上看姜绍炎。

我本来是睡不着闲的，但一下子留意到他额头了。

第四十一章 · 活尸试验

他的额头也是一个秘密，我曾猜测好几次，这上面到底咋了，难道文身了，或者文字了？甚至要是文字的话，会是什么字呢？

我这么一合计，越来越心痒，也忍不住了，心说反正他睡着了，我把它掀开看看，神不知鬼不觉的。

我还是有点小紧张，把手伸出去了。先摸到额前的头发。我捏了捏，真是被定型过的。

我又试着往上掀，问题来了，被定型的头发，掀着困难。我不得不又爬起来，撅在椅子上，这样能使上劲儿。

我也留意姜绍炎的呼噜，一旦呼噜中断，表明他随时会醒，我就得赶紧收手。我是费了老半天劲儿，但这是巧活儿，不能全凭蛮力，最后只勉强掀开一个缝。

我心说得了，自己钥匙扣上不是有小手电吗？我用它照照，看有啥发现没。

我又小心翼翼捣鼓老半天，终于一切都准备好了，但就当我要打开小手电的一刹那，一个意外出现了。

第四十二章

农家院血案

从姜绍炎的衣兜里突然传出嗷的一声，跟老虎叫的一样。我哪有防备，被吓得一哆嗦。姜绍炎的呼噜也停了，明显要醒。

我暗骂，心说这个乌鸦，咋把手机铃声设成这个了呢？弄点《小苹果》什么的不行吗？

我知道自己没机会掀他头发了，也不能在他睁眼时，自己用这个姿势跟他见面。我急忙往后爬了爬，趴在椅子上装睡。

为了能让自己睡得更加逼真，我还学着打起呼噜。

姜绍炎咳嗽一下，睁开眼睛，他真是睡大发了，还特意抽了自己几下，那意思是让自己快速清醒。

随后他翻出手机，接了电话。

之前也说了，我跟他就是头顶头，离这么近，话筒里讲啥，能听得很清楚。

对方说："不好了，乌鸦，咱们派到农家院的人全死了。"

这消息太劲爆了，我听得心里一紧，小胡子他们都是武把子，六个人呢，竟然全死了？敌人的力量到底有多恐怖？

姜绍炎也惊到了，一下坐起来，但他只淡定地回了句，说知道了，就把电话挂了。

他又在那儿摸额头，只是突然间，他咦了一声。

我心说坏了，他一定发现啥异常了，但话说回来，我掀头发挺小心的，也没乱动啥。

我现在是"睡觉"呢，所以打定主意不动。

但姜绍炎忍不住哼一声，凑过来对着我后背掐了一下说："姓冷的，别装了，快给我起来，你动我头发了？"

我没法子，嗖地坐起来，也打算用胡搅蛮缠把错掩盖过去。我就哈哈笑着。

姜绍炎却挺严肃，指着自己额头跟我说："小冷，如果你不想被吓出心脏病来，就别动这里，切记！"

我被他弄得笑不出来了，认真地点点头，但心里更加纳闷，心说额头咋了？还能把我一个大活人吓死不成？

姜绍炎不跟我聊这个话题了，又拽着我往门外走。

等出了小会议室，他扯开嗓子喊一句："有任务，全体出警！"

这声很大，其他会议室的灯陆续亮了。我猜我们要去农家院了。

姜绍炎先走一步，在后院等大家。我慢了半拍，在经过一个会议室时，发现寅寅跟几个男同事一起出来了。

我心里有点不爽，虽然也明白，寅寅是刑警，跟同事一起休息并没什么，但我以后还得劝劝她，要休息来小会议室，躺在我旁边不一样吗？地方还宽敞。

我们这次出警规模不小，足足三辆警车，后面还跟着一个运尸车。我们车速挺快，但距离农家院真太远了，半个小时后才赶到现场。

这时候区派出所民警早一步赶来了，正在做现场封锁和路径规划。

我隔远先看到院墙破了一大块，也不知道是被摩托还是被轿车撞的。

我跟小凡是法医，要先进去。但等我俩来到院子，我算被眼前的场景震慑住了。

一字排开的，地上躺了十三具尸体，其中六个是小胡子他们，另外七个是敌人。

我们先初步看看敌人的尸体。这七个人有人身上有弹孔，有人中了军刺。之后再看小胡子他们。

他们身上没弹孔，三人死于刀伤，光凭这快刀我就知道，是杀死张队的那个凶手做的，另外三人被小型弩箭杀的。这弩箭射得很刁钻，分别射在脖颈、右太阳穴、左眼上。

细想想，我们这边的六个人全死了，说明啥？敌人一定有幸存者。我带着一丝恐惧四下看看，只是被院墙隔着，什么都看不到。

我有种直觉，幸存者没离开，他艺高人胆大，正在附近监视我们呢。但怎么把他揪出来，这不是我该做的事了。

我跟小凡在现场又调查一会儿，除了收集点血迹和检材，没更多发现了。姜绍炎的意思，让我跟小凡把尸体带到殡仪馆，做尸检工作。

不得不说，十三个死人啊，尸体太多了，运尸车装不下，最后我跟司机一商量，先把小胡子六人运走吧，之后司机再来跑一趟。

我们累得呼哧呼哧的，把尸体都抬上去了，正准备要走呢，有个派出所的民警找我们来了，还跟着一个老人。

我问："咋回事？"民警指着老人，问我们能不能带老人一起走。

我当时无奈地想笑，扭头看了看我们的车，心说这是运尸车，除了工作人员以外，能上这车的，也就是尸体了，从这点看，这老人就不够格啊。

我没说啥，但那意思不能拉这个老人。民警解释几句，说这老人本来走夜路回家，正巧这里激战，他无辜受伤了，现在大家都忙，他就想让我们把老人拉到医院去，先包扎下伤口，等事后同事再过去，对老人做个笔录。

老人还露了下左臂，我看袖子上真全是血。

我也不是那么不通情理的人，跟司机一合计，就让老人上车了。

我们还挺照顾他，让他坐在副驾驶上，我跟小凡坐在后面，几乎一回头就能看到那六具尸体。

我们是率先撤离了，但一路上总不能闷着不说话，这样跟尸体处在一个车厢，太尴尬也太难受。

我也在农家院住，跟这老人算是一个村的。我就没事找话，问他："老伯，你具体住哪儿呀？"

估计受了点惊吓，老人还有点没回过神，他回答很慢，声也挺小，说他是老张家的邻居，就是开小卖部的老张家。

我联系起来了，因为村里就那一个小卖部。其实我还想聊聊的，但看老人那样，索性放弃了。

我又跟司机和小凡胡扯起来。我们聊来聊去又回到今天的事上了。

现在没外人，小凡也有啥说啥，他回头看看六具尸体，说："今天真点背啊。"

司机赞同地点点头，我明白小凡的意思，这十三具尸体，我俩要做尸检的话，少说得弄到明天上午去。而且尸检也是高强度工作，不能分神。

弄不好干完活了，我跟小凡握解剖刀的劲儿都没有了。

司机顺着还接了句话，说咱们当警察的确实很苦，有时候还有丢命的危险，但怎么说也是为社会作贡献，福利待遇啥的也不差。

我跟小凡赞同地应一声，没想到这时候老人接话了。

他看着司机笑了笑说："警察有好有坏，好的天天跟犯人周旋，跟个永动机似的任劳任怨，你们仁就属于好警察。而那些坏警察，天天就知道欺负百姓，压榨民脂民膏。我很希望那些坏警察死掉。但很可惜，真是应了那句老话，好人命不长，坏人活千年。"

司机和小凡没啥大反应，我却有点生疑了，总觉得这老人怎么变风格了？刚才还那么蔫，现在怎么这么活跃了呢？尤其他语气也有点变了。

司机还跟老人说："老伯，你不像村里的，懂的很多嘛。"

老人突然坐得板正，盯着车前方看着，也趁空回答："你们知道吗？我一直在自责，每次我要对付的，全是好警察，我真有点不忍心，但我也要活着，靠钱来生存。"

在他说完的一刹那，我反应过来，一个很荒唐又很实际的想法出现在脑海中，我对司机和小凡大喊："不对，他是杀手！"

可我提醒晚了，老人的左手也没啥受伤的样子了，他突然对方向盘抓去，狠狠一扭。

现在车速不慢，这么打转向，车一下歪斜了，还一下翻了。

我觉得自己身子轻了一下，又迅速往下落，摔到底，小凡滚着压在我身上。

那一刻我觉得浑身上下的骨头都快散架了，不过好在没受大伤。

小凡哼哼呀呀的，而那司机就惨了。车头有点变形，把他挤到了。他一时没死，但下体可能要废了。

老人很聪明，他提前抓住副驾驶的把手了，让身子悬在空中，他倒没啥事。

他还腾出一只手来，迅速一摸后腰，拿出一把刀。

这刀一看就好，这么昏暗的环境里都能闪出亮来。他对准司机的脖子抹了一下。

我眼睁睁看着司机的脖颈往外喷血，伤口很致命，他人肯定活不成了。

杀手又在这狭小的空间转过身子，就势要对小凡下手。

我跟小凡都没准备，我心说糟了，我们仁要结伴上路了。但司机在关键时刻发威了。

他知道自己活不成了，临死前狠力一扑，把杀手抱住了，双手紧紧握在一起，嘴里含糊地对我们说："咳……咳州。"

我明白，他想说快走，只是嗓子里全是血，说不清。这一刻我眼泪都快出来了，但绝不是吓的。

我跟小凡不能拖拖拉拉，我大喊道："快爬出去！"

小凡急忙站起身。

我俩坐在后面，车门是平推式的，也赶上运气了，这车门没坏。小凡上来彪劲儿，试了两下，就把车门打开了，还一马当先往上爬。

杀手气得哼了一声，只是他被司机抱着，尤其刀还被挡住了，一时间只能用一只手伸过去抓小凡。

我急了，虽然自己手里没啥家伙，但此刻也不要面子了，上去就是一口。

我咬得挺狠，杀手疼得叫了一声，算他缩手快，不然我保准咬下一口肉来。

小凡站在车上面了，又把手伸下来，我俩一配合，全爬出去了。

不过接下来怎么逃，成问题了。

生死一线

我知道用不了多久，杀手就会挣脱司机爬出来，我跟小凡没法跟他拼本事，更没法跟他拼体力，要活命，唯一的办法就是藏起来。

路两边全是小树林，还有一些干枯的灌木丛。我想了个不是办法的办法，指了指树林，跟小凡一起跳下车。

这期间我兜里嗡嗡响，手机震动了。我真服了，这时候竟还有电话？我哪有空去管它？

我跳下来没出岔子，但小凡不行，落地瞬间就忍不住跪了一下。

我低头一看，心凉了半截，他左膝盖上全是血，明显伤得不轻。

小凡试了试，发现走路都有点瘸了。而横着的运尸车里，时不时传来咣咣声，一定是杀手扭动身子弄出来的。

我们时间不多了。小凡现出一丝狠色，跟我说："冷哥，你走！我挡杀手一会儿，咱俩能逃出一个是一个！"

随后他又扭头，想爬回运尸车上。

我肯定不干，因为小凡是我兄弟。我也急眼了，一把抱住他，说了句生死与共后，架着他往树林里走。

小凡本来挣了几下，发现行不通，他也开始顺着我一起努力了。

我们这么拖拖沓沓地走了五六十米吧，我扭头一看，运尸车上先露出一个脑袋，很快杀手从里面爬出来，还四下看着。

我旁边正好有个灌木丛，我跟小凡赶紧蹲在它旁边，我们都怕站着太显眼了。

杀手跳下车，本来挺着急的，但对着一处地面看了几眼后，他淡定了，拎着刀向我们这边树林走过来。

我本来特纳闷，心说他看到啥了？但随后也反应过来了，一定是血。小凡膝盖上的血滴暴露了我们的逃跑路线。

小凡比我还急，因为我俩要再不采取措施，杀手就直逼眼前了。

小凡又跟我说刚才的话了，不过这次他看着更严肃也更坚决。

我一时间瞅着他，没回复。小凡推了我一下，压着嗓子吼道："冷哥，听我的，一会儿我先奔着左边逃，你等一会儿再偷偷往右边走。"

我心里很堵，突然喝了一声，手上也有动作了，对着他的脖颈狠狠切了一下。

我切得正，小凡一声没哼就晕了过去。我赶紧小心翼翼地把他推到灌木丛里。

其实人是自私的，但这跟仗义不冲突，在这种场合下，我依旧持有刚才的观点，而且这次如果真独自逃了，我怕这辈子都活在阴影当中。

我也有个想法，我们现在离农家院也不远，我给姜绍炎打电话，让他们急速支援，我趁空拖住凶手，弄不好能反败为胜。

我偷偷拿出电话，发现有三个未接来电了，全是姜绍炎打来的。

我心说这挺巧，还找他呢。我赶紧拨回去了。

接听后，姜绍炎抢先说："小冷，你们到哪儿了？听民警说你们还带走了一个老人，小心他，他左手受伤很可疑。"

我想苦笑啊。姜绍炎这话提醒晚了，现在说这些也没用了。

我稍微捋了下思路，把我们这边的情况用几句话概括一下。姜绍炎一听急了，只回复一句"撑住"，就把电话挂了。

树林里的血迹不好找，虽然只隔这么一会儿工夫，杀手却在我们三十米开外的地方了。

我四下看了看，深吸一口气，突然站起来，对着一个方向跑出去。

我跑得很快，杀手一下看到我了。他二话不说，撒腿就追，只是没追多远呢，他又突然停了下来，对着我站起身的灌木丛看了看。

我心里一紧，心说这老杀手好聪明，看到只有我自己逃了，猜出来我起跑的地方藏人了。

杀手心里一定很纠结，他在琢磨到底先对付谁。不过他选来选去的，最后把精力放在小凡身上了。

他不理我，大步往灌木丛那边赶。我一下急坏了，也隐隐觉得，这么一来，小凡可算被我害了。

我对着杀手使劲喊，想在言语上把他激怒，让他改主意。

我连骂好几句，但他就跟没听到一样，对我不理不睬。眼看他马上走到灌木丛那儿了。我灵机一动，赶紧蹲地抓了一个大石块塞在兜里了。

这些杀手能去农家院，说明他们是奔着鼎去的，那我就在这上面做文章，不信对他们没诱惑。

我又扯嗓子喊："笨老头，鼎在我这儿，你瞪大眼睛看清楚了。"

他也真肯扭头了。我赶紧对着鼓囊囊的兜子拍了拍。

这下可好，杀手是放弃小凡了，但他对我兴趣也更大了，突然加速奔我冲过来。

我才明白自己低估他了，这速度太恐怖了。我没招儿，硬着头皮使劲逃。但我发现在林子里我压根儿跑不开。

没法子，我又费劲地冲回马路上了。这时杀手离我只有十米之遥。

不远处就是那运尸车，我一琢磨，奔着运尸车过去了。合着我跟杀手绕了一大圈又回来了。

我打了这么个主意，有运尸车挡着，我能跟他绕圈玩，这种跑法谁都提不上速，他一时间想追到我有点难。

我俩就这么死磕，我足足心惊胆战地绕了两圈。杀手不笨，一看不行，也有了对付我的招儿。

他对着车身一蹬又一跳，一下落在车顶上了。这么一来，我再怎么绕圈，他都能一目了然，也能扑下去把我逮个正着。

我急忙停下来，也往后退了退，跟他保持一段距离。

老杀手很古怪，看着我啧啧几声，又突然笑了，伸手对我说："我喜欢机灵人，看在这份儿上，只要你肯把鼎交出来，就饶你不死。"

我心里狂喜，倒不是因为他说的话，而是觉得他只要不追了，肯交涉，我就有机会再拖上一段时间。

我不能告诉他，自己兜里揣的是假货。我索性假戏真做，拿出一副犹豫的样子，想了想反问他："你说的是真的吗？用鼎换我命？"

杀手点头，又催促着挥手。

我却反其道行之，故意摇头说："我怎么信你？你写个保证书，或者开个发票，这样我才能把鼎给你。"

杀手咧了咧嘴，有点动怒了，他还一下从车上跳了下来。

我看他急了，知道拖不下去了，但我也得赚点便宜再说。我对他摆手，让他别生气，自己这就拿鼎。

我故意遮遮掩掩的，把手伸到兜里了，等一切准备好了，我又突然拿出石头，对着杀手狠狠撇了过去。

我用的力道很大，几乎集全身之力了，另外也挺有准头的，石头奔着杀手脑门去的。

杀手倒没在乎，气得骂了一句，看似随意地挥了一刀。

他这刀真准，刀背一下磕在石头上，把石头给打飞了。

我看准时机又往树林里逃，因为我发现一棵老树。这树太大了，也不知道为啥这种小树林里会有这种奇葩的存在，估计四五个人合抱都抱不住它。

我想一会儿围着老树继续绕圈，不信杀手还能一下蹦到树上去。

但我算漏一样东西，这树大是大，我们围着它转圈，却显得还是有点小。

等我跟杀手都来到树底下时，他还故意声东击西地喝了几声，我是进了套了，一个没算计好，跟他面对面遇上了。

现在的他，哪有老人的样子，一脸凶光，也不多说，抡着刀横扫一下。

这一刀太快了，我真没反应过来，不过当时有种很强的直觉，纯属下意识逼迫自己往下蹲了一下。

这可救了我的命了，刀险之又险地从我脑袋顶上扫过，还带下来几缕头发，而且因为杀手用力过猛，这一刀还一下砍到树干上了。

我半蹲着，暗叫一声好机会。现在杀手的刀被限制住了，我再不反击等待何时？

我嗷一嗓子，用肩膀对准他肚子狠狠撞过去。我学过专业知识，懂得肩膀有多硬，肚子有多软，心说只要这一下撞实了，我有信心让他飞出一大截去。

但我太理论化了，真等撞到他肚子时，一点软的感觉都没有，反倒还很硬。

我心里直骂，心说这老瘪货吃砖头长大的吧！

杀手只是一时间没想到我会反击，等反应过来后，他用膝盖对着我胸口狠狠来了一下。

我惨了，好大一股力道传到胸口上，我体格也略单薄，这一下子就飞起来了。

我就觉得整个人往后飘了飘，又跟个王八似的，狠狠落在地上。

第四十三章 · 生死一线

我咬牙没喊出声，也想赶忙爬起来，但刚坐直身子，杀手又对我补了一脚，我又四仰八叉地倒在地上。

杀手趁空把刀抽出来，大步赶过来，就势要往我身上劈。

我吓得没招儿了，赶紧喊了一句："哥！亲哥！你等等，我真有鼎，现在就拿给你。"

我纯属还想耍把无赖，但杀手不上当，骂了句混蛋，又举起了刀。

我心里凉了，都想闭上眼睛了，心说跟他死磕这么半天，最终命运还是没法改变啊。

逃
生

杀手的刀并没砍下去，因为远处突然传来砰砰两声枪响。

此时，姜绍炎的摩托出现在远处，还飞速向我们靠近，这两枪都是他开的。

能理解，他在如此状态下开枪，打不准也很是正常。姜绍炎又陆续开了几枪，这次有一发子弹离得很近，打在老树干上了，激出一股烟来。

杀手意识到情况不好，他很想杀我，但又怕这么一耽误，自己就逃不掉了。

最后他瞪我一眼，向树林里面冲去。他还耍了滑，跑时忽快忽慢，也故意弄出一个S形的路线，怕姜绍炎摸准他的撤退方向。

我要是还有体力，再会点搏斗本事的话，真有可能继续反扑，把杀手缠住，但我心说自己几斤几两自己还不清楚吗？别扯那用不着的了，赶紧走人。

我跟杀手背道而驰，对着马路跑过去。

这时候我虽然累得难受，心里却很舒坦，有种劫后余生的感觉。只是我放松之下太大意了，跑着跑着，突然被个干草绊住了。

这下好，我整个人一失衡，狠狠摔倒在地，脑门还磕到一个石头上。

杀手几番攻击没把我打败，我却最终败给了这块小小的石头，晕了过去。

等再次睁眼时，入眼又是白被褥又是白窗帘的，我躺在医院了。

人刚醒时都有点迷糊，但等缓过神后，我全回忆起来了，吓得就势要坐起来。

第四十四章 · 逃生

有双手急忙按在我肩膀上，制止了这个举动，我扭头一看，正是姜绍炎。他还安慰我说："没事了，一切都过去了。"

我可不这么认为，也急忙反问："小凡呢？他怎么样？"

我真怕姜绍炎没找到小凡，那样的话，那小子可就凶多吉少了。但姜绍炎让我放心，说小凡也没事，只受点轻伤罢了。

我扭头看了看，这病房还有一个床，上面空空的，我心说小凡要只是受伤的话，也应该躺在这床上吧？现在没人，说明啥？

我一脸焦急。姜绍炎真的挺善解人意，他又哈哈笑着说："小冷，别操那心了，我跟你发誓好不好？刚才说的要全是假话的话，我这条命你拿去。"

这种誓言让人听着很怪，不过我也理解，他是变相告诉我，小凡真没事。

我不急了，想了想，又问："杀手抓住没？"

姜绍炎乐观不起来了，摇摇头。

我叹了口气。那杀手的确又聪明又狡猾，这次跑了，我们再想抓他就难了。

姜绍炎倒是又说出一句让我意外的话来："五天之内，杀手保准落网。"

我问他凭什么这么肯定。姜绍炎跟我解释："你不认识那杀手，但我了解他。这人叫王楠，是北虎部队退役的侦察兵，因为天生白发，一脸全是皱纹，看起来很老态，被大家起个外号叫白头翁。"

随后姜绍炎也叹了口气，不自在地扭了扭身子，继续说："中国的军队啊，装备上远远落后于那些发达国家，这种情况一直没被改善。但经过一次次战争和危险任务的洗礼后，中国军队也具备了一个很恐怖的特色，那就是化腐朽为神奇，用最简单的装备，拿出疯子一样的念头，却往往能做出逆天的战果来。这种'军魂'也影响着一代又一代的军人。白头翁就是一个典型，他做事就是异常执着，不达目的誓不罢休。他这次是为小鼎而来的，没得到它，他不会走，也会再来找你的。"

我听到最后有点担心，我很清楚法医刘哥咋死的，不想步他的后尘，而且躲在医院里真不保险。

我跟姜绍炎建议，反正自己也没啥生命危险了，不如回警局休息吧。

我还想起身，但姜绍炎死死把我摁住，接话说："警局不如这里妥当，另外这几天我也会让寅寅做一件事，让她联系线人，把你有鼎以及你在医院养病的事扩散出去，白头翁鼻子很灵的，一定会捕捉到这个信息的。"

我一瞬间都有点愣了，先不敢相信地"啊"了一声，又大吼一句："啥？还是我当诱饵啊？"

姜绍炎嘿嘿笑了，也告诉我，这病房周围有便衣特警保护着，只要白头翁敢来，保准第一时间被擒住。

我连说不干，但姜绍炎真坏，还把脸沉下来了，说这次能不能擒住白头翁，就看我能不能配合了。

其实我也只是耍耍嘴皮子，就算违背姜绍炎，能偷偷逃回警局去，接下来肯定被同事七手八脚地再押回医院来。

这时候姜绍炎电话响了，他拿出来看了看，脸阴沉得更厉害了，也不知道摊上什么麻烦了。他跟我告别，匆忙走出病房。

在他出去的一刹那，有个小护士走进来了，她死死守住门口，面上说是陪护的，但我觉得，有她这么陪护的吗？怕我跑了才对吧！

我没招儿，只能妥协了。接下来的三天，我都在病房里度过的。

身子倒是有所好转了，可心里那根弦绷得是越来越紧，每次有人在病房门口经过，我都神经兮兮地往外瞅，特怕是白头翁来了。

这样又到了一个晚上，我正无聊地在病床上坐着，姜绍炎溜溜达达进来了，他还买了我很喜欢吃的酱牛肉和可乐。

他看着我，特意举了举手里的袋子说："小冷，看我给你带什么了。"

我看着酱牛肉，脑袋里"嗡"了一下，心说又拿吃的"贿赂"我是吧，没准吃完又让我干啥呢！

我是饿了，但忍着摆摆手，说自己还没胃口，另外我也留意到，姜绍炎的右手掌缠着纱布呢。我指着纱布问他："咋了？"

姜绍炎倒是很"细心"，把酱牛肉和可乐都摆好，之后坐到我旁边说："这手掌？昨天五福那边有情况，来了一伙扰乱分子，不过他们全军覆没了。"

我听这话的前半截时，心跳都加快了，毕竟担心老爹的安危，但听了后半截，我又暗自叹口气。

有句话叫度日如年，我这三天在病床憋的，真跟过了三年没啥区别。这次看到姜绍炎，我真熬得扛不住了，跟他念叨，说自己绝不在病房待下去了。他要是还不让我走，急眼了我可敢做些极端的事，寻死上吊啥的。

姜绍炎不仅没生气，还哈哈笑了，点了点我，说他早就考虑到这一点了，又对着门外摆了摆手说："你进来吧。"

一个人一闪身，挡在房门前，他也穿着病号服，不过没带手环，这说明这病号很可能是假的。

第四十四章 · 逃生

这都不算什么，当我看着他脸的时候，愣住了，甚至还不敢相信地眨了眨眼睛。

这人不外道，大步往里走，凑到我身边来。这时我也站起来了，跟他对视着。

这人太像我了，能到八九成相似，只是他脸上有几处地方贴着创可贴。

我先开口问他："你不会是我另一个亲兄弟吧？"

那人微微摇头，又跟我说："我叫冷诗杰！"

我当时眼珠子都瞪得溜圆，因为他说话声也很像我。我不可思议地看着姜绍炎，那意思让他快告诉我，到底咋回事，这个我又从哪儿冒出来的。

姜绍炎先摆手让我别那么激动，又指着"冷诗杰"说："他是一个特警，本来长得跟你有点相像，这几天我让他去了趟北京，在熟人那里做了手术，把脸部脂肪和肌肉群稍微调整了一下。你不是熬不住了吗？那就让他当你吧。"

我全明白了，这么说来，他脸上的创可贴一定是在掩盖手术后的伤口了。

我觉得这特警牺牲太大了，而且他顶替我，危险也间接转移到他的身上了。本来这种损人利己的行为我是全力反对的，但这次我反对我就是傻子。

我还怕他临时反悔啥的，赶紧腾地方，让他坐在病床上，又把酱牛肉和可乐推给他，面上我客气地说："同志，辛苦了，一定饿了吧，赶紧吃点酱牛肉填填肚子。"

我是眼巴巴瞅着，看他真听我话地吃了两片牛肉后我又看姜绍炎，那意思瞧到没？这次是他吃的，有事跟我没关系了。

姜绍炎也看出我那点小心思了，他一摆手没多说啥，让假冷诗杰在这儿好好待着，又让我赶紧换上便装走人。

这次换衣服绝对是我有生以来最快的一次。不出半分钟，我就跟姜绍炎出了病房。

我俩没坐电梯，反倒去了楼梯间，在刚进门的一刹那，我看到楼道里蹲个小伙，正在吸烟呢。

乍看起来，他平平常常，像个护理病人的家属，其实要我说，他也该是一个特警才对。

姜绍炎没跟这人打招呼，我俩闷头向下走，等出了侧门，我忍不住大口呼吸着新鲜空气，觉得自己自由了。

我问姜绍炎："接下来去哪儿？回警局吗？"

姜绍炎一耸肩，又指了指楼上说："那个'你'还在病床养伤呢，这个你怎么能随便露脸呢？来吧，咱们先上车躲着再说。"

211

第四十五章

白发杀手（一）

侧门不远处有一辆黑色轿车，姜绍炎带着我一起上车，他坐在正位上。我看他也没开车的意思，只好悠闲地待着。

我是突然想到寅寅了，这三天她没来看我，这不科学。我就问姜绍炎："你的女徒弟哪儿去了？有啥任务？"

姜绍炎正拿出一副心事重重的样子，琢磨事呢，回答说："我徒弟？正在学习心理学和催眠。"

我有点愣，心说寅寅一个刑警，学那玩意儿干吗？难道遇到贼了大吼一声，掏出秒表在贼眼前晃悠吗？

姜绍炎也因为提到寅寅，回忆起别的事来，苦笑道："知道吗？小冷，我这辈子有过很失败的两次经历。"

我没接话，示意他往下说。

姜绍炎继续说："第一个失败经历，让关系最近的几个人，在同一天跟我阴阳两隔了，为此我还哭了！"

都说男人有泪不轻弹，尤其像姜绍炎这种硬汉，能哭绝对说明他很伤心。另外凭我对姜绍炎的了解，他不好女色，这最亲密的几个人，一定是他兄弟。我猜那一天，一定是做特殊任务失败了吧。

我没法安慰，尤其这事都过去了，我也不能不应景地来一句节哀顺变吧？我索性往下问："那第二个失败经历呢？"

姜绍炎无奈地呵呵几声，说他有个很强劲的对手，处处压着他，前段时间他本以为能翻盘呢，谁知道实验还是失败了，他依旧被动着。

姜绍炎没说太细，但我猜这个对手是陈诗雨，而那个实验就该是给小白鼠打药那次。

姜绍炎突然有点累，把椅子调低，说想歇一会儿，让我自便。

我也不能下车乱走，一合计，自己玩玩手机吧。

我手机里存了几个游戏，其中一个是什么小鸟的，我点屏幕控制小鸟飞，让它不撞在障碍物上。

说实话，我玩游戏比较笨，玩来玩去的，竟砰砰往上撞了。我怕打扰姜绍炎休息，特意调了静音。

这次我又让小鸟撞到了，邪门的是，车外也砰了一声，好像有什么东西落到了地上。

我心说搞笑呢？这还带给我配音的？姜绍炎也被这声响弄醒了，我俩好奇，一同往前看。

这东西离我们不太远，我模模糊糊看到，好像是个人！

我心里紧一下，很明显有人从楼上落下来了，难道是个病患？脑袋有啥病或者一不小心摔下来的？

姜绍炎喊了句下车看看，我俩行动起来。

我一边跑还一边想，以后得跟医院反映反映，在窗户上安个护栏啥的，不然一个大活人就这么死了，可惜了。

可等离近了，我看清这人长相时，吓得忍不住哇了一声。

他竟然是冷诗杰，就是假的那个我！

他没啥精神上的毛病，却能摔下来，只能说明，白头翁来了。姜绍炎变得异常严肃，一边盯着楼上看，一边把腰间的对讲机拿出来，对着问："三毛、牙狗，收到回复。"

没人回答他。我整颗心都落到了谷底，觉得叫三毛和牙狗的人，凶多吉少。

姜绍炎也真临危不乱，把对讲机频道换了，又对着喊："A组、B组全去楼正门集合，C组依旧埋伏不动，把侧门监视好了。"

这次对讲机里有声音了，好几个人都回复："收到！"

我猜这些A、B、C组什么的，全是特警，我们接下来也要采取包抄封堵的办法，把白头翁抓住。

我想赶紧往正门跑，跟其他人会合，但姜绍炎喊了句"等等"，又指着假冷诗杰的尸体跟我说："先把他抬到车里去。"

我明白，除了我俩，还没别人发现假冷诗杰的尸体，我们要任由他躺在这儿，真有个路过或者探窗户往外看的，发现这事了，保准会乱叫、报警啥的，那样场面就乱了，对我们不利。

我立刻跟姜绍炎配合。

我发现假冷诗杰死得挺惨，后脑凹进去一大块，但没流什么血，我俩把他抬到车上，也没弄脏手。

我们又迅速赶到正门，这时我留意到，有十来个大男人都聚在正门口了。他们虽然穿的便装，但一定是A组和B组的特警。

姜绍炎给我们分工，他要带A组上楼，抓白头翁去，另外让我和B组全守在门口，留意出入人员。

我们都应声点头，姜绍炎他们立刻出发。

我有点小紧张，毕竟领教过白头翁的身手。我也忍不住地直念叨，对B组负责人说："白头翁特征很明显，白发，脸上全皱纹，发现这种人，你们一定别手软。啊对，他也可能乔装，所以要更小心谨慎！"

其实B组负责人肯定比我了解白头翁，他意思一下点点头，也没接话。

我们等了有一刻钟吧，B组负责人的对讲机也没响，楼里更没啥动静，我纳闷了，心说姜绍炎他们啥进度了，到底找没找到人呢？

很巧的是，这时候有声音回应我了。

砰砰断续五声枪响，从楼上传了出来。这下不少人听到了，楼里也有点混乱。

我估计没一会儿，就得有人往外跑，我也真无奈，因为这么一来，B组特警压力很大。

这还没完，突然间，整个楼的火警响了，铃声嗡嗡的，催促得让我听得揪心。

这下楼里彻底大乱。有个特警忍不住问负责人："一会儿肯定大批量往外出人，我们怎么办？"

B组负责人想了想，跟大家说："咱们退一步，让大家都出来，但不要让他们离开，全站在门前等着。"

B组很默契，有两个特警依旧守在门口，另三人围出个扇形来，还把枪拿出来做准备。

我盯着楼里，不到半分钟，一拨一拨的人跟潮水一样往外冒。但B组处理很妥当，引流工作做得很好。

不过也有调皮捣蛋的，就说一个中年男子，穿得邋邋遢遢，长得一看就不是啥好鸟。他对一个瘦特警吼着，说凭什么不让他走，医院着火了！

瘦特警本来耐心解释几句，但中年男子来脾气了，点着瘦特警的脸说："我有权力走，你再拦我试试？小心告你滥用职权，再说，老子局里也有人，怕你？"

我看他那嚣张样就觉得不妙，其他人可都瞅着他呢，B组要是镇不住他的话，让他走了，也肯定留不住其他人。

我知道抓白头翁有多重要，也暗下决心，要是这爷们儿还闹的话，我把他弄晕得了，管事后咋样呢！

但瘦特警跟我想的一样，看中年男子就势要走，他把枪举起来了，指着中年男子说："最后说一遍，退后！"

中年男子真是好赖话听不出来，还贱笑着，一边往前靠一边指着自己脸说："打呀，你敢打吗！"

我想起那句话了，不作死就不会死，中年男子绝对是自找的。瘦特警猛地下手了，用枪托对他脖颈砸了一下。

中年男子跟一摊肉泥似的，一下子出溜在地上，不省人事。本来还有几个人蠢蠢欲动，看到这儿，尤其看着瘦特警一脸严肃样，全老实了。

本来没我什么事，我就一个法医，纯属旁观，但我被瘦特警弄的，也来了一股积极性，我走到他面前问还有没有武器，借我一个，我也维护下秩序。

瘦特警从腰间拿出一个甩棍递过来。我不太会用，但做做样子还是可以的。

这样我们四个，不断重复喊着让大家别乱、安静这类的话，而B组负责人也在这时用对讲机呼叫几次。

但姜绍炎那边一直没回复。我们只能干等。

这样又过了十多分钟，突然间，楼上传来啪的声音。我们都抬头往上看。

有一扇窗户坏了，玻璃碴子正往下落呢。这下人群又乱了，大家四下奔走、各自避难。

几个特警全扯开嗓子喊，但声音全被杂乱声盖过去了。

关键时刻，负责人做个稍微出格的举动，他朝天鸣枪了。这砰的一声，一下把大家镇住了。

我是没经验，刚才只顾抱脑袋了，等回过神四下一看，又直想骂娘。

我周围全是人，被这么一乱一闹，大家位置一变，把我夹在人堆里成群众了。

我喊着让让，想从人堆里走出来。但大家都有点木讷，谁也没给我让地方。更让人无奈的是，我面前还是俩壮汉，跟一堵墙似的挡着我。

我心说得了，都不让是吧？那我强行往外钻吧。

我这就动手，不过正扒拉壮汉呢，有人指着楼上喊了句："妈呀！"

我抬头一看，脑袋里嗡了一下。有个病房用的那种长条桌子被扔出来了，位置不偏不正，正好在我头上方。

这可不是玻璃碴子，实打实砸伤了，我小命保准丢了。

我急了，嗷嗷喊着快逃。但周围人太没组织性了，整个又乱套了。

有人想往左面跑，有人想往右边跑，一下撞到一起，还互相争呢，也有人都傻了，直愣愣站着。

桌子落下来的速度很快，我忘不了这一刻，它在眼前不住扩大，甚至最后快充满我整个眼睛了。

我逼得没招儿了，但都这时候了谁都想活，我有个很损的办法，心说别怪自己不地道了。

我整个身子往下一沉，抱着脑袋蹲到了地上。

白 发 杀 手（二）

第四十六章

老话说，天塌下来有个高儿的顶着，这话现在得到了验证。

我这么蹲下来后，听到头上方咣的一声，随后有数不尽的人哭爹喊娘，也有几个运气差的当场身亡，尸体一下子软弱无力地侧歪下来。

我倒是没被桌子砸到，只是在混乱中受伤了。等费劲地从人群爬出来后，我发现额头出血了。

我也懂医学常识，用手对着伤口摸了摸，知道是皮外伤，只要及时止血，就没大碍。

现在没有药棉，我只能用手掌压着，用这种土办法止血，趁空也瞧瞧周围形势。

这些人是管不住了，甚至毫不夸大地说，都快集体暴走了。

B组负责人不笨，桌子能从楼上被撇下来，说明白头翁还在楼里，我们限制这群人自由的目的就是怕被乔装的白头翁浑水摸鱼，既然白头翁还没逃，我们没有必要认死理。

负责人一挥手，把这群人放走了。B组特警又全都守在门口，准备对新出来的人员进行控制与排查。

我虽然受伤了，头有点晕，却也跟了过去，想继续出一份力。

但这时候B组负责人的对讲机响了，姜绍炎终于说话了，他知道桌子被撇下来

217

的事了，问B组负责人什么后果。

负责人没隐瞒，也特意提到我了。姜绍炎倒是很在乎我，一听说我受伤，还有点急了，借着对讲机嘱咐，让我快点回警局。

打心里说，我不想回警局，现在好不容易有机会把白头翁逮住，我很期待看他被押解出来的那一刻，甚至要是没忍住，我还可能对他吐几口口水呢。

我急了，凑到对讲机旁边，想跟姜绍炎理论几句，但他不给我机会，又下线了。

B组负责人只认姜绍炎的话，立刻让我走。我寻思好说好商量，没想到刚说几句，负责人就烦了，拿出一副驱赶我的意思了。

我无奈地一叹气，心说算了，自己一个小法医，没啥发言权。

本来侧门那里停着辆黑色轿车，我要是开它回警局正好，问题是，我没车钥匙。

我又快速跑到医院正门口，想打出租车。

这里很热闹，一方面停着两辆特警车，另一方面刚才又是火警又是撤桌子的怪事，也都传到这里来了。有一小堆人聚在正门口，要么探头跷脚地看热闹，要么对特警车品头论足，猜测发生啥事了。

我四下看了看，发现有个出租车正好打着空车的牌子，但司机没在车上，估计也在热闹呢。

我喊了句打车，算是给司机提醒了，又奔着出租车去的。

司机挺有意思，或许是被我现在这德行吓住了。我浑身挺脏，额头又全是血。

我刚坐上来，他也钻进来了，但不问我去哪儿，反倒苦着脸对我说："老兄啊，我车坏了，要不你换一辆吧？"

我可不信他说的，他车坏了还有闲心看热闹？明显就是不想拉我罢了。

我本来就憋着气呢，这下火了，对着车座狠狠拍了一下，对司机吼道："你敢拒载？以后还想干不？"

这司机也是个老油条，根本不怕我这么说，依旧苦着脸，想把我逼下车。但我又来了句，说自己是警察，有事要马上回警局，这话让他敏感了。

我兜里没带警察证，不过也不用证件来证明啥了，我当了这么久警察，在言语间，都能露出一些警察的气质了。

司机没法子，只好起车带我离开。

我真有点身心俱疲，也不想再说话了，就靠在副驾驶上，呆呆地望着前方路面。

这样走了有五分钟吧。这出租车的车载对讲机响了，有人问了句："T3586，你在哪儿呢？"

其实这话是群发的，T3586也一定是车牌了。没想到这辆车的司机有反应了，他拿起对讲机，反问一句："我刚路过天马大厦，谁找我？"

可对讲机里没反应了。出租司机还忍不住又骂了句，说谁跟他开玩笑呢。

我本来也就是听听。但没一会儿，我看倒车镜发现，有一个摩托在我们后面出现了，还飞速地靠近。

我有点敏感，也一下坐直身子了。我有个想法，刚才对讲机的问话，不会跟这摩托有关吧？

这样等它追到与出租车车身平齐的地方时，我留意到，摩托司机的头盔没有挡风面罩，反倒是挡风镜。这样把他头发和脸都显出来了。

他白发，一脸全是褶子，不是白头翁还会是谁？

我慌了，也真没想到，他能这么快从楼里混出来，并追上我。

我的样子被出租司机瞧在眼里，他也不明白我到底慌个什么劲儿，还跟我说呢："警察大哥，你咋了？"

没等我回答。白头翁的摩托已经开到副驾驶旁边了。他真狠，跟变戏法似的，腾出一只手，拿出一个小铜锤来。

他让摩托跟出租车的车速保持一致，又用小铜锤对着副驾驶的玻璃狠狠砸了两下。

伴随着啪啪两声响，玻璃上漏了两个好大的洞。我吓得急忙往里凑了凑。

出租车司机一下来气了，也不问我了，反倒对着白头翁大骂，说这老犊子没来由地砸他的车，纯粹找死呢。

这出租车司机也是个挺冲动的人，他一打方向盘，让出租车对着白头翁那边偏去，想反撞摩托一下。

要在平时，摩托被这么撞到，保准是一场很严重的车祸，但白头翁真强，出租车刚一偏，他的摩托也一偏，有节奏地保持着一定距离。

出租司机愣住了，这一刻，他一定是回过神，猜出了什么。

白头翁好不容易不砸玻璃了，我终于能临时喘口气。我是一边拿电话，一边跟出租司机说："这摩托司机是好几个案子的凶犯，你一定把他拖住，我这就联系同事。"

我自认这么说没毛病，但出租车司机根本不配合我，也被凶犯这个词吓住了。

他没那胆子跟白头翁继续撞车玩了，一扭方向盘，让出租车来个一百八十度的大转弯。

我没料到出租司机会这样，被甩得够呛，却也明白他啥意图了。

我们现在的位置，离警局太远，但离医院近，他一定想把出租车开回去，找特警。

只是他突然这么一调头，让一辆丰田车追尾了，实打实顶在我们车屁股上。

我不知道跟追尾有没有关联，反正这么一弄，出租车熄火了，司机急忙打火，但车钥匙拧来拧去的，就是一点反应都没有。

丰田车上有人下来了，是个胖车主，他一定心里也有气，一边往出租车这里走，一边喊："哥们儿你会不会开车啊？"

我跟出租车司机哪有时间理会他啊？我留意着白头翁的一举一动。

他看我们逃不掉了，倒是挺悠闲地把摩托停在路边，从车上跳下来，还一摸后腰，拿出那把快刀来。

胖车主眼睛也贼，看到白头翁浑身杀气腾腾的，他也顾不上再跟我们理论啥了，扭头就跑，连丰田车都不要了。

我心里那叫一个急，也知道自己下车没用了，根本逃不掉。

我一狠心，把车反锁上了，又催促出租司机快点打火，看能不能时来运转地逃过一劫。

出租司机脸色不咋好看，都有点涨红了。白头翁对出租车司机不感兴趣，走近后，他一下跳到车前盖上，蹲在我的面前。

我跟他用这种方式互相对视着，虽然隔着挡风玻璃，但我觉得，这挡风玻璃跟不存在一样。

白头翁有动作了，他举起刀，将刀尖对着我，随后他突然发力，将刀刺进来。

这刀太锋利了，挡风玻璃上瞬间多出一个裂口。我也就是潜意识地往后一躲，让这一刀因为距离不够，险之又险地停在我眼前。

白头翁哼笑一声，似乎对我的反应很满意，他也绝对把我当成老鼠了，想在杀我前，逗我玩玩。

他又抽出刀，再次刺进来。只是他太大意了，或者说出租车司机太长脸了。

在如此关键时刻，出租车司机竟然打着火了，还一下加速起车，让出租车蹿了出去。

这下白头翁完全处于被动了，他紧紧握着这把刀，还故意别着它，试图通过它，找一下平衡，不让自己摔下车。

我望着眼前扭来扭去的刀尖，心里突然来了一股狠劲儿，我找准机会，双手压在刀背上，想用力推它，把它弄出去。

但我这么做很吃力，甚至双手一发力，还有点自行往前出溜。

出租司机是彻底蒙了，啥也不顾，光瞎开车。我又想到了一个办法，对出租车司机吼道："停车！"

出租车司机没反应。我气得暗骂，但也知道这不能怪他，他以前一定没遇到过这种场景。

我推了推他，又重复说一遍。

司机终于有反应了，一脚急刹车。这下好，白头翁死死握着刀，整个人从车前盖上滚下去了，摔到马路上后，还跟土豆一样，滚了好几圈。

不过他的身体素质真好，这么一弄都没大碍，还能挣扎着站起来。

我看司机还愣神呢，又给他吼着下命令："开车！"

司机又踩了油门，对着白头翁撞过去。不过这次就没那么容易了，白头翁往旁边一跑，避了过去。

我上来一股斗劲儿，想让司机倒车，继续碾白头翁，但无论我怎么下命令，无论怎么喊，出租车司机都不听话了，全力踩着油门，带我奔向中心医院了。

第四十七章

生死较量

从中心医院到这里，出租车开了五分钟的时间，可我们原路返回时，只用了一分多钟。

出租司机跟疯了一样，也绝对把出租车当赛车来用了。

本来这车都被撞过了，我这一路提心吊胆的，生怕这种开法，别让车突然散架子喽。

这样等好不容易停了车，出租司机也不理我，打开车门往医院里跑，还扯嗓子喊救命。

我没像他那样紧张，而且他已经找特警去了，我也没必要跟去。

我拿出手机给姜绍炎去个电话，没响两声呢，电话接通了。

姜绍炎压低声音，悄悄问我："怎么了？"

我把刚才的遭遇说了。姜绍炎反应很大，又稍微提了提嗓门，反问我："有这事？"

我有点纳闷，心说白头翁都跑了，他还在医院大楼里玩啥神秘啊？别说他们不知道敌人走了。我问了一句。

姜绍炎稍微沉默，又无奈地笑一声跟我说："刚才我们跟敌人又交火了，还死了一个特警。"

这话跟针一样狠狠刺在我心里，我都忍不住哆嗦一下，也明白了，合着在医院大楼里胡作非为的压根就不是白头翁，再往深说，这次白头翁他们也要诡计了，来个明修栈道，暗度陈仓，里外全备一手！

我还想问点啥呢，却听到听筒里传来枪声，姜绍炎把手机挂了。

之前姜绍炎就说过，陈诗雨很狡猾，让他一直处处落在下风，现在我终于深有体会了，也知道陈诗雨的厉害了。

我正琢磨接下来咋办呢，这么无意地一看，发现倒车镜里出现一辆丰田车。

它车前面都凹进去一大块了，开得也那叫一个飞快，光凭它的外形和这么彪的司机，我认准了，是白头翁赶过来了。

我心说这小子真有种，竟敢在"光天化日"之下，就明目张胆地来杀我。

另外赶巧了，这时候出租车司机也回来了，他还把瘦特警带回来了。

我不知道出租车司机怎么跟B组特警说的，但只找来一个瘦特警，这援军也太逊了些。

医院大门口围着不少人，我都难以想象，白头翁要是嗜血一把，直接用丰田车撞向这群人，后果会有多惨烈？

白头翁的目标就是我，为了减少无辜生命被害，我一时间下了一个决定。

我一下坐到驾驶位上了，一边打火一边把车窗摇了下来，对着瘦特警喊道："凌川桥下的飞鱼广场，让狙击手快过去待命！"

我都没等瘦特警回复呢，就把车开走了。

出租车司机急了，还有点舍不得地直追，喊着让我把车停下。

也就是场合不对，不然我肯定停车，还会对这出租司机一顿闷踹，骂他真以为破出租是个宝贝呢？另外话说回来，我之所以选择飞鱼广场，也全是一时间的主观判断，那里相对荒凉，还有个转盘，在那里我能故伎重施地跟白头翁绕圈，而且当地的特警队离那里很近，方便狙击手迅速赶到。

只是从医院到飞鱼广场的路途不近，得有七八公里，现在还是晚上九点多钟，路上没那么冷清。我跟白头翁一前一后地这么飙车，很容易出事故。

我没选择，只能拼命地打闪灯，给其他司机提醒。

其他司机也看出来不对劲儿了，纷纷向路边停靠，给我们让地方，这倒让我稍微顺点心。但不管怎么说，出租车都跟丰田没法比，白头翁很快追了上来。

要在以前，我还真没招限制丰田车，但自打那次见到寅寅耍车技之后，我也学会卡位了。

说白了白头翁想从左边超车，我就提前往左边打方向盘，把路提前封死了。

白头翁气得够呛，也这么撞了我几下子。

我算是连滚带爬的，好不容易带着白头翁来到凌川桥了。但隔远望着桥面，我愣住了。

这里刚发生一起车祸，弄得大堵车。我心说现在怕就怕人多，咋这么多人还在这儿聚堆了呢？

我不能让出租车扎到这一堆车里，不然想退退不了，反倒给白头翁制造机会了。

我还知道一个小路，能绕过凌川桥赶到飞鱼广场。虽然这条路是留给大家晚上步行溜达用的，但我没法，硬着头皮一打方向盘，奔着它开进去。白头翁也没犹豫，尾随着跟进去了。

我发现进小路后，我吃亏了。我在前白头翁在后，我明显给他开路，另外我还要照顾路人，别把他们误伤了。

我把车喇叭按得震天响。大部分路人都没啥问题，但没一会儿遇到一个老头和一个老太太。

他俩听到喇叭声，也都回头看了一眼。这俩老人很逗，竟然以为我在很张扬地挑衅呢，他们不仅没躲，反倒故意压慢脚步，往路中间走去，大有拦路的架势。

我没时间下车跟他们讲道理，也没时间慢吞吞跟在他们后面。

我留意路面的宽度，也冒了把险，把车对准马路牙子压去，几乎在快翻车的情形下，跟老人擦肩而过。

不过倒车镜还是碰了老太太一下。其实我心里有数，碰得根本不严重，甚至都不会疼的。

谁知道老太太上来劲儿了，一屁股坐在地上，双手拍着地面哭天抹泪的，而那老头扯嗓子喊，说撞人了，司机要逃逸。

我气得都想笑，知道这是遇到传说中讹人的了。

我车是开过去了，但白头翁随后跟上来了。他根本不在乎前面谁挡路，看着老太太坐着，他不管那套，直接冲过来。

这下老太太不干了，她也不傻，而且我看着倒车镜也发现了，她是真人不露相的，关键时刻嗖的一下站起来了，跟她家老头迅速躲路边了。

当然了，这只是进小路的一个小插曲，我跟白头翁继续死磕着，没多久我俩来到一个危险地带。

这里是铁路，不过不是用来客运，而是用来货运的。这对那些晚间溜达的人来说，走到这里就算到尽头了，而对我来说，不越过这里，就无法赶到飞鱼广场。

要赶在没火车的时候，我一脚油门也就过去了，但现在运气差，远处正过来一辆火车。

我要是就此停下来，让火车先过去，肯定来不及，这期间白头翁保准把我从出租车里揪出来，弄不好还会往死里踩踊我，跟折磨张队一样，吊在树上用指头戳肚皮啥的。

我一想到这场景，整个后背都发凉，也急忙下个决定，对着铁轨开车冲上去了。

小轿车在铁轨上走，有点吃力，我使劲轰油门，生怕这出租车老毛病犯了，熄火啥的。

但我担心的情况没发生，车稳稳当当地下了铁轨。

我松了一口气，也扭头看看。现在火车离这里很近了，也就二十米的距离吧，白头翁的丰田车还在铁轨上奋斗呢。

他跟我想到一块去了，加大马力，不出岔子地冲过来。但我突然冒出个想法，心说老子逃了一路，现在可是反击的好机会。

我急忙算计着距离，挂上倒挡，等丰田车刚下铁轨的一刹那，我急忙倒车，对它撞过去。

咣的一声响，丰田车卡在铁轨上了。白头翁终于着急了，他使劲踩油门，想把我顶开，而且这一瞬间，他的车也往外溜出一截来。

我心里一紧，也使劲给油，跟他顶牛。我不想给他任何活命的机会了。

如果我俩是长时间做这种较劲儿，我肯定要输给他。但现在没那么多时间，没过几秒钟，火车冲过来，一下子撞在丰田车上了。

那一刻传出的声音让人一辈子都难忘，简直有点天崩地裂的感觉了，另外出租车的车身也抖了抖。

我怕出租车意外躺枪，被火车这股劲儿给带进去，而且这时候也没必要再顶牛了。

我又赶紧挂一挡，把出租车开出去。

我说不好现在什么感觉，但心里很爽，我还把电话拿出来了，想跟警局汇报一下，白头翁已被我搞定，让狙击手回家继续休息。

但我想得太美了。丰田车位置特殊，没被火车碾过去，反倒让它被撞得横着出了铁轨。

突然间丰田车的副驾驶门掉了下来，白翁头挣扎着从里面爬出来。

他现在叫白头翁都有点不恰当了，脑袋上全是血，肩膀也洇红一大块，不过身子骨倒是没啥大碍。

他太执着了，这时候竟还不忘对付我，举着刀，跟跄着奔过来要开车门。

我害怕了，也顾不上打电话，想开车走人，先避一避白头翁的杀气。

但我车刚起步，白头翁有大动作了，他不甘心让我走掉，索性晃晃悠悠地急跑几步，对着车顶扑了上来，还把刀刺了进去。

出租车的车皮太薄，他的刀还锋利，这一刀，一下子把车顶盖戳个窟窿，他就紧紧握着刀把，挂在车顶上了。

我一扭头就能见到戳进来的刀，这可是赤裸裸的威胁，我一时间都有点慌了，脑袋里就打定一个主意，别干别的了，赶紧去飞鱼广场找援军吧。

联手擒敌

接下来的路不好走，我生怕白头翁能腾出手有机可乘，只好把车开得歪斜。

我是一心奔着广场去的，但没等到地方，刚绕过凌川桥上了正路，有一辆吉普车奔我开了过来。

我对这车太熟悉了，是寅寅。虽然她不是狙击手，她的出现却让我也跟打了鸡血一样。

寅寅车技好，很快就追上出租车与之平齐，她还把车窗摇下来，举起手枪。

白头翁着急了，想躲避，但他人在车顶，一点障碍物都没有，又怎么找掩体呢？

寅寅连续砰砰开了两枪，一枪打偏，彻底连白头翁的边儿都没沾，另一枪倒挺准，打在白头翁的肩膀上。

白头翁惨叫一声，握不住刀了。他先是手一滑，跌落在出租车的后车盖上，又顺势滚到地上了。

我跟寅寅一起停车，也都顾不上给车熄火，争先下车了。

这么久没见到寅寅，我特想跟她聊聊家常，但没那时间。我看到白头翁在不远处侧歪着，不知是死是活。

寅寅一手拿枪，一手摸出手铐子，对我使眼色，我俩一前一后地靠过去。

　　我知道白头翁很滑头，就怕他装死，所以离近后，我让寅寅止步举枪，自己先小心翼翼地靠了过去。

　　我对白头翁踹了一脚，没反应。我又拽他，让他平躺着。

　　这一下很明显地看到，白头翁的嘴角挂着一大条血沫子。就冲这个我能肯定，白头翁的肺部受伤了，要是不及时医治的话，很可能有生命危险。

　　我对寅寅解除警报，那意思白头翁彻底晕了。

　　寅寅有行动了，大步走过来，俯身要给白头翁上手铐。但邪门的是，白头翁竟突然睁开了眼睛，还暴起一般地坐起来。

　　他先用左胳膊夹住寅寅握枪的手，又用右手对寅寅手腕狠狠切了一下。

　　寅寅一疼，把枪丢了。她也意识到不好，想赶紧后退。但白头翁打定主意不松胳膊，被这么一带，他竟跟着站了起来。

　　白头翁的贴身格斗技术很好，他来了个扫腿，再用肩膀狠狠一顶，寅寅竟失衡摔倒在地。

　　我本来想过去搭救寅寅，但又看到地上那支枪了。稍微纠结一下，我又改了主意，想过去捡枪。

　　之前遇到刀疤脸兄弟时，他们会一个绝活，就是突然后蹬腿，跟驴一样，我真没想到，白头翁也会这招儿。

　　我刚一低头，手还没摸到枪呢，白头翁就对我来这么一下子。

　　他当杀手的，为了奔跑和行走方便，穿的是一双跑鞋，虽然鞋底软，蹬到我后，并不怎么疼，但这里的路面很脏，他鞋底带出一股烟。

　　噗的一下子，我就觉得眼前全是白灰。我心里这个郁闷，心说陈诗雨那帮畜生，是不是平时都养驴啊？咋都这么损呢？

　　我怕白头翁趁机打我，赶紧往后退了退，伸手对着脸上摸了摸。可这么一耽误，等睁开眼睛时，白头翁把枪捡起来了。

　　我彻底急了，也上来拼命劲儿，又扑了上去。这次我学起白头翁，一手夹住他握枪的手，还使劲往旁边带了带，让白头翁根本瞄不准。

　　我纯属现学现用，也知道接下来要做的，就是对着他的手腕切一下，逼他丢枪。

　　问题是，我不会这技术。我灵机一动，想了别的招儿。

　　我对着白头翁一龇牙，吓唬他一下，又对准他手腕咬过去。

　　白头翁被我咬过，他吓住了，这次我不敢肯定咬得厉不厉害，但他也失手了，把枪扔地上了。

第四十八章 · 联手擒敌

我又想来个扫腿，但不会，索性省略这步了，就用肩膀头子狠狠撞白头翁。

我想好了，白头翁受伤很重，我跟他硬碰硬地死撞，我撞赢的概率很大。

我这么狠狠地来了两下子，白头翁真受不了了，他本身是个硬汉，却忍不住惨哼几声，可想而知他疼到什么程度了。

但白头翁也没放弃，对我突然喂了一声。

我吃亏在太没打斗经验了，不经意地一抬头。白头翁真是个畜生，他对着我脸噗了一声。

我看到他嘴里出现一股红东西，也条件反射地闭上了眼睛。

这红东西倒是没进我的眼睛里，但糊了我一脸。白头翁又来个扫腿，把我绊倒了。

如果只有我自己，白头翁肯定大发淫威就此收拾我了，但还有寅寅。

这时候她缓过来了，也从地上爬起来。

白头翁知道我俩这么轮盘上阵，他斗不过，这爷们儿索性一不做二不休，对着身旁的手枪狠狠一踢，然后扭头，嗖嗖跑了。

寅寅想追他，但白头翁的速度太快了。他先奔到寅寅的吉普车旁，又上车、挂挡、逃跑，一气呵成。

寅寅慢了一步，只能气得骂了句："你个尻蛋，还不上车！"

我是没法帮忙了，因为在全力擦脸。

我生怕白头翁吐出来的东西有毒，把上衣脱了当毛巾用。但等我擦干净仔细一看，认出来了，这红东西好像是红糖浆和染料配的。

这在法医研究案情时也经常用到，尤其是研究血迹喷溅这一块，这种红色液体能充当血迹来用。

我有点明白了，心说白头翁的力士牙后面一定挂着小药囊之类的东西，刚才他就把药囊咬破了，用舌头挤点"血"出来，吐在嘴边上装死，硬生生骗过了我的眼睛。

另外他也耍滑头，把血当武器喷出来了。

我算被这个杀手的奇招给打败了，只是现在反应过来有啥用？我也只能爬起来，把枪找到，又凑过去跟寅寅会合。

寅寅依旧那么犟，指着出租车说："继续追！"

要在平时，遇到个一般的小毛贼啥的，我弄不好都放弃追的打算了，但面对白头翁，别说有个出租车，就算现在没车，我跟寅寅跑步，也要再试试。

我俩都上车了，寅寅当司机，我趁空还给指挥中心打个电话，说了现在的形势，又把吉普车的车牌号上报，申请让指挥中心调度一下，看附近有没有区派出所的巡逻车，能做一下拦截的配合。

指挥中心很重视这件事，只是我们不得不面对一个事实，这里有点偏僻，很少有巡逻车经过。而且我也发现过怪事，白头翁开着吉普车，行驶并不快，他不让出租车跟近了，也不把出租车甩得太远，始终保持在一定距离内。

我跟寅寅交流下看法，寅寅说不出个啥来，我们这么跟了一支烟的时间吧，对这路线也有点清楚了。

白头翁竟然奔着五福精神病院去的。

我突然觉得前一阵的那个晚上又回来了，就是我跟寅寅被追杀那次，我相信这不是巧合，白头翁是在引诱我们，落入另一个圈套。

这次寅寅先下了决定，跟我说："冷哥，到底谁是螳螂谁是蝉还不一定呢，咱们追过去。"

我觉得寅寅这话说得不恰当，什么螳螂什么蝉的，难道我俩跟白头翁都这么衰吗？咋就不能是黄雀呢？

我也没太较真，又掏出电话，想给姜绍炎打过去，告诉他让铁驴那帮人准备好，尤其是指挥老鼠那个大帝，有他出面，白头翁这帮人算个屁啊？

但真等要拨号时，我又纠结一下，我怕他正在执行任务，不方便接听。我又转给我师父拨了过去，心说有他带话也一样。

邪门了，师父电话关机。

我纯属郁闷的，气得骂了句娘。

寅寅都看在眼里，让我稍等，她拿出手机打了个电话。接通后，她还给电话那头叫驴哥，说了我们的情况。

我一听驴哥，一琢磨反应过来了，那不就是铁驴嘛。

我心说行啊，几天不见，寅寅当上姜绍炎的徒弟后，人脉扩大了这么多！看来当徒弟还是香饽饽，以后我也得申请一个耍耍。

这样撂了电话，寅寅对我点头，说铁驴那边都知道了。

但我看寅寅的神色有点不对劲儿，觉得她没把话说全，我又问她："还有啥？"

寅寅苦笑了，说铁驴也嘱咐她，一会儿随机应变。

我被这四个字雷到了，心说什么叫随机应变？就跟请客吃饭一样，我问客人吃啥，对方来句随便，乍一听没什么，其实是最难把握的事了。

我跟寅寅没招儿，没时间研究，只好想着走一步算一步了。

这样过了十多分钟吧，等我们跟随白头翁一路来到那个上坡后，寅寅不得已踩了一下刹车，白头翁开着吉普没停，奔着下坡停靠的一辆黑面包车赶了过去。这一定是他们的援军了。

白头翁下车后还钻到面包车里。我跟寅寅盯着面包车，试图能发现点猫腻，但面包车封得严严实实的，我们一无所获，另外我也向远处看看，根本没有大帝的影子。

我心说这下好了，我们变得完全被动了。

第四十九章

弹
吉
他
的
驴

　　我隐隐察觉到危险。铁驴不是也说了吗？让我们随机应变，我觉得我们现在最该做的应变就是逃跑。

　　我急忙拽了下寅寅，催促说："风紧，扯呼。"

　　寅寅却没我这么悲观，她还被我气笑了，反说："冷哥，咱俩是警察，不是匪徒，还扯呼个屁啊？你别泄气了，走，过去瞧瞧！"

　　说完她又起车，让出租车慢慢向面包车靠过去，这期间她还把枪丢给我。

　　说实话，我对枪不熟悉，但也会用，我握着枪，贼溜溜地盯着面包车。

　　我们一路慢慢开过来，面包车依旧没反应，最后寅寅把出租停在旁边，对我使个眼色，那意思让我喊话。

　　我本来想把车窗摇下来，又一合计，车窗玻璃很来就漏了俩洞，何不加以利用呢？

　　我把枪对着一个洞捅了出去，指着面包车，又把嘴巴凑到另一个洞上面。

　　我是扯开嗓子喊的："我们是警察，里面的人都出来，不然我开枪了。"

　　我的喊话没啥大毛病，尤其我还是头次做这种事，能这样已经不错了，但我贴玻璃的举动有点雷人，寅寅咳嗽一声算是提醒。

　　我不在乎。这样等了有半分钟，我看没人搭理我。这下我有点挂不住脸了。

我气得骂了句，也想好了，他们再没啥动作，我真就开一枪壮壮声势了。但这次我话音刚落，面包车一个车窗落下来了，从里面伸出一根大管子。

我冷不丁没看懂，因为这玩意儿跟洗衣机排水管一样。我还纳闷呢，心说里面人搞什么飞机啊？

寅寅却识货，她这么淡定的人都突然吓得哇了一声，还立刻开车就走。

我没料到会这样，被顺带弄得一个趔趄。可没等我问啥呢，那管子有反应了。呼的一声响，里面喷出来一股火。

这火太猛了，甚至都像条火龙一样。我明白了，这哪是什么洗衣机管子，分明是喷火器啊。

而且它喷出来的全是火油，正好浇在出租车的后半身上。别看没遇到燃烧物，但火势也一下起来了。

我都没擒敌的念头了，心里就一个想法，坏了，我们的车起火了。

在刚加入警队时，我有过一个念头，自己这辈子到底会怎么死。是自然死亡、病死，还是因公殉职呢？

我更特意想过，要是因公殉职的话会是什么样，被凶手杀了，或者被子弹打死？但谁能想到过今天这场景，甚至夸张点说，自己极有可能会变成一头"烤乳猪"。

寅寅是一边开车一边试图安慰我，说她先这么开着，借着车跑起来的速度，看能不能让我们拖到精神病院去。

我巴不得会这样呢，心里也不住祈祷。不过车没跑出去多久，寅寅似乎发现不好的苗头，喊了句不好，一个急刹车，又招呼我快撤离。

我跟她一样，没等停稳呢就玩命地跳下车，我俩会合在一起，向路边冲。

我体会到跟死神擦肩而过的感觉了。我们跳下车不到两分钟，出租车就砰的一声响，油箱炸了。

我跟寅寅吓得赶紧扑到地上，怕被气流和飞来的零碎物砸伤。这样稍微过了一会儿，我才敢扭头看看。

出租车是没法看了，彻底报废了，而敌方面包车的车门被打开了，从里面跳出八九个人来。

前面有三个人共同举着一个大盾。这盾全透明的，我认识，是一种防弹盾。他们身后其他人，都拿着一个喷火器，背着一个大罐子。

我还看到白头翁了，他都快成血葫芦了，也加入这个行列，拿着喷火的家伙。

我是无语了，本来还想让大帝快点过来呢。现在一看，他过来有啥用？他养的那一大堆老鼠，还不够人家一把火烤了呢。

这些人组织性挺强，保持一个阵形，向我们追了过来。

我跟寅寅也不能在原地干等着吧。我分析我们现在只有两条路可以走，要么拼大脚板，往五福精神病院跑，找铁驴去，要么就想办法把吉普车偷回来，开车逃走。

我本来偏向于怎么避过敌人去偷车，不然把他们引到精神病院，他们的喷火器弄不好又得伤害无辜了。

但没等我想出好主意呢，有个敌人对天喷了一股火。他只是想嘚瑟一下，吓唬吓唬我们，我却被这股火弄敏感了。

我心说还偷什么车啊？早点逃命吧。我一把拉住寅寅，嗖嗖地往下坡跑。

算路程的话，从这里到五福不近，就算正常跑下来，也得把我累个半死，但我不在乎距离了。

我本来挺乐观的，因为我跟寅寅轻装上阵，敌人可都带着笨拙的设备呢，这都跑不赢，那就太丢人了。

但我俩还真就丢人了一把。这帮敌人太彪了，最后有人喊着一二一的口号，都跟磕了药似的往前冲。

跑了也就一分多钟吧，这帮人就慢慢逼近了，有人还对我俩射了一股火。

真的好险，差点儿燎到我屁股上。

寅寅的枪还带在身上，本来这把枪对防弹盾够不上威胁了，寅寅为了能拖住敌人一会儿，不得已，又对着防弹盾射击。

除了枪里有的子弹以外，寅寅身上还带了两个弹夹。我们真够败家的，把这些子弹全浪费了。

而且本来打子弹的时候，我俩真又把距离找回来了，但子弹一打光，我头疼上了，不知道接下来咋办。再往悲观了说，寅寅没子弹的事要被敌人知道了，他们也不用举盾了，保准跑得更快了。

我都有点泄气了，潜意识里都瞎想了，一会儿是让敌人擒住呢？还是英烈一把，提前自杀了呢？

就在这时候，我身旁的草丛里传来吱的一声响。

我本来就已经很敏感了，现在更被吓了一跳，我跟寅寅都扭头看去，发现在一处灌木下面，钻出一只大老鼠来。

这老鼠个头跟兔子一样，甭说了，是大帝的鼠军。

这老鼠挺有意思，突然站起来对我俩直作揖。我冷不丁蒙了，心说这老鼠干吗呢，吃耗子药量没够把脑子弄抽了吧？

寅寅倒是有点明白了，跟我说："它是不是在引路呢？"

大老鼠也真配合，它又不作揖了，一转身子，嗖嗖地往远处跑去。

远处都是小树林了。我意识到寅寅的分析有道理，赶紧跟了上去。

我们在前面跑，这帮敌人也进了树林在后面追，他们是越来越张扬了，好几人都开始对着周围哧哧喷火玩。

这片树林很快出现好几处的火灾，也就是现在风小，我估计等到明天早晨，这里保准起大火。

但我不是消防队员，也没那精力去救火。

另外我发现进了林子，我跟寅寅的优势就来了，这里路不太好走，敌人跑不开，还舍不得把喷火器丢了。

这倒让我一时心安。这样过了一刻钟，我浑身全是汗了，我们来到这林子的边缘地带，这里出现一个砖头房。

这种房子一看就是给守林人用的，只是现在守林人不在。

房子前面放着一个石桌和几个石凳，凳子上蹲着一个我的熟人——铁驴。

这小子还挺悠闲，桌子上放着一盘肉和一瓶烧刀子，他在这自斟自饮呢。

我想起电视里演的古代侠客了，他们也爱这么干，但铁驴天生没当侠客的外表，他有点胖，这么一蹲着，身子一蜷，看着跟个大肉球一样。

我看他这么悠闲，心里没来由的一喜，觉得他一定有退敌的办法。

我跟寅寅也不那么累了，全力跑过去，坐在石凳上。我现在有点饿，但没心情，不然真能跟铁驴抢肉吃。

我只是深吸几口气，又看着远处，敌人在几百米开外的地方，我是看不到他们的身影，但有人喷火，火苗暴露他们的目标了。

我问铁驴："一会儿咋办？敌人都是硬茬子，有喷火器呢。"

铁驴哼笑一声，摆摆手说："别管那么多，好好歇着吧。"

他说完又要喝酒。我不干了，心说这都啥时候了，他还有这闲心呢？

我一把将酒瓶子抢过来了，又强调一句："驴哥！敌人有喷火器！听明白没？"

铁驴的手里一下空了，他有点惋惜地看着手掌，说："让我喝一口再谈正事不行吗？"

随后他也看了看远处，又坐在凳子上了，从石桌底下拿出一个长条盒子来。

我看盒子的外形，明显是装吉他的。铁驴很自信地拍了拍盒子，回答我："看到没？有这个，我能把敌人弄到哭爹喊娘。"

我不知道寅寅听到这话是啥感觉，反正我是快哭了，心说用吉他把敌人吓退？自古也就诸葛亮干过，但那是空城计，使诈成功的。

我们现在只在一个砖头房旁边，周围没有设伏兵，就算是个近视眼，都能瞧明白了，还怎么骗敌人？

但我顺带又想到一个可能，扭头看看砖头房，恍然大悟地说："驴哥，你的意思，这里埋伏人了？"

铁驴莫名其妙地看我一眼，说："怎么可能，这里只有咱们三个大活人！"

我彻底蒙了，不知道这老驴葫芦里卖的什么药了。

第五十章

发

威

铁驴看我还紧张兮兮的，尤其总分神四下看，趁我不注意，一把将烧刀子抢了回去，贪婪地喝了几口，说："小冷啊，淡定！淡定些！一会儿看你驴哥演场戏。"

我瞥了他一眼，心说还演啥戏？真等敌人来了，不把你烤成驴肉火烧才怪呢！

我又看看寅寅，对她使眼色，那意思别指望铁驴了，实在不行咱俩架着铁驴接着逃吧。

寅寅挺奇怪，竟一点不紧张，也不理会我，还伸手拿起一片酱牛肉，放在嘴里嚼着。

我在这种很纠结的状态下，强坐了一小会儿，这时敌人出现了，他们依旧保持那个阵形，也发现我们了，用最快的速度冲过来。

铁驴对敌人的到来只有一个评价，他眯着眼睛兴奋地说了句好，又一把将桌上的酱牛肉和烧刀子全推到地上。

这么一来，石桌上清空了，他把吉他盒子放上去，打开了。

我看清楚了，里面哪是什么吉他，竟是一把怪枪。

这枪的枪身看起来像突击步枪，但枪杆很短。我一直对枪械了解不多，却有个意识，枪杆越长，枪的威力越大。

就像重机枪或者狙击枪，不都是枪杆又粗又长吗？而对于枪杆短的来说，精准度也不会太高。

我纳闷了，因为敌人带着防弹盾呢，铁驴有怪枪又能怎样？能有什么作为？

铁驴没时间解释，他把枪架在石桌上，本身也不坐着了，特意站起来。寅寅倒是比我明白，她上来帮忙，摆弄下枪杆。

我发现这怪枪是暗藏乾坤，枪杆竟然能伸缩，被寅寅这么一调整，这下好了，长了好一大截，初步看，这枪跟一个人的身高差不多了。

寅寅趁空解释了句，说这是反器材狙击枪，不仅能狙人，连一般的装甲车都能打透。

我有点懂了。铁驴又从吉他盒子里摸出一个小长条盒子来，放在石桌上，打开后从里面拿出一颗子弹。

说心里话，我不知道把它叫子弹恰不恰当，它太大了，有人中指那么长，大拇脚趾头一般粗细。

我觉得把它叫小炮弹也不为过。

铁驴嘿嘿坏笑着，把这颗子弹上膛，又拉开保险准备射击。

我有个猜测。手枪开枪时，离近了听，都能让我耳膜嗡嗡直响，这个大家伙要是开枪了，声音不定得多大呢，把我震晕了都说不准。

我不想触霉头，这就起身离远点。但铁驴把我叫住了，还特意让我留下观看。

这就是他说的所谓的演戏了，我看寅寅也没走，心里一合计，自己挺大一老爷们儿，别在寅寅面前太丢人。

我又坐回来，不过防了一手，用手指把耳朵堵上了。

其实我这么做，也能听到声音，铁驴对着我和寅寅喊了句："看好喽！"就把手指伸到扳机上。

我承认自己心理作祟，在他开枪前一刻，我忍不住了，一下趴在桌子上了。

我没看到这枪打子弹一瞬间什么样，却能感觉到，它的声音不大，但后坐力真强。

整个石桌都顿了一下。

我傻傻地把脸贴在石桌上，这下好了，顺带着我的脸也抖一下。幸亏这是石桌不是砂纸，没被毁容，不过也挺惨，脸一蹭之下，脏兮兮的，就像矿难幸存者一样。

我难受地抬起头，没等跟铁驴和寅寅说啥呢，就完全被眼前的景象震慑住了。

远处敌人都乱成一锅粥了，有个人身上着火了，呼呼的火势，让他瞬间跟个火人一样。

这什么概念？都说事实胜于雄辩，寅寅刚才说这怪枪有多厉害，我没啥概念，但看着火人，我彻底被震慑住了。

说白了，铁驴这一发子弹，不仅把防弹盾打透了，还穿透敌人的身体，把他背着喷火器的缸子打漏了，造成燃料着火。

现在的铁驴，跟我完全不一样，我是愣，而他很冷静，又拿出一颗子弹，上了膛，对准敌人阵地，打了一枪。

这次我瞧清楚了，枪里冒出一条光，一下穿透另一个敌人的身体，这一瞬间，敌人后背上也出现一股火焰，随即又把他吞噬。

我们一下扭转战机，从被动转为主动了，这本该是高兴的事，但铁驴和寅寅都气到了，铁驴更是直跺脚，嘴里妈的、妈的连骂，念叨说："白头翁这个笨蛋，咋也被火烧到了呢？"

我仔细看了看，白头翁纯属意外中招，被同伴身上的火沾到了。这不是一般的火，他想扑灭有点困难。

我是挺不理解的，心说白头翁死了不更好？

这期间敌人是全线崩溃了，别说追杀我们了，他们活着的那些人，全扭头就跑，甚至连装备都不要，防弹盾、喷火器这些，全撒一地。

白头翁没逃掉，他光想着怎么灭火了，而且还跟个猴子一样，对着一个树干猛蹭，想把后背的火弄灭。最后他倒是真把火弄灭了，却体力不支地晕倒在地。

铁驴一直没再开枪，看到这儿，他笑着说了句好，又对我跟寅寅下命令，说咱们快冲上去。

我猜铁驴是要抓活的，尤其活擒白头翁，这样想想也对，把他抓住审审，保准能知道更多的秘密。

我是积极了一把，虽然身上没武器，但一把将裤带抽出来，权当个家伙吧，我嗖嗖跑出去了。

不过随后我反应过劲儿了，又左右看看，发现铁驴和寅寅没跟上来。

我暗骂自己，这么积极有啥用？真要光杆司令一样追到敌人了，他们是没武器，但一齐抢一顿王八拳，也能把我打得满地找牙。

我不得不停下来，扭头往后看。

铁驴也不要那吉他盒子了，就捧着这只大枪，晃悠晃悠地往前跑。

也得说他身板够横，要换作一般人，拿这么大的怪枪，弄不好都走不动。寅寅则紧随在铁驴左边，做出一个护卫的样子。

我一想，自己也当护卫吧，又凑到铁驴右边。就这样，我们仨组成一个小阵势。只是我们跑得不快，瓶颈点在铁驴身上。

等赶到白头翁旁边后，铁驴招呼我和寅寅停下来，又对我使眼色。

我赶忙凑到白头翁身边，对他检查一番。白头翁气息很弱，身子软绵绵的，这些体征都告诉我，他短期是醒不过来了。

我把这情况跟铁驴他俩说了，我建议继续追。

铁驴摇摇头先把我否了，接话说："穷寇莫追！"

我心说不对吧？敌人是穷寇吗？简直就是恐怖分子！还什么莫追的，赶紧一股脑全解决掉得了。

我反驳他，可他跟寅寅都没要追的意思，铁驴还让我背着白头翁，我们也撤！

我突然意识到自己笨到家了，合着我屁颠屁颠这么积极跑过来，是专门背"尸"的吧？

但我也明白，铁驴抱着枪，不能背人了，就剩我和寅寅，总不能让寅寅干这活儿。

我心里叹口气，算自己点背吧，我又把白头翁拽起来，弄到后背上。

我们又往回走。我发现白头翁晕是晕了，但不老实，他脑袋耷拉在我肩膀上，嘴巴里往外直流哈喇子。

也真不知道他吃什么长大的，这哈喇子特别黏稠，流出一条线来都不断，就在空中吊着。我无意间一扭头，总会看到这条线，这一路把我恶心坏了。

等回来后，铁驴把枪放在石桌上，又把吉他盒子找到，没想到这里面还有暗格，他拿出一个小仪器来。

这玩意儿看着像手机，上面有个按钮，按住后能发射信号。铁驴说支援马上就到！

我也没啥可干的了，找个石凳子坐下来，趁空吸两口烟提提神。

过了十分钟吧，远处有动静了，一个直升机出现了，全速往我们这边开。

我从小到大，就算去了警局之后，也没见过直升机，冷不丁看见，心里有点莫名的激动与忐忑。

等直升机离近，我还看到，机身上印着一个图案，是一个很萌的小老虎。

我突然有个直觉，心说这直升机里的人，难道就是黑虎小队吗？以前姜绍炎提起过的。

铁驴早就把怪枪收起来了，这时背个吉他盒子，对着直升机直摆手。

　　我以为直升机能落下来呢，这样方便我们登机，谁知道它又下降一些，在离地五米的地方停下来了。

　　它还扭转机身，对着一个方向。

　　这直升机上挂着一挺重机枪，我看这意思，它像在防备什么东西。

　　我心里一紧，心说这是咋了？难道又有敌人要来？

　　没等我问呢，直升机的机舱打开了，有人从里面丢出软梯来。软梯倒是够长，一直延伸到地上。

　　铁驴倒是无所谓，对着我跟寅寅说："走。"

　　这爷们儿真有劲儿，背个怪枪，还能从容地爬软梯，他是最先稳稳地进了直升机。

　　寅寅紧随其后，别看她是女子，但也不逊色，没一会儿也上去了。

　　等到我时，我头疼了，因为现在地上不仅有我，还有白头翁。

　　我心说这不扯淡呢，我能背着白头翁爬软梯吗？！

第五十一章

撤退

都这时候了，我也真不管那么多了，抬头扯起嗓子，"驴哥、驴哥"地叫上了。

铁驴从直升机里探个脑袋往下看看，我指了指白头翁，他能明白我啥意思。

他对我做了个OK的手势，又把头缩回去了，没一会儿，直升机里抛出一截绳子来，在绳子末端还系着一个钩子。

这钩子不一般，上面有三个爪。

我赶紧把白头翁扛起来，向钩子靠过去。我有个打算，把钩子钩在白头翁的裤子上，这样铁驴再一拽，就能让他上飞机了。

但我有点担心，白头翁裤子破破烂烂的，别好不容易把他拽挺高了，他又摔下来，那就彻底成了一场悲剧了。

我先把钩子弄好，又用绳子在白头翁大腿上缠了一圈，这样总算妥当些。

我又喊"驴哥"。

铁驴看到底下啥情况了，之前也说了，他真有劲儿，使劲一拽，一倒腾双手，就让白头翁嗖嗖地上去了。

这么一来就剩下我了。我愁眉苦脸地望着软梯。

我有个秘密别说寅寅了，可能全警队都不知道，那就是我恐高。

一会儿真往高处爬，这对我是个不小的挑战。我是一边深呼吸让自己放松，一边忍不住活动起身子来，还压上腿了。

铁驴他们都在上面等着呢，而且直升机起飞的成本也不低，我这么一放松，铁驴先忍不住了，扯开嗓子跟我喊："冷诗杰！爬个梯子有这么费劲吗？你再不爬，我们可把你自己丢在这儿了啊！"

他是吓唬人呢，可我被说得也有点不好意思了。我一咬牙心说有什么大不了的，又往前一凑身子，爬起来。

软梯跟一般梯子不一样，爬的时候整个人都有点斜歪，这让我觉得费劲，但这不是大问题。

这么稍微过了一小会儿，我爬完一多半的路程了。我是不敢往地下看，也憋着一口气呢，争取趁着劲头儿，把剩下的全爬完。

但突然间出岔子了，直升机竟然起飞了。它嗖嗖的又往上提了十多米。

这啥概念？我眼睁睁看着自己高出地面一大截来。我血压呼地一下上来了。这还没完，直升机稍微调了调头，对准远处一片树林，突突突的开枪了。

机身上绑的可是重机枪，这大家伙打起来真有声势。我一方面被它刺激到了，另一方面心里连说不好，直升机开枪，意味着什么？

我是真不行了，觉得吃不住劲儿，双腿有些发软，甚至好像有个无形的手在拽我一样，要把我痛快地摔回地面上去。

在如此关键的形势下，我还要什么面子？为了保命，我赶紧把腿伸到软梯中间去了，自己紧紧搂着梯子，坐在上面。

直升机的重机枪并没打火多久，等它停了，铁驴看着我，气得问了句："你又干吗呢？"

我对他摆手，那意思别问我了，刚才白头翁咋上飞机的，就让我咋上飞机吧。

铁驴也看出来了，我是真不能爬了。他无奈招呼寅寅一起蹲下身，合力把我拽上去。

我最终来了个平稳着陆，也顾不上说谢谢啥的，先找个椅子坐下来。

这样屁股贴在椅子上，我整个人的状态稳定多了。寅寅看我脑门都是汗，这直升机里也有水，她拧了一瓶矿泉水递过来，让我喝着压压惊。

铁驴把机舱门关上了，一下子舱里静了很多。我留意到，直升机里原来有两个人，一个是司机，另一个坐在副驾驶座上。

铁驴问这俩人："刚才什么情况，怎么开枪了？"

副驾驶回答，说他们来的时候，就发现雷达有显示，周围有个亮点，等我爬梯子时，他们发现远处树林里有动静。

他们担心是敌人，就抢先开枪射击了。

我不懂飞机雷达的知识，也不知道他说雷达上有异常到底严重到什么程度，我只觉得这俩人太大惊小怪了。

我还想反驳他们呢，毕竟刚才这么一闹，我是受害者。可话没出口呢，铁驴自言自语般念叨一句，说狼娃的人不会就在附近吧？

我对狼娃俩字很敏感，因为姜绍炎也提过，但听姜绍炎的意思，狼娃不是我们的朋友吗？怎么从铁驴嘴里说出来，狼娃却成了我们的敌人呢？

我一时间搞不懂了，这时直升机全速开走了。我还有点恐高的感觉，没多问，老老实实坐好。

我以为这直升机会把我们送到警局或者其他什么较为安全的地方，用不了多久我们就会下机呢。

但我错了，它足足飞了两个多小时，外面天也黑，到最后我才有所发现，我们落在一个部队里，出去时还有几个军人接应着。

我看他们胳膊上带着一个老虎的图标，这让我恍然大悟，这是北虎部队，我们到省城了。

铁驴跟几个军人接头，还把白头翁交给他们，之后铁驴带我和寅寅上了一辆吉普车，大摇大摆地离开部队。

又过了一个多钟头吧，我们来到省公安厅了。但大晚上的，我们没进去，反倒在旁边找了一个酒店住下了。

也不知道是铁驴图省钱还是有啥别的原因，我们仨开了一个三人房，根本不考虑男女有别的事。

铁驴的意思，今晚啥也别说了，赶紧睡觉休息。

寅寅是女子，我俩本着女士优先的原则，让她先洗漱，接着是我俩，之后我们仨各自找个床躺下。

寅寅睡觉老实，但铁驴不行。我也是头次跟这头驴在一起睡，真是无奈，他竟然打呼噜，而且特别有节奏，属于一长两短那种，"哧喝喝""哧喝喝"的。

我是真累了，特想睡，却被呼噜声闹得越来越精神，连数羊都不好使。我中途下床也推了推铁驴，给他翻个身，也没用。

这样一直快天亮了，我才终于身心俱疲地睡着。

我是没好梦，梦里自己依旧被白头翁追杀，我就这么逃啊逃的。但正逃到关键时刻，有人扒拉我，把我弄醒了。

我睁眼一看是铁驴。铁驴望着我，嘘了一声，说我这头懒虫，睡了一宿，都早上七点还不起来。

我不服，也嘘他一声，心说你这头驴才睡了一晚上呢，我倒是苦逼地听了一晚上呼噜。

但我一看寅寅也都起来了，就不好意思再赖床，洗漱了下，吸根烟看看电视。

没多久铁驴接了个电话，他没说啥，只是嗯嗯几声就挂了，又招呼我俩，说有人请我们吃饭。

我觉得挺稀奇，一般人请客都请午饭和晚饭，哪有请早饭的说法，再说早饭值几个钱啊？

但我又觉得，这未必是只吃早饭这么简单。

我们一起下楼，来到酒店的餐饮部，刚进门我一眼看到一个熟人——姜绍炎。

现在的他跟我印象里的大不一样，不再邋邋遢遢的了，很精神，穿着警服，额头前的头发没动，但整体做了一个造型，看着特别爷们儿。

不用说我都知道了，请客的是乌鸦。

我们一起过去，这本来是自助早餐，服务员却很客气，专门站在我们桌前，我们吃啥跟她要就行了。

细算起来，我昨晚上就饿了，现在肚子更是咕咕叫着，我也不客气，点了一堆吃的，尤其指名先来两碗小米粥开胃。

服务员紧忙活，其实有她这么周到的服务挺好的，但等饭菜都弄全了后，姜绍炎对她摆摆手，那意思让我们单独吃一会儿。

我敏感了，以为姜绍炎要说什么秘密事呢？

我一边吃一边瞪俩大眼珠子等着，可他真就是简单地吃饭，也不提啥事啊。

我忍不住了，尤其乌州那边的状况都不知道呢，于是问道："张队死亡的案子现在进展到什么地步了？"

姜绍炎挺奇怪，莫名其妙地看着我说："张队的案子？不早结了吗？是王亚琪搞的鬼，他也招供了！"

这根本不是我要的答案，也明显带着敷衍，我又问他："白头翁呢？他招了吗？"

没等姜绍炎回答呢，铁驴抬头看着我，同样一副莫名其妙的样子问："白头翁是谁呀？"

我正吃馒头呢，差点儿被噎住，心说这俩混蛋就跟我装傻充愣吧。

但没想到寅寅也跟姜绍炎成一伙的了，我们早餐只有咸菜，她就给我夹咸菜，让我多吃点，这是变着法告诉我，别问了。

我看着他们仨，心说行，你们有种，欺负我人少。我也知道再问没啥意思，就只能把这事先放到一边。

我们吃完后，姜绍炎带队，又一起去了省厅。只是我们根本没事做，全坐到一个小会议室里。

姜绍炎待了一会儿，自行先走了。铁驴耍懒，蜷在椅子里打盹，寅寅捧着手机在那儿看。

我看她挺来劲儿的，好奇之下也凑过去瞧瞧，发现她看的是电子书，上面好像是催眠和心理学的东西。

这么一来，我自己也没个说话唠嗑的，想了想，也掏出手机，瞎玩起游戏了。

这游戏玩了挺久，都快到中午了，姜绍炎回来了，他捧着一沓子资料跟我和寅寅说："来来，填表了。"

我纳闷是啥表，等接过来一看时，心里咯噔一下，心说不会吧，怎么这样呢？

特殊部门

第五十二章

我手里拿的分别是入职表、调任表，还有个人简介表。

我不笨，一下猜出来了，自己填这个，代表着以后就是省厅的一分子了。记得张队没死那会儿，也跟我打过提前量，说我会到省厅工作，但没想到这么突然。

一时间我心里思绪起伏，有好多话想问，等纠结一番后，我先说的却是这么一句："乌鸦，我还不能离开乌州，那里需要我。"

姜绍炎被这话弄笑了，拿出一副怪表情，就好像有种开玩笑鄙视我的意思，反问："小冷，你是太阳吗？整个乌州没你不行？"

我一点儿逗乐的心思都没有，郑重地摇摇头，接话回答："我要走了，法医鉴证这一摊活儿怎么办？"

姜绍炎摆摆手："原来你考虑的是这个，放心吧，不还有老李吗？另外小凡表现不错，也转正了，有他俩在岗，乌州市的案子，玩得转！"随后不等我接话，他又说，"乌州警局现在也蛮好的，副局这次带领大家破案有功，被省里嘉奖了，张队死得倒挺冤枉，省里会考虑这一层面，给他家人提供一笔可观的抚恤金。"

寅寅已经在很认真地填表格了，听到这儿她还叹一口气，说张队真是个好人，虽然嘴冷，但心热，一直照顾她。

不得不承认，一提到张队的过去，我觉得稍微有点内疚，之前的假象让我一度误会张队是个贪官呢，但事已至此，我也只能闷闷地念叨一句，张队走好！

姜绍炎看我还磨蹭着不填表格，催促起来。我没法子，只能像寅寅一样，刷刷写着。

其实这几份表格没啥难度，都是我很熟悉的资料，但填写时我发现个奇怪事，入职表里没有说我要去什么部门。

我知道省厅跟我们地方的警局不一样，像法医这一块，就分得很细，有法医现场、法医临床、法医毒化、法医遗传。

我在乌州一直从事的是法医现场这一块，这次来省里，我是干老本行还是去别的领域深造，这是我特别想知道的事。

但我没有特意问姜绍炎，心说自己压着性子等一等，一会儿肯定有人带我去跟同事见面，那时不就知道了吗？

等填完表格后，姜绍炎把它们收集起来，也赶得巧了，姜绍炎看看时间，说到饭点了，我们一起去食堂吃饭。

我以前来省厅的机会很少，都是办些要紧事，也没正经地在食堂吃过午餐。这次去我发现中午的食堂真热闹，我们吃饭也得跟陌生人共用一个饭桌。

而且陌生人凑在一起，都不太爱说话，就闷闷吃着，我被气氛一带，也没说啥话。

这样又一晃到了下午，姜绍炎带着寅寅走了，我跟铁驴继续在小会议室待着。铁驴不管那么多，依旧靠在椅子上打盹。等熬到三点多钟，我是真熬不下去了，总觉得自己咋又这么闲呢，既然都填入职表了，怎么就没个人过来找我呢？

我决定出去问问，但刚离开会议室，有个女警从隔壁的办公室跑出来了，她挺客气，还认识我，问："冷哥你要干吗去？"

我虽然不认识她，却也把疑问说了。

女警听完笑了，让我别着急，说马上就有人过来啦，让我回去继续等着。

我心说这挺好，又赶紧回去了，但我纯属被这个陌生女警忽悠了，乖乖等了半个小时，别说人了，连个鬼影都没进来。

我觉得挺不爽，本想再找那女警，又一合计，不还有铁驴嘛？这次让他出面吧。

铁驴还在小憩呢，我凑到他旁边，用手指头捅了捅他的胖肚子。

没几下呢，他睁开眼睛了，看着我好奇地问："咋了？"

我接话说："驴哥，咱们是不是兄弟？你帮我个忙，去打听下，我到底去哪个部门。就算没人接待，先给我点资料看看也行啊。"

铁驴哈哈笑了，用他的胖手拍着我的胸口说："小冷，你咋又不淡定了呢？记住，淡定！淡定！！咱们的部门就这样，经常三天打鱼两天晒网的，习惯就好了，另外我劝你，有时间休息就赶紧休息，忙起来真就是脚不着地了。"

我对他说的"咱们部门"的字眼比较敏感，我愣愣地看着他，心说我是法医啊，难道这头懒驴也是法医？不能吧？

我跟他有啥说啥，这么问了一句。

没想到铁驴挺敏感，拉下脸来看着我，呵了一声回答："咱俩都一个部门的，你能当法医，那凭啥我不能当法医？再者说，咱爷们儿也懂你那套技术好不好，不信你看看。"说完，他隔空比画了几下。

我看他的姿势哪有解剖的样子，纯属杀猪呢。我不想在这事上较真，而且也有点明白了，又试着问他："你能说说咱们是啥部门不？"

铁驴搓搓鼻子，看样子困劲儿又上来了，他不想回答了，嘘了一声，不理我，又一低头睡着了。

这把我气的，但有啥法子，跟他这种憨人没法沟通。

我又出去两次。这小会议室地方太偏，连那女警都走了，四周更没别人了。我稍微转悠一圈，压根找不到问话的，只好又回来坐着，而且我也困了，趴在桌子上呼呼睡一会儿。

等再睁开眼睛的时候，我发现天都黑了，看了看时间，五点多了。

我叹了口气，心说来省厅咋这么怪呢，这一天跟软禁有什么区别，不过也有个优点，至少可以随便出去，没人拦着。

我不想在小会议室待着了，把铁驴摇醒，说现在这时间，都下班了，咱哥俩也找个旅店住去吧。

铁驴倒同意跟我一起离开，但他说我们不住旅店了，要带我去个地方，那里有吃有喝，还全免费。

我纳闷他带我去哪儿，他还是那德行，压根不告诉我，就光带着我下楼，上了那辆军用吉普车。

我有个猜测，以为我俩要回北虎部队呢，谁知道铁驴开了一个多小时的车，带我去了另一个地方。

这地方叫什么，我不知道。但却是封闭的环境，说是部队吧，但看着规模没那么大，说是学校，看外观神神秘秘的，哪有个学校样子？

另外门口还有两个军人站岗，都拿着步枪，等我们的吉普车离近了，他俩还立刻把枪举了起来，其中一人吼着问："什么人！"

我从他们身上，都隐隐品出一丝杀气来了。我有点害怕，心说这俩爷们儿可别枪走火了，不然突突突一顿子弹，我和铁驴岂不莫名其妙地挂了？

铁驴没慌，还不紧不慢地把车窗摇下来，嬉皮笑脸地把脑袋探出去了。

我发现他可真行，别人进出特别的地方，都得拿证件或者证明，他光凭一张驴脸就搞定了。

俩军人也真买账，认出铁驴后，把枪放下来，打手势给我们放行。

铁驴把车开到最里面，这里有个茅草屋。他熄火招呼我下车。

我是一边下车一边盯着茅草屋看，心说这又是个什么东西？都啥时代了，咋还用这种原始的房子呢？

铁驴带我进去后，我第一眼看到的是这里有个很简陋的木桌子。铁驴跟我说："来来，准备开饭了。"

我挺纳闷，但也随着铁驴一起坐在桌子旁。

我俩等了一小会儿，有个老人挎着一个竹篮子走进来。

我留意到，这老人是个瘸子，走路一扭一扭的，有六十来岁的年纪吧。另外他脸上有个很长的伤疤，不像是刀弄出来的，反倒像被野兽抓出来的一样，从左眼角一直划到嘴角，看着有些狰狞。

我觉得这个老人年轻时不简单，毕竟这种伤疤，没有过特别经历的人，想有也有不了。

铁驴对老人的外貌不在乎，或许他跟老人已经很熟了吧，他光留意竹篮子了，还边搓手边念叨："今天会是什么菜呢？"

老人也不跟我打招呼，默默地来到桌旁，把竹篮打开，端出四个碗来，分给我和铁驴。

我看着自己那两个碗，愣住了，因为自己还是青壮年，每顿吃六两饭才能管饱，可眼前的一个碗里，顶多二两饭，另一个碗里也只有青菜叶子外加少得可怜的肉丝。

我心说这就是晚饭？铁驴说免费蹭吃蹭喝，就吃这个？

我看着铁驴，有种想损他的冲动。铁驴被我这目光吓住了，而且也不知道是不是误会我了，他挪了挪屁股，离我远一些，又把他的两个碗端得远远的，回话说："小冷，我也吃不饱，你别抢我的饭，不然跟你急眼！"

我都快气笑了，心说谁想抢他的饭啊？我就这点追求？我最想知道的是，他把我带到这儿，到底是什么意思！

瘸子老人一直在看我，发现我不吃东西，他忍不住哼了一声说："真是一代不如一代，我们那一批人，哪有这么磨蹭的，小驴子，姜绍炎新招来的特案组成员，又是挑食又是女的，怎么想的？不想好好干了吗？"

我脑袋嗡了一声，心里直念叨，特案组？这难道就是我要调来的部门吗？另外我也没听说省厅有这个部门啊！

特

训

（一）

在我这么一愣神的工夫，铁驴有动作了，他不躲着我，反倒往我身边蹭了蹭，有种要拦住我的意思。

我懂他咋想的，姜绍炎这帮人一直没告诉我具体部门，现在冷不丁听到，他怕我接受不了，但我心说自己有这么逊吗？不就是个特案组吗？只是听着神秘、离奇而已吧。

我没理会铁驴，反倒问瘸腿老人："能具体说说，特案组是干吗的吗？"

瘸腿老人一愣，很快回过神，指着我对铁驴吼上了："小驴子，原来这小子啥都不明白呢，那你们把他找来干啥？"

铁驴脸色微变，还急忙起身，又跑到瘸腿老人身边去了，嘀嘀咕咕耳语一番。

我一点儿都听不到，不知道他说啥呢，但我观察到，瘸腿老人表情变得很诧异，还忍不住说："原来这小子是……"

我留心了，很明显瘸腿老人要露出啥秘密来，但铁驴这个缺德货，赶忙捂住了瘸腿老人的嘴巴，还嘘嘘几声。

瘸腿老人反应过来了，什么也不肯说了。我却很着急，催促道："叔啊，你要说啥？快点说啊！"

瘸腿老人想了想，这期间铁驴还连连对瘸腿老人使眼色，也坐回椅子上。

第五十三章 · 特训（一）

瘸腿老人最终叹了口气，跟我说："娃子，我跟他可是老交情，老兄弟了！看在这情面上，既然你刚来，也别嫌我这瘸子多嘴劝你几句。"

我纳闷了，不知道瘸腿老人嘴里的他是谁。瘸腿老人又一拐一拐地走了几步，来到我旁边，拿起我的菜碗，用手指拨了拨说："这菜很不错，知道吗？你以前就是在城里养尊处优惯了，一时间吃不惯这种饭菜，但要知道，特案组的生存环境很差，偶尔更要饿肚子，几天吃不上东西。你要慢慢习惯吃这种食物，另外冷不丁你会吃不饱，但熬下去，你的胃口会慢慢变小，对你都有利。"

我特别不赞成他说的，尤其刚开始那句，心说自己还养尊处优？在乌州那种小地方，我充其量就是一个屌丝罢了，只有那些富人才会挑剔这个挑剔那个呢。

我是没好意思犟嘴，不然保准反驳瘸腿老人，问他老屌丝何苦为难小屌丝呢？

瘸腿老人也就是多说这么几句，接下来又变得冷冰冰的，只让我快点吃饭，就站在一旁等待了。

铁驴马上动筷子吃起来。我没招儿，也闷头吃饭。

我发现这饭根本就没熟，嚼起来直响，菜也淡而无味。虽说这么点晚餐，吃完了连半饱都不到，但我却有种吃饱了的感觉，说白了，是被这劣饭劣菜恶心到了。

瘸腿老人默不作声地收拾好空碗，扭头走了。

我问铁驴接下来要干吗。铁驴打了个哈欠，指了指这茅草屋里的两张床，跟我说："睡觉！"

其实我早就注意到这两张床了，不过我根本没想到这就是我们晚上睡觉的地方。

两张床都没有被褥，只有一个破木板子，上面铺着稻草，还有一张大毡子，估计用来当被子用的。

我都怀疑那些稻草是不是馊的，另外这里面会不会藏着虫子？

我指着两张床问铁驴："我们就睡这儿？"

铁驴点点头，他也不脱衣服，大摇大摆地上了床，就这么和衣而卧了。

他看我还没动身，说了句："小冷，你愿意站着就站着吧，但记住别乱跑，不然被巡逻的看到，被误会成贼，会开枪的。我不等你了，先睡了啊！"

我本来情绪很低落，铁驴最后一句话却跟强心剂一样，我一听他要睡，一下子急了。

我对他的呼噜声特别忌讳，也知道自己逃不过去了，这一晚上真要在这种破床上睡觉了，但我决不能让铁驴先睡着，不然他打起呼噜来，我这一宿怎么活？

我不管那么多了，急忙嗖嗖跑过去，爬到空床上，学着铁驴和衣而卧，还立马数起羊来。

这次我终于没丢人，办了点实事儿，抢在铁驴前头睡着了。

我没想到在这种硬板床上睡觉还不错，至少睡眠质量挺高。

睡了挺久后，迷迷糊糊间，我觉得有人掐我，他够损的了，掐的范围特别小，这让我觉得跟被针刺到了一样。

我以为铁驴捣乱呢，伸手扇了一下，嘴上说："驴哥，别闹！"但压根不好使，那人继续掐我，力道还稍微加大了。

我气到了，心说铁驴又抽什么风。我一扭头，睁开眼睛了。

但眼前哪有铁驴，只有一张吓人的脸。

它有种骨瘦如柴的感觉，特别老，全是褶子，还特别苍白，有着熊猫一样的黑眼圈。

我冷不丁以为自己见到鬼了呢，吓得哇一声，甚至都忘了还在床上。我想往旁边挪一挪，避开这张脸，但这下好，自己扑通一下，直接滚下床了。

我哼哼呀呀爬起来，隔着床跟这张脸对视着。他看我这种囧样，嘿嘿笑了，问一句："早啊，徒弟！"

我差点儿被弄咳嗽了，心说什么徒弟？我是有师父，虽然师父跟眼前怪人年纪相仿，但师父浓眉大眼，一表人才的，就算遇到天灾闹饥荒，也饿不成这种德性吧？

我不给他面子，不客气地问了句："你谁啊你？"

怪人笑了，慢慢站起来，自我介绍说："我叫啥名来着？我都忘了。但原来有个代号，叫白皮，你也这么叫吧。从今天起，我就是你师父了，会让你成为一名合格的特案组法医。"

我有点明白了，心说此师父非彼师父。而且我也知道，像我们这些做法医的，有很多怪才就是那种长相怪、本领也大的。

我觉得眼前这个代号叫白皮的人，一定是个高人。我对高人是有种敬佩心理的，从这方面出发，我对他的好感增加不少。

白皮一定了解过我，也不让我介绍自己，他又费劲地从床底下拿出个大兜子来。

这期间我四下看看，发现铁驴不见了，另外印象中，我床底下并没有什么大兜子，这一定是白皮带来的，刚放到床底下的。

我探个脑袋看，想知道大兜子里有什么东西。

白皮倒不避讳，任由我看，他翻了翻，从里面拿出一套衣服来，丢给我说："换上吧，这是你的行头了！"

我把衣服捧起来观察一番，说实话，这衣服不一般。我不知道具体是用什么布料做的，但有种帆布的感觉，却比帆布还要软，要是穿在身上，也绝对耐磨，甚至一般刀具都很难刺进去。

我打心里有个评价，衣服是好东西，穿起来都能当个贴身护甲了。

我对宝贝向来来者不拒，而且白皮也说了，这就是给我准备的。我不搭话，赶忙脱掉现有这身行头换衣服。

我脱得挺多，只剩个裤头了，但白皮不满意，啧啧几声，指着裤头说："小冷，你留它干吗？多耽误事啊，脱下脱下！"

我想了想。这屋里就有我和白皮俩人，我们都是男人，当他面脱光了也没啥，但这个老东西，目光一刻不离地盯着我那里看着，我有点别扭。

我想转过身去，问题是这么一来，我就得冲着门了。门还没关，万一在脱光期间，路过一个女同志可咋整？

我最后想了个笨招儿，蹲下身，隔着床脱光，又把白皮给我的衣服换上了。

我真佩服这衣服的设计者，等穿完后，我发现这衣服特别有型，虽然没镜子照，但低头看了看，发现自己身材好了很多。

另外在穿裤带的时候，我发现裤带也挺怪，上面每隔一段距离就有一个小圆洞，圆洞上还挂着一个很精致的小钩子。

我问白皮："这是干吗用的？"

白皮没急着回答，从大兜子里面拿出魔鼎和铁幡，当然了，魔鼎被包着层层的锡纸。

他问："这东西是你的吧？"

我点点头，心说一定是姜绍炎从乌州把它带过来的，又转交给白皮了。

我伸手把鼎和铁幡拿过来。白皮也交给我了，只是他突然叹了口气，念叨说："娃子，你真是运气好，竟然得到了狼娃的宝贝，这玩意儿威力太大了，你以后了不得啊！"

我心里挺震撼，白皮的意思很明显了，这魔鼎原主人竟然是狼娃，另外也有让我不明白的地方，魔鼎不就能吸个虫子吗？有什么威力？

我看他又贼兮兮地看着鼎，心里不爽，心说这老头太没素质了，怎么能这么看别人的东西呢。

我赶紧把鼎挂在裤带上，这么一来，也隐隐告诉白皮，鼎是我的，你别惦记了。

白皮最后依依不舍地又叹了口气，强调说："娃子，我听乌鸦说，你总丢三落四的，但从今天开始，一定别把鼎和铁幡丢了，不然让乌鸦知道，保准扒了你的皮。"

我知道这话狠狠，但也是为我好，我点点头。现在衣服也穿了，鼎也拿了，我问他："接下来要干啥？"

我发现白皮挺有意思，又翻起那个大兜子，从里面拿出一个东西，对我抛过来说："咱们研究研究这个，也是你日后常带在身上的东西。"

不得不说，我愣住了，望着这东西，心里直嘀咕，这又是个啥？

第五十四章

特训

（二）

我记得小时候看过一部动画片叫《圣斗士星矢》，里面的星矢穿上圣衣后，胸口就有一个白色护甲，而白皮拿出来的这个东西，就跟护甲很像，只是用特殊布料做的，还给护甲起了个名字，叫胸囊。

白皮把胸囊铺在床上，招呼我离近了细看。

这东西不简单，上面密布大大小小的布兜，每个布兜里还装着不同的家伙。有的是迷你解剖刀和小钳子，材料一看也特殊。有的是药，按白皮说的，药品大致分为两类，一类是试毒的药物，通过不同药物搭配，涂抹或溶解在可疑样品中，通过颜色变化，就能大体知道样品里存在什么类型的毒，是影响人神经系统的，还是限制人行动的。另一类是解毒药物，观察中毒者体征，用几种解毒药搭配着服用或注射，就很有可能把毒解了。

最后他还从一个小布兜里拿出一样设备，有小孩巴掌一半那么大，上面有屏幕，下面有九个键。按他的意思，这是一个存储器，更是一个百科全书，里面收入了很多与法医有关的知识点，我要是需要调查什么，直接输入关键词查找即可。

他把胸囊拿起来，还挺热心，帮我把它戴在胸口上了。

冷不丁多了这么一个玩意儿，我有点别扭。我也明白，这是好东西，问题是我戴着它有什么用？

257

我问了句，尤其还指出，就算加入特案组了，遇到什么案子，拎个法医勘察箱不就结了，干吗用这么精细的设备呢？

白皮对我的话不认可，还嘲笑几声说："徒弟，你太娇生惯养了，还以为在特案组做法医跟在警局当法医一样吗？我问你，什么是特案组，什么是特案？"

我承认自己不了解，摇了摇头。

白皮继续说："我就说自己的经验吧，以前做任务，很有可能处在荒山野岭、龙潭虎穴之中，甚至还会秘密潜入到恐怖分子的老窝里。那时除了几个队友，就没更多的外援了，你还想拎着法医勘察箱那么笨拙的东西乱逛？醒醒吧！"

他这一番话只是很简单的概括，但我能想象到有多凶险，我有点被吓住了。

白皮不理会我，突然叹口气，一屁股坐在床上，一副回忆的样子，想了老半天后又说："徒弟，你觉得法医应该干什么？"

我如实回答："法医是辅助破案的，是对与案件有关的人身、尸体、物品进行鉴别，并做出鉴定的技术人员。"

白皮嘻嘻笑了，摆手不让我说了，那意思是这个解释不正确。

我不服气，因为我刚说的都是书本上对法医下的定义，就算专门考试答卷子，这种回答也都挑不出缺点来。我反问白皮，他认为法医要干什么。

白皮说："你太传统了。在这社会上，有很多职业能触到尸体，像守坟、殡葬。但能肯定，法医是最了解最接近尸体的人，因为他们要用各种器材剖开尸体，窥视死亡的奥秘。另外他们也对毒药、创伤有很深入的研究。咱们这类人确实是辅助破案的，但只停留在鉴定工作上，真的太浪费。想想看，如果能把技术延伸出去，不仅研究尸体，还能帮助其他队友调整状态；不仅验毒找证据，还能为队友解毒，甚至懂一些独特的手段，在关键时刻施展擒敌的话，岂不是更能诠释法医这个职业吗？"

我还是有种意识，觉得白皮这种说法不对，但细想也真找不到理由反驳他。

白皮直奔主题，指着胸囊跟我强调："从今天起，我会教你怎么熟练使用。"

我发现他随后教我的东西，跟在学校和入警局后学的那些理论不太一样，但我并不排斥，也很用心地学起来。

这样我在这个小茅草屋待了一个多月，每天面对的除了送饭的瘸子老人，就是这个叫白皮的"活死人"了，而且渐渐地，我的饭也被缩减到只有两顿，把早餐省了。

虽然生活很苦，但通过这段时间的学习，我真有收获。至少白皮问我，要是遇到一个皱皱巴巴的尸块，上面生满绿毛，闻起来除了臭以外，还有腥甜的气味时，我能熟练地拿出几种试毒药物准备试毒；要是白皮问我，有人中毒吐白沫，手脚指甲全部青紫，头晕胸闷，呼吸麻痹时，我也能最快速地找到几种解毒药物。

直到一天早晨，我发现自己都养成习惯了，七点左右就会自然醒。

我这次醒来后简单洗漱下，就坐在床上吸烟，等着白皮的到来。但一直到八点，白皮都没来，却有一个熟悉的胖脑袋从门外探进来，冲我嘿嘿直笑。

他是铁驴。我冷不丁见到他，心里有点莫名的小兴奋，还摆手让他快进来，嘴上开玩笑说："驴哥，这段时间去哪儿了？我以为你人间蒸发了呢。"

铁驴回答："有任务，刚忙活完。"

我看他不想具体说，也就不再多问，换个话题，跟他扯起别的来。

这样等我烟吸完了，铁驴突然来这么一句："小冷，走吧，训练去！"

我有点愣，又看看门口，发现根本没有白皮的影子，我就接话："别开玩笑，师父还没来呢。"

没想到铁驴一挺胸脯，拿出一副很骄傲的样子说："白皮不会来了，接下来我是你师父，快叫一声师父让我爽爽。"

我不敢相信，但看他说得挺严肃的，问他："你是我师父？你教我啥？"

铁驴拍了拍腰间："特案组里任何一个人都是多面手，你只知道法医的东西，这远远不够，今天起，我要教你什么是真正的男人，怎么打枪。"

这我承认，铁驴对枪有研究，而且话都说到这份儿上了，我也别耗着了。

我挺配合他，站起来跟他一起出去了。本以为要去专业的靶场呢，但没有，他带我从一个小门走出基地，来到一个偏僻的山沟子里，这里立着一个用木板做的假人。

我们在离假人三十米开外的地方停下来，铁驴指着假人问我："小冷，你说说，印象中的神枪手是什么样的？"

我发现铁驴跟白皮在这方面挺像，都爱问我问题，估计是这些培训老师共同养成的一个臭毛病吧。

我想了想，也指着假人回答："如果神枪手开枪，六发子弹会全部打在眉心上，甚至遇到顶级高手的话，这六颗子弹还会集中在一起，只打出一个枪眼来。"

铁驴笑了，把手枪掏出来，一副特别有感情的样子，一边抚摸着枪，一边跟我说："你说的这种神枪手，我真没见过。"

我觉得他在撒谎，又提醒他："电视里就能见到，尤其是各种射击比赛，很多选手都能打出十环。"

铁驴嘘我一声，说："那是比赛，跟我们这种真刀真枪的特警能一样吗？"他又拽着我的手，强行让我摸枪，继续说，"知道吗？对一般人来说，枪就是枪。但对一个合格的枪手来讲，这就不是枪了，而是手掌的一个延续、身体的一部分。我举个例子，咱们在跟匪徒搏斗时，对方不可能站着当活靶吧？甚至都不给咱们多少瞄准的时间，更要比谁开枪快。而咱们要做的，就是用心去打枪，不要依赖于眼睛。"

我有点不明白。铁驴让我等着，他给我做个示范。

他嗖嗖跑到远处了，一副吊儿郎当的样子往这边走，还无聊地吹着口哨，等来到我身边后，他突然身子一震，喊了句："不好，有敌人。"

随后他把枪拿了出来，几乎看都不看，对着假人打起枪来。

他一共打了三枪，还喊着口号："右手一枪，左手一枪，撅着再一枪。"最后这一下，是背过去岔开双腿，把枪放在双腿之间开的。

我一直留意假人身上的状况，不得不说，这三枪真厉害，全都打在假人脸上了。

铁驴又带着我特意凑近看看，问我："你是法医，也懂，这三枪要打在活人身上，会是什么样子？"

我如实回答："枪枪毙命。"

铁驴笑了，还低调起来，跟我说："先说好，我不是一等一的神枪手，这次示范，只是告诉你一个道理，实战中，只要能毙敌就行，未必枪枪都要打在眉心上。"

我点头表示懂了，问铁驴："接下来我咋办？也要学着你这样打枪吗？"

铁驴眨眨眼，脸色有点不好看了，他不给我面子，直说道："你上来就想打盲枪？那可不行，这么瞎抡瞎射的，谁知道会不会打在我身上？这样吧，先按传统的来，你愿意瞄准多久就多久，只要能开枪打中假人就行。"

我真没接触过几次枪，这次握着手枪，有点小紧张。我也记住铁驴的话了，愿意瞄准多久都行。

我就在这瞄上了，足足过了五分钟，铁驴忍不住了，他瞅瞅天，跟我说："哥们儿，我说哥们儿啊！你再这么整，天都快黑了。"

我示意他，我懂，但我还是继续瞄准，铁驴看不下，推了我一把，催促说："是不是爷们儿，快射啊！"

我也不知道咋了，突然这么一激灵，扣动扳机了，而且一下子，很爽快地把六发子弹全射出去了。

等最后一枪开完，铁驴愣了，喊了句娘。

第五十五章

调

令

　　我这六发子弹，前五发连假人的边都没沾到，全打在它附近的地上，激出一股股烟来，而第六发竟让假人侧歪一下，看样子摇摇欲坠，随时可能摔倒。

　　这不用铁驴说我都明白，我最后打在假人的腿上了。

　　铁驴一脸敬佩的目光，对我竖起大拇指，连连称好。

　　我不懂他什么意思，心说莫不是反话？这里就一个假人，被我打坏了，接下来怎么练枪？

　　我摆摆手，让他别开玩笑。

　　谁知道铁驴一本正经地凑过来，跟我细说："小冷，你有潜力，这枪法简直神了，想想看，咱们为了录口供，有时必须活擒凶犯，像我这种枪手，都习惯打脑袋了，很容易不自觉地就把凶犯击毙，你就不同了，拿枪随便开，保准把凶犯腿打折，性命却无碍！"

　　我苦笑，不知道咋往下接话了。

　　细算算，我跟白皮学本事，用了一个多月的时间，但再怎么说，它属于法医这一块的，而我跟铁驴学打枪，纯属从零做起。

　　我也知道培养自己的枪法是很长很难的过程，我以为至少要跟铁驴混个一年半载的才能出山呢。

但没有，十天后的晚上，我和铁驴正要睡觉呢，他手机响了。

我一听到电话声就觉得不公平，因为我手机一到基地就没信号了，铁驴的手机一定是特制的，啥时候信号都满格。

他本来懒洋洋的，可拿出电话一看来电显示，他一下子坐起来，迅速接了。

对方说什么，我听不到，铁驴嗯嗯几声就把电话挂了，又招呼我说："小冷，特训结束，乌鸦那里有案子，咱们要出发了。"

我应了一声，也问一嘴："现在就走？"

铁驴叹口气，有点遗憾，回答说："走吧！赶早不赶晚，只是真的太突然了，你的枪法没培养出来不说，体能训练还没做呢！"

我对"体能训练"几个字眼比较敏感，问铁驴这训练具体要做啥。

铁驴一边招呼我下床收拾一边说："这种训练很简单的，每天负重跑五公里，翻翻墙爬爬地沟啥的，另外也要带你趴在草地上，顶着太阳暴晒八小时不动弹。"

我心说这还简单？根本就是死亡训练好不好？我暗自庆幸上了，觉得乌鸦电话来得太及时了，让我躲过一劫。

铁驴倒有点想法，突然间一顿，念叨说："对，我可以再问问乌鸦，这事能不能拖几天，要是真有时间，咱们就专门做体能训练，恶补一下。"

我几乎在他说完的瞬间眼就直了，还急忙拽着他往外走，说了一通大道理，那意思是乌鸦说的案子一定很着急，我们作为下属，不能拖后腿。

之后我俩坐着那辆军用吉普离开了，在车上我还穿上一套稍微有点肥大的衣服，这样能把我这身特殊行头掩盖住。

等回到省厅后，我们又来到老地方——小会议室。

我发现乌鸦还没来，但寅寅已经坐在里面了，喝着茶抽着烟。短短小两个月没见，她变化很大，目光很深邃，人也看着有点冷漠，尤其我隐隐感觉到，她身上散发出一种让人不寒而栗的气场。

铁驴让我跟寅寅先坐着，他去找乌鸦。

我跟寅寅啥关系？当然不客套了，我一屁股坐在她旁边套近乎："妹子，近来可好啊？"

寅寅笑着对我点点头，又把手机拿出来，说让我看个东西。

我以为跟乌鸦说的新案子有关呢，可等看到照片，我愣住了。

这上面是一个婴儿，浑身上下长着淡淡的黑毛，眼珠子也贼大，冷不丁一瞧，有点狰狞。

我问寅寅："这是啥？怪胎吗？"

寅寅盯着照片，笑得很怪，还倔强地吐了个烟圈，回答说："这不是人类，它的名字叫婴猴，也属于婴猴中的变异体。"

我点点头表示明白，但疑问也来了，又问寅寅："为什么给我看这种照片？"

寅寅答非所问，念叨说："冷哥，这猴子很厉害，血液唾液里都带着剧毒。这种毒不会致命，但能让人神经错乱出现幻觉，并让人四肢麻痒无比，在这种情况下，人通常会忍不住地乱咬自己。"

我的脑袋里像打了一道闪电一样，心说这就是活尸案的真凶啊。我一度千方百计地找凶手，甚至绞尽脑汁地算计，却没料到，凶手不是人！

我一下上来更多疑问了，想跟寅寅聊聊，寅寅却摆手不让我说，她继续念叨："这婴猴也很奇葩，特别嗜血，但凡看到血液，它就忍不住去舔，还会撕咬对方伤口，另外它以毒虫为食，饿肚子的话，就会放屁，特别的臭。"

我把寅寅这两番话联系起来，有点眉目了。

这婴猴就是女歌手养的所谓的小鬼，她还有魔鼎，肯定用魔鼎引毒虫过来当婴猴的饲料。但也不知道因为啥，婴猴把女歌手咬了，让女歌手神经错乱而死。而刘哥带着女歌手的尸体回殡仪馆，它也跟去了，中途爬到解剖室里，把刘哥弄伤弄疯了。

我继续琢磨，后来我接替刘哥解剖，为啥婴猴不咬我？

我有个猜测，自己跟师父学养虫子，身上多多少少带着那股虫子味，婴猴闻到后，觉得跟我能讨到吃的，就对我客气许多，还跟我回家。

而我家里出现的那些古怪一定是这畜生搞的鬼，另外那天孙佳过来跟我闹，还打了我，也肯定被这婴猴瞧到了，它对孙佳怀恨在心，一路跟过去了，把她咬成活尸人。

我都忍不住想感叹一句，觉得这案子真是不可思议。

寅寅观察我的表情，她又笑了，把手机放到兜里去了。这时姜绍炎跟铁驴一起进来了。

寅寅对姜绍炎特别客气，立马问候一句："师父！"

姜绍炎点点头，算应下了，铁驴却在旁边咳嗽几声，盯着我看。

我知道他也想听我叫师父，但我心说特训结束了，咱们是哥们儿，谁是你徒弟？

我用眼光回了他一下。铁驴有点蔫，唉声叹气地来了一句。就好像说，为啥我徒弟这么不尊师重道呢？

姜绍炎不给我俩打闹的时间，说只有我们四个人开会，都坐近一点儿吧。

我们赶紧行动，而且这次会议很简陋，连投影仪都没有。

姜绍炎问我们："知道霞光镇吗？"

我们仨互相看了看，都摇摇头。

姜绍炎说："霞光镇在长白山脚下，当地人也叫它佛光镇，因为镇旁有个山，有时晚上会出现佛光。当然这种现象是有科学解释的，因为环境特殊，出现的一种月虹罢了。本来这个小镇挺平静，但五天前出现一起居民家的爆炸案，让我产生了兴趣，咱们要接手调查一番。"

铁驴和寅寅都没深琢磨，光应声点头了，而我觉得姜绍炎有点小题大做。居民家的爆炸案，这在乌州也不是没遇到过，很可能是液化气罐引起的爆炸，这种事当地派出所就能处理，何苦我们特案组去调查呢？

我把这想法说出来了，姜绍炎嘿嘿笑了，说我过一阵就明白了，随后他看看时间，又跟我们说："我想立刻出发，寅寅跟我去准备车辆。小冷，这个案子涉及的死尸也被运到咱们省厅了，有法医刚解剖完，你感兴趣的话，就去解剖室瞧瞧，尸体应该还没被运走。其他事一会儿等我电话吧。"

我们都应着，这样会议结束了。

我也知道，尸检不是啥好活，一方面是累，另一方面是现场味道不好，我一合计，那尸体都死了五天了，就算用冷冻车运过来，也肯定多多少少有臭味。

放在平时，对这种可看可不看的尸体，我肯定偷懒不去，但这次实在太好奇了，想知道这案子到底什么样。

省级公安厅的规模都大，有自己的尸库，里面还有解剖室，我也知道那地方在哪儿。

我就跟铁驴说，我去看看，让他坐在会议室等着吧，谁知道铁驴默不作声地跟在我后面，那意思是也想去。

我没拦着，觉得多个伴也挺好。

我俩一起来到解剖室，这里刚散伙，倒是没其他法医了，尸体也装到尸袋里了。

我跟铁驴凑过去，我先动手，把尸袋拉开了。

我印象中被炸死的人，都有点惨不忍睹，甚至有可能是黑黑的，可眼前这个死尸不光黑，脸部还特别吓人。

别说我了，连铁驴都忍不住"啊"了一声。

他脸上全是小坑，密密麻麻的，我耐着性子离近观察，发现这些小坑并不深，也绝不是天生如此的，反倒像是被什么东西硬生生烧出来的一样，说白了，把肉烧化了。

我琢磨着，心说液化气爆炸没这种威力吧。难道他家爆炸是别的原因引起的？

铁驴有另一个发现，他倒真不嫌恶心，把脸凑到尸体近处，使劲嗅了嗅，还招呼我说："来来，徒弟，为师有发现，你也闻一闻！"

我瞪了他一眼，心说又装师父了是不？但我随后也凑过去闻闻。

这里除了尸臭味以外，还有一股很怪的味道，具体说不上来是啥。

我站直身子，皱着眉思考，铁驴比我强，或者说他某些经验比我丰富吧。

他有眉目，凑到我耳边说了两个字，我忍不住身躯一震！

未完待续 》》》